PAULA HAWKINS

Girl on the Train

Paula Hawkins

Girl on the Train

Du kennst sie nicht,
aber sie kennt dich.

Roman

Deutsch von Christoph Göhler

blanvalet

Die Originalausgabe erschien 2015 unter dem Titel »The Girl on the Train«
bei Doubleday, an imprint of Transworld Publishers, London.

Das Zitat von Henry Miller stammt aus:
Anaïs Nin/Henry Miller: Briefe der Leidenschaft. 1932–1953.
Scherz, Bern/München/Wien 1989.

MIX
Papier aus verantwortungsvollen Quellen
FSC® C014496
FSC
www.fsc.org

Verlagsgruppe Random House FSC® N001967
Das FSC®-zertifizierte Papier *Super Snowbright* für dieses Buch
liefert Hellefoss AS, Hokksund, Norwegen.

3. Auflage

Redaktion: Leena Flegler
Umschlaggestaltung: buerosued.de
nach einem Entwurf von Claire Ward
Umschlagmotiv: Plainpicture/Bildhuset
WR · Herstellung: sam
Satz: Uhl + Massopust, Aalen
Druck und Bindung: GGP Media GmbH, Pößneck
Printed in Germany
ISBN 978-3-7645-0522-6

www.blanvalet-verlag.de

Für Kate

Sie liegt unter einer Silberbirke bei den alten Gleisen unter einem Steinhügel. Eigentlich ist es nur ein kleines Steinhäufchen. Ich wollte nicht, dass jemand auf ihr Grab aufmerksam würde, aber sie sollte wenigstens eine kleine Gedenkstätte bekommen. Dort wird sie in Frieden ruhen, ungestört und in aller Stille bis auf den Gesang der Vögel und das Rumpeln der vorbeifahrenden Züge.

Eine bringt Kummer, zwei bringen Jubel, bei dreien kommt ein Mädel. Bei dreien kommt ein Mädel. Bei drei bleibe ich regelmäßig hängen, weiter komme ich einfach nicht. Mein Kopf ist voll von Geräuschen, mein Mund blutverkleistert. Bei dreien kommt ein Mädchen. Ich kann die Elstern regelrecht lachen hören – sie lachen mich aus mit ihrem gehässigen Keckern. Götterboten. Todesboten. Jetzt kann ich sie sehen. Sie zeichnen sich schwarz vor der Sonne ab. Nein, nicht die Vögel, sondern etwas anderes. Da kommt jemand. Jemand spricht mit mir. *Sieh nur. Sieh nur, wozu du mich gezwungen hast.*

RACHEL

Freitag, 5. Juli 2013

Morgens

Da liegt ein Kleiderhaufen an den Gleisen. Hellblauer Stoff – vielleicht ein Hemd –, verknäuelt mit etwas schmutzig Weißem. Wahrscheinlich ist es nur Abfall, irgendwas aus einem Müllsack, der heimlich in das zugewucherte Waldstück oben am Bahndamm geschleudert wurde. Oder die Sachen wurden von einem der Arbeiter dort liegen gelassen, die an dem Streckenabschnitt beschäftigt sind. Schließlich sind sie oft genug hier. Vielleicht war es aber auch ganz anders. Meine Mutter meinte immer, ich hätte eine zu lebhafte Fantasie; Tom meinte das auch. Aber ich kann einfach nicht anders, ich sehe ein paar liegen gebliebene Fetzen, ein schmutziges T-Shirt oder einen Schuh und muss sofort an den zweiten Schuh denken und an die Füße, die daringesteckt haben.

Der Zug ruckelt und knarzt und quietscht sich wieder in Bewegung, der kleine Kleiderhaufen verschwindet aus meinem Blickfeld, und wir rumpeln weiter auf London zu, ungefähr so schnell wie ein guter Jogger. Aus der Reihe hinter mir höre ich ein resigniertes, verärgertes Seufzen. Der Acht-Uhr-vier-Zug von Ashbury nach Euston stellt die Geduld des abgeklärtesten Pendlers auf die Probe. Theoretisch dauert die Fahrt vierundfünfzig Minuten, aber das tut sie so gut wie nie: Der Streckenabschnitt ist uralt, zerfahren, von Signalstörungen und nie endenden Reparaturarbeiten geplagt.

Der Zug kriecht dahin; er zittert an Lagerhäusern und Wassertürmen, Brücken und Schuppen vorbei, an bescheidenen viktorianischen Häusern, die den Gleisen empört den Rücken zukehren.

Ich lehne den Kopf ans Zugfenster und lasse die Häuser an mir vorbeiziehen wie bei einer Kamerafahrt. Ich sehe sie so, wie andere sie nicht sehen; wahrscheinlich sehen nicht einmal ihre Bewohner sie aus dieser Perspektive. Zweimal am Tag bieten sich mir für einen Moment Einblicke in fremde Leben. Irgendwie hat der Anblick von Fremden, die daheim in Sicherheit sind, etwas Tröstliches.

Irgendwo klingelt ein Handy mit einer unpassend fröhlichen, munteren Melodie. Der Angerufene lässt sich Zeit; es dudelt und dudelt immer weiter. Ich spüre, wie die anderen Fahrgäste auf ihren Sitzen hin und her rutschen, mit Zeitungen rascheln, auf ihre Computer eintippen. Der Zug ruckt und schwankt um eine Biegung und verlangsamt die Fahrt vor einem roten Signal. Ich versuche, nicht aufzusehen; ich versuche, die Gratiszeitung zu lesen, die mir am Eingang zum Bahnhof in die Hand gedrückt wurde, doch die Worte verschwimmen vor meinen Augen; nichts kann mein Interesse wecken. Im Geist sehe ich immer noch den kleinen Kleiderhaufen verlassen neben der Strecke liegen.

Abends

Der Fertig-Gin-Tonic sprudelt über die Öffnung, als ich die Dose an die Lippen setze und den ersten Schluck nehme. Herb und kalt, der Geschmack meines allerersten Urlaubs mit Tom im Jahr 2005 in einem Fischerdorf an der baskischen Küste. Morgens schwammen wir die halbe Meile zu der kleinen Insel in der Bucht und liebten uns dort auf geheimen, versteckten Stränden; nachmittags saßen wir in einer Bar, tranken starken, bitteren Gin Tonic und sahen den Beachfußballern zu, die bei Ebbe auf dem Sand chaotische Spiele mit Mannschaften von je fünfundzwanzig Spielern austrugen.

Ich nehme noch einen Schluck, dann noch einen; die Dose ist schon halb leer, aber das ist schon in Ordnung. In der Plastiktüte zu meinen Füßen liegen noch drei. Und weil Freitag ist, brauche ich auch kein schlechtes Gewissen zu haben, wenn ich im Zug trinke. *Thank God It's Friday.* Endlich Zeit für die Freuden des Lebens.

Das Wochenende soll herrlich werden, jedenfalls haben sie das angekündigt. Strahlender Sonnenschein, wolkenloser Himmel. Früher wären wir vielleicht mit einem Picknickkorb und der Zeitung in den Corly Wood gefahren, hätten den ganzen Nachmittag im getüpfelten Sonnenlicht auf einer Decke gelegen und Wein getrunken. Vielleicht hätten wir auch mit ein paar Freunden im Garten gegrillt oder uns im The Rose in den Biergarten gesetzt, bis unsere Gesichter vom Alkohol und von der Sonne geglüht hätten, und wären dann Arm in Arm nach Hause geschwankt, um auf dem Sofa einzuschlafen.

Strahlender Sonnenschein, wolkenloser Himmel und niemanden zum Spielen, nichts zu tun. So zu leben, wie ich es zurzeit tue, ist im Sommer noch schlimmer, wenn es so lang hell bleibt und die Dunkelheit so wenig Schutz bietet, wenn alle ständig unterwegs und dabei so aufdringlich, aggressiv glücklich sind. Es ist ermüdend, und man bekommt ein schlechtes Gewissen, weil man sich absondert.

Das Wochenende erstreckt sich endlos vor mir, achtundvierzig leere Stunden, die ich ausfüllen muss. Ich setze die Dose wieder an, aber es ist kein Tropfen mehr übrig.

Montag, 8. Juli 2013

Morgens

Wieder im Acht-Uhr-Vierer zu sitzen ist eine Erleichterung. Nicht dass ich es besonders eilig hätte, nach London zu kommen und die Woche in Angriff zu nehmen – eigentlich zieht mich überhaupt nichts nach London. Ich will mich nur in den weichen, durchgesessenen Veloursitz lehnen, will spüren, wie die Sonne warm durchs Fenster scheint, wie der Wagen hin und her und hin und her schaukelt, wie die Räder ihren beruhigenden Rhythmus auf die Schienen klopfen. Hier, wo ich die Häuser neben den Gleisen betrachten kann, bin ich lieber als irgendwo sonst.

Ungefähr auf der Hälfte der Fahrt ist wieder irgendein Signal defekt. Zumindest nehme ich an, dass es defekt ist, weil es praktisch immer auf Rot steht. Fast jeden Tag halten wir dort an, manchmal nur für ein paar Sekunden, manchmal für endlose Minuten. Wenn ich in Wagen D sitze, so wie meistens, und der Zug vor dem Signal anhält, so wie fast immer, habe ich den perfekten Ausblick auf mein Lieblingshaus an den Gleisen: Nummer fünfzehn.

Nummer fünfzehn sieht aus wie auch die meisten anderen Häuser an diesem Streckenabschnitt: eine viktorianische Doppelhaushälfte, zwei Stockwerke hoch, mit einem schmalen, gepflegten Garten, der nach etwa sieben

Metern an einem Zaun endet. Dann folgen ein paar Meter Niemandsland, dahinter verlaufen die Gleise. Ich kenne dieses Haus mittlerweile in- und auswendig. Ich kenne jeden einzelnen Ziegelstein, ich kenne die Farben der Vorhänge im Schlafzimmer im ersten Stock (beige mit dunkelblauem Aufdruck), ich weiß, dass sich der Lack vom Fensterrahmen des Badezimmers schält und dass auf der rechten Dachseite vier Ziegel fehlen.

Ich weiß, dass die Bewohner dieses Hauses, Jason und Jess, an warmen Sommerabenden manchmal aus dem großen Schiebefenster klettern und sich auf ihre improvisierte Dachterrasse über der ausgebauten Küche im Erdgeschoss setzen. Sie sind das perfekte Paar. Er ist dunkelhaarig und gut gebaut, stark wie ein Bollwerk und dabei sanft und hat ein betörendes Lachen. Sie ist eines dieser zerbrechlichen Vögelchen, eine hellhäutige Schönheit mit einem kurz geschnittenen Blondschopf. Sie hat das richtige Gesicht für so eine Frisur: scharfe Wangenknochen, getüpfelt mit ein paar Sommersprossen, dazu ein elegantes Kinn.

Solange wir vor dem roten Signal feststecken, halte ich nach den beiden Ausschau. Jess sitzt morgens oft auf der Terrasse im Erdgeschoss, vor allem im Sommer, und trinkt Kaffee. Manchmal, wenn ich sie sehe, habe ich das Gefühl, dass sie mich ebenfalls sieht – dass sie meinen Blick erwidert –, und dann würde ich ihr am liebsten zuwinken. Jason sehe ich nicht ganz so häufig; er ist oft beruflich unterwegs. Aber selbst wenn sie nicht da sind, male ich mir aus, was sie vorhaben könnten. Vielleicht haben sie sich beide freigenommen, und sie liegt im Bett, während er ihr Frühstück macht, oder sie sind zusammen joggen, denn so was sähe ihnen ähnlich. (Tom und ich sind sonntags oft gemeinsam joggen gegangen – ich ein bisschen schneller als sonst, er ungefähr halb so schnell wie üblich, damit wir nebeneinander herlaufen konnten.) Vielleicht ist Jess aber auch oben im kleinen Zimmer und malt, oder sie stehen gemeinsam unter der Dusche, wo sie sich gegen die Kacheln stemmt und er seine Hände um ihre Taille legt.

Abends

Halb dem Fenster zugewandt und mit dem Rücken zum restlichen Wagen öffne ich eins der Chenin-Blanc-Fläschchen, die ich im Whistlestop in Euston gekauft habe. Der Wein ist zwar nicht kalt, aber das ist schon okay. Ich gieße ein bisschen was in einen Plastikbecher, schraube den Verschluss wieder zu und lasse die Flasche in meine Handtasche gleiten. Montags im Zug zu trinken ist wenig gesellschaftsfähig – es sei denn, man trinkt in Gesellschaft, aber das tue ich nicht.

Vertraute Gesichter sitzen in diesen Zügen, Menschen, die ich Woche für Woche sehe, entweder auf dem Hin- oder auf dem Rückweg. Ich erkenne sie wieder, und wahrscheinlich erkennen sie mich ebenfalls wieder. Ich weiß allerdings nicht, ob sie mich als das sehen, was ich wirklich bin.

Es ist ein strahlend schöner Abend, warm, aber nicht zu schwül, die Sonne steht erst am Beginn ihres gemächlichen Abstiegs, die Schatten werden langsam länger, und das Licht beginnt eben erst, die Bäume zu vergolden. Der Zug rattert vor sich hin, wir fliegen an Jasons und Jess' Haus vorbei, und die beiden verschwinden in einem abendlichen Sonnenfleck. Manchmal, allerdings nicht allzu oft, sehe ich sie auch von dieser Seite der Gleise. Wenn gerade kein Zug in die entgegengesetzte Richtung fährt und wir langsam genug sind, kann ich einen Blick auf die beiden erhaschen, wie sie auf ihrer Terrasse sitzen. Wenn nicht – so wie heute –, dann stelle ich es mir einfach vor. Jess hat die Füße auf den Terrassentisch gelegt und ein Glas Wein in der Hand, während Jason hinter ihr steht und die Hände auf ihre Schultern legt. Ich meine fast zu spüren, wie sich seine Hände anfühlen, wie das Gewicht schützend und zuversichtlich auf ihrer Haut ruht. Manchmal ertappe ich mich dabei, dass ich mich zu erinnern versuche, wann mich zuletzt ein anderer Mensch berührt hat, und sei es nur bei einer Umarmung oder einem von Herzen kommenden Händedruck, und dann krampft sich mein Herz zusammen.

Dienstag, 9. Juli 2013

Morgens

Der Kleiderhaufen von letzter Woche liegt immer noch da. Er sieht staubiger und verlorener aus als noch vor ein paar Tagen. Irgendwo habe ich gelesen, dass ein Zug dir bei einem Aufprall die Kleider vom Leib reißen kann. Von einem Zug überfahren zu werden ist gar nicht so ungewöhnlich. Zwei-, dreihundertmal kommt das angeblich pro Jahr vor, das heißt spätestens alle zwei Tage. Ich weiß nicht, wie oft es sich dabei wirklich um Unfälle handelt. Während der Zug langsam weiterrollt, halte ich Ausschau nach Blut auf den Kleidern, kann aber nichts entdecken.

Wie üblich hält der Zug vor dem defekten Signal. Ich sehe Jess im Erdgeschoss vor der Terrassentür stehen. Sie trägt ein knallrosa Kleid, ihre Füße sind nackt. Sie wirft einen Blick über die Schulter; wahrscheinlich redet sie gerade mit Jason, der drinnen Frühstück macht. Mein Blick bleibt an Jess und an ihrem Heim hängen, während sich der Zug bedächtig vorwärtsschiebt. Die anderen Häuser will ich gar nicht sehen; erst recht nicht das vierte von hier aus, das Haus, in dem ich früher gewohnt habe.

Blenheim Road 23. Dort habe ich fünf Jahre lang gelebt – glücklich und am Boden zerstört. Inzwischen kann ich dieses Haus nicht mal mehr ansehen. Meine ersten eigenen vier Wände. Nicht die Wohnung meiner Eltern, keine Studenten-WG, sondern mein erstes eigenes Heim. Ich ertrage es nicht, das Haus zu sehen. Na schön, ich kann sehr wohl hinsehen, ich tue es auch, ich will es auch, ich will es nicht, ich gebe mir Mühe, es nicht zu tun. Jeden Tag ermahne ich mich, nicht hinzusehen, und dann tue ich es doch wieder. Ich kann einfach nicht anders, obwohl es dort nichts gibt, was ich sehen will, obwohl mich alles, was ich dort sehe, verletzen wird; obwohl mir noch ganz genau in Erinnerung ist, was für ein Gefühl es war, als ich an der Fassade emporsah und feststellte, dass die cremefarbene Leinenjalousie im Schlafzimmer im ersten Stock durch irgendwas in Babyrosa ersetzt worden war; obwohl ich noch genau weiß, wie ich mir vor Schmerz die Lippe blutig biss, als ich sah, wie Anna die Rosenbüsche am Zaun wässerte und das T-Shirt sich um ihren runden Bauch spannte.

Ich kneife die Augen zu und zähle bis zehn, fünfzehn, zwanzig. Geschafft, vorbei, es gibt nichts mehr zu sehen. Wir fahren in den Bahnhof von Witney ein und wieder hinaus, und der Zug nimmt Geschwindigkeit auf, während die Vororte mit den schmuddeligen Außenbezirken Nordlondons verschmelzen und die Reihenhäuser von

Brücken voller Graffiti und leer stehenden Gebäuden mit eingeschlagenen Fenstern abgelöst werden. Je näher wir Euston Station kommen, umso nervöser werde ich. Der Druck baut sich langsam auf. Wie wird es heute laufen? Ungefähr fünfhundert Meter vor dem Bahnhof steht rechter Hand der Gleise ein heruntergekommener flacher Betonbau. Auf die Seite hat jemand gesprayt: DAS LEBEN IST KEIN ABSATZ. Ich muss an das Kleiderbündel neben den Schienen denken, und es schnürt mir die Kehle zu. Das Leben ist kein Absatz, und der Tod ist keine Klammer.

Abends

Der Zug, den ich abends nehme, der um vier vor sechs, ist eine Spur langsamer als der am Morgen – er braucht eine Stunde und eine Minute, volle sieben Minuten länger als der Morgenzug, obwohl er nicht öfter hält. Mich stört das nicht, denn so wenig es mich morgens nach London zieht, so wenig zieht es mich abends zurück nach Ashbury. Nicht nur, weil es ausgerechnet Ashbury ist – obwohl das Kaff wirklich schlimm ist, eine Satellitenstadt aus den Sechzigerjahren, die sich wie ein Krebsgeschwür in das Herz von Buckinghamshire gefressen hat. Nicht besser oder schlimmer als ein Dutzend anderer, ähnlicher Städtchen, mit Cafés und Handyläden und Sportgeschäften im Zentrum, umgeben von einem Ring aus Wohnvierteln, hinter denen das Reich der Multiplexkinos und Discountermärkte beginnt. Ich lebe in einem (einigermaßen) schicken, (einigermaßen) neuen Wohnhaus im Grenzbereich zwischen dem Geschäftszentrum und den Wohnbezirken am Stadtrand, aber zu Hause bin ich dort nicht. Mein Zuhause ist die viktorianische Doppelhaushälfte an den Gleisen, die mir einmal zum Teil gehört hat. In Ashbury gehört mir gar nichts, ich bin dort nicht mal Mieterin – ich bin nur Untermieterin in dem kleinen Gästezimmer in Cathys schmuckloser, unaufdringlicher Eigentumswohnung und damit ihrer Gunst und Gnade ausgeliefert.

Cathy und ich waren Studienfreundinnen. Eigentlich eher Bekannte; wir standen uns nie besonders nahe. Sie wohnte in meinem ersten Collegejahr im Zimmer gegenüber, und wir studierten das Gleiche, darum waren wir in jenen ersten einschüchternden Wochen natürliche Verbündete, bis wir beide andere Leute kennenlernten, mit denen wir mehr gemeinsam hatten. Nachdem das erste Jahr vorbei war, sahen wir uns nicht mehr allzu oft und nach dem College so gut wie gar nicht mehr, außer gelegentlich auf irgendwelchen Hochzeiten. Doch in der Stunde der Not hatte Cathy zufällig ein Zimmer frei, und so fiel meine Wahl auf sie. Ich war mir ganz sicher, dass ich nur ein paar Monate bleiben würde, sechs allerhöchstens. Ich hatte keine Ahnung, wohin ich sonst hätte gehen sollen. Ich hatte noch nie allein gelebt, ich war von meinen Eltern erst in die WG und dann zu Tom gezogen und fand die Vorstellung beängstigend, darum ließ ich mich darauf ein. Das war vor fast zwei Jahren.

Es ist nicht *furchtbar.* Cathy ist nett, allerdings auf eine ziemlich dominante Art. Sie legt Wert darauf, dass man ihre Nettigkeit bemerkt. Nett zu sein ist ihr wichtig, sie definiert sich darüber, und darum will sie auch, dass man es würdigt, und zwar oft, am besten täglich, was ziemlich ermüdend sein kann. Aber es ist nicht wirklich schlimm, ich könnte mir unangenehmere Charakterzüge bei einer Mitbewohnerin vorstellen. Nein, an meiner neuen Lage (für mich ist sie auch nach zwei Jahren noch neu) stört mich weniger Cathy, nicht einmal Ashbury. Mich stört, dass ich keine Kontrolle mehr über mein Leben habe. In Cathys Wohnung fühle ich mich immer wie ein gerade noch geduldeter Gast. Ich spüre es in der Küche, wo wir um den besten Platz rangeln, wenn wir uns etwas zum Abendessen zubereiten. Ich spüre es, wenn ich neben ihr auf dem Sofa sitze und sie die Fernbedienung in der Hand hält. Der einzige Raum, der mir – wenn überhaupt – zusteht, ist das winzige Zimmer, in das ein Doppelbett und ein Schreibtisch gestopft wurden, zwischen denen man gerade noch hindurchgehen kann. Das Zimmer ist einigermaßen gemütlich, aber kein Raum, in dem man sich gern aufhält, und so hänge ich lieber verschämt und machtlos im Wohnzimmer oder am Küchentisch herum. Ich habe nichts mehr unter Kontrolle, nicht einmal die Orte in meinem Kopf.

Mittwoch, 10. Juli 2013

Morgens

Die Hitze wird heftiger. Es ist gerade erst halb neun, aber es ist jetzt schon schwül, die Luft mit Feuchtigkeit gesättigt. Ein Gewitter wäre nicht schlecht, aber der Himmel ist unverschämt monoton und wässrig Blassblau. Ich wische mir den Schweiß von der Oberlippe. Ich wünschte mir, ich hätte daran gedacht, mir eine Flasche Wasser zu kaufen.

Ausgerechnet heute Morgen sehe ich nichts von Jason und Jess und bin schmerzlich enttäuscht. Albern, ich weiß. Ich suche das Haus Fenster für Fenster ab, aber es gibt nichts zu sehen. Unten sind die Vorhänge zurückgezogen, aber die Terrassentüren sind verschlossen, die Sonne spiegelt sich in den Scheiben. Auch das Fenster oben ist zugeschoben. Vielleicht ist Jason schon unterwegs und arbeitet. Er ist Arzt, glaube ich, wahrscheinlich bei einer dieser Organisationen im Ausland, ständig auf Abruf, immer liegt eine gepackte Reisetasche auf dem Kleiderschrank, und sobald ein Erdbeben im Iran oder ein Tsunami in Asien gemeldet wird, lässt er alles stehen und liegen, schnappt sich die Tasche und ist wenige Stunden später in Heathrow, um loszufliegen und Menschenleben zu retten.

Jess mit ihren kühn bedruckten Klamotten und ihren Converse und ihrer Schönheit, ihrer Haltung, arbeitet in der Modebranche. Vielleicht auch im Musikbusiness oder in der Werbung – sie könnte Stylistin oder Fotografin sein. Außerdem ist sie eine gute Malerin, sie hat definitiv eine künstlerische Ader. Ich sehe genau vor mir, wie sie oben im Gästezimmer bei offenem Fenster und brüllend lauter Musik mit dem Pinsel in der Hand vor einer an der Wand lehnenden Leinwand steht. Dort wird sie bis Mitternacht bleiben; Jason weiß, dass er sie nicht beim Malen stören darf.

Natürlich sehe ich sie nicht wirklich. Ich weiß nicht, ob sie malt oder ob Jasons Lachen tatsächlich so toll klingt oder ob Jess schöne Wangenknochen hat. Ihren Knochenbau kann ich von hier aus unmöglich erkennen, und ich habe auch noch nie Jasons Stimme gehört. Ich habe die beiden noch nie aus der Nähe gesehen; damals, als ich ein paar Häuser weiter wohnte, lebten die beiden noch nicht dort. Sie zogen erst nach meinem Auszug vor zwei Jahren dort ein, wann genau, weiß ich nicht. Sie sind mir vor vielleicht einem Jahr zum ersten Mal aufgefallen, und im Lauf der Monate wurden sie mir immer wichtiger.

Ich weiß auch nicht, wie sie in Wahrheit heißen, darum musste ich ihnen selbst Namen geben. Jason, weil sein gutes Aussehen etwas von einem britischen Filmstar hat, kein Depp und auch kein Pitt, aber ein Firth oder ein Jason Isaacs. Und Jess passt einfach gut zu Jason – und es passt zu ihr. Der Name ist genauso hübsch und sorglos wie sie. Die beiden sind wirklich füreinander geschaffen, sie sind ein gutes Gespann. Sie sind glücklich, das sehe ich ihnen an. Sie sind das, was ich früher war. Sie sind Tom und ich vor fünf Jahren. Sie sind, was ich verloren habe; alles, was ich gern wäre.

Abends

Die Knöpfe meiner unangenehm engen Bluse spannen über dem Busen, und unter meinen Achseln zeichnen sich Flecken ab, die Feuchtigkeit liegt klamm auf meinen Armen. Meine Augen und meine Kehle jucken. Heute Abend will ich die Reise so schnell wie möglich hinter mich bringen; ich verzehre mich danach heimzukommen, mich auszuziehen und unter die Dusche zu stellen, wo mich niemand sehen kann.

Ich studiere den Mann auf dem Sitz gegenüber. Er ist ungefähr so alt wie ich, Anfang, Mitte dreißig vielleicht, und hat dunkles, an den Schläfen ergrauendes Haar. Fahle Haut. Er trägt einen Anzug, aber er hat das Sakko ausgezogen und auf den Nebensitz gelegt. Vor ihm liegt aufgeschlagen ein papierdünnes MacBook. Er tippt nur langsam. Am rechten Handgelenk trägt er eine silberne Uhr mit großem Ziffernblatt – sie sieht teuer aus, womöglich eine Breitling. Und er kaut auf seiner Wange. Vielleicht ist er nervös. Oder einfach nur gedankenversunken. Weil er eine wichtige E-Mail an einen Kollegen im New Yorker Büro schreiben muss oder einen sorgsam komponierten Abschiedsbrief an seine Freundin. Auf einmal sieht er auf und schaut mich an; sein Blick wandert über mich hinweg und landet auf der kleinen Weinflasche auf dem Tischchen vor mir. Dann sieht er wieder weg. Um seinen Mund spielt ein Zucken, das auf Ekel hindeutet. Er findet mich eklig.

Ich bin nicht mehr das Mädchen, das ich früher war. Ich bin nicht mehr begehrenswert, ich bin irgendwie abstoßend. Nicht nur, weil ich zugenommen habe und mein Gesicht vom Trinken und von zu wenig Schlaf aufgedunsen ist; es ist, als könnten die Menschen mir meine Defizite ansehen, sie lesen sie an meiner Miene, meiner Körperhaltung, meinen Bewegungen ab.

Als ich irgendwann letzte Woche nachts aus meinem Zimmer kam, um mir ein Glas Wasser zu holen, hörte ich Cathy im Wohnzimmer mit ihrem Freund Damien reden. Ich blieb im Flur stehen und lauschte. »Sie ist einsam«, sagte Cathy. »Ich mache mir wirklich Sorgen um sie. Es ist nicht gut, dass sie immer allein ist.« Dann fragte sie: »Wüsstest du nicht jemanden, vielleicht von der Arbeit oder aus dem Rugbyverein?«, und Damien antwortete: »Für Rachel? Ohne Scheiß, Cath, ich weiß nicht, ob ich jemanden kenne, der so verzweifelt ist.«

Donnerstag, 11. Juli 2013

Morgens

Ich zupfe an dem Pflaster an meinem Zeigefinger. Es ist immer noch feucht; es wurde nass, als ich vorhin meine

Kaffeetasse ausspülte. Es fühlt sich klamm und schmutzig an, dabei war es heute Morgen noch ganz frisch. Ich will es noch nicht ablösen; der Schnitt war immerhin ziemlich tief. Als ich gestern heimkam, war Cathy ausgegangen, darum zog ich noch einmal los in den Laden an der Ecke und kaufte dort zwei Flaschen Wein. Nachdem ich die erste geleert hatte, dachte ich, wenn Cathy schon mal weg ist, könnte ich ja die Gelegenheit nutzen und mir ein Steak braten, vielleicht mit einem Relish aus roten Zwiebeln, und grünen Salat dazu essen. Ein gutes, gesundes Abendessen. Nur dass ich mir beim Zwiebelschneiden in die Fingerkuppe geschnitten habe. Offenbar war ich im Bad, um die Wunde zu säubern, und dann muss ich mich kurz hingelegt und dabei die Küche komplett vergessen haben, denn als ich um zehn wieder aufwachte, konnte ich hören, wie Cathy und Damien sich unterhielten und er sagte, wie eklig es sei, dass ich alles immer in einem derartigen Zustand hinterlasse. Cathy kam nach oben, um nach mir zu sehen, sie klopfte leise an und drückte die Tür einen Spaltbreit auf. Dann legte sie den Kopf schief und fragte, ob alles in Ordnung sei. Ich entschuldigte mich, ohne genau zu wissen, wofür. Sie sagte, es sei schon okay, aber ob ich wohl nach unten kommen und ein bisschen aufräumen könnte. Das Schneidebrett war blutbesudelt, die ganze Küche roch nach rohem Fleisch, das Steak lag, mittlerweile schon leicht angegraut, immer noch auf der Theke. Damien begrüßte mich nicht mal, er schüttelte bei meinem Anblick nur wortlos den Kopf und verschwand nach oben in Cathys Schlafzimmer.

Nachdem beide ins Bett gegangen waren, fiel mir die zweite Flasche wieder ein, und ich machte sie auf. Ich setzte mich aufs Sofa und sah fern, den Ton ganz leise gedreht, damit sie mich nicht hörten. Was ich mir ansah, weiß ich nicht mehr, aber irgendwann muss ich mich einsam gefühlt haben oder euphorisch oder was weiß ich, weil ich plötzlich unbedingt mit jemandem reden wollte. Offenbar war das Kontaktbedürfnis schier übermächtig, und außer Tom hatte ich niemanden, den ich anrufen konnte.

Ich will mit niemandem reden außer mit Tom. Der Anrufliste in meinem Handy zufolge habe ich ihn viermal angerufen: um 23:02 Uhr, 23:12 Uhr, 23:54 Uhr und um 00:09 Uhr. Nach der Länge der Anrufe zu schließen habe ich zwei Nachrichten hinterlassen. Vielleicht hat er sogar einen der Anrufe entgegengenommen, aber ich kann mich nicht mehr erinnern, dass ich mit ihm gesprochen hätte. Ich weiß nur noch, wie ich die erste Nachricht aufgesprochen habe; ich glaube, ich habe ihn gebeten, mich zurückzurufen. Vielleicht habe ich auch beide Male das Gleiche gesagt, was nicht allzu schlimm wäre.

Der Zug kommt bebend vor dem roten Signal zum Stehen, und ich blicke auf. Jess sitzt auf der Terrasse und trinkt Kaffee. Sie hat die Füße auf die Tischkante gestützt und den Kopf in den Nacken gelegt und sonnt sich. Hinter ihr meine ich einen Schatten wahrzunehmen, eine Bewegung: Jason. Ich würde ihn so gern sehen, einen Blick auf sein ebenmäßiges Gesicht werfen. Ich will, dass er herauskommt, dass er sich hinter sie stellt, wie so oft, sie auf den Scheitel küsst.

Doch er kommt nicht heraus, und ihr Kopf fällt nach vorn. Irgendwie habe ich den Eindruck, dass sie sich heute anders bewegt als sonst; schwerfälliger, fast schon niedergedrückt. Ich beschwöre ihn, zu ihr auf die Terrasse zu treten, aber der Zug ruckt und macht einen Satz nach vorn, ohne dass er sich gezeigt hätte. Im nächsten Moment ertappe ich mich dabei, wie ich gedankenverloren auf mein Haus starre und den Blick nicht mehr abwenden kann. Die Terrassentüren stehen weit offen, Licht strömt in die Küche. Ich weiß nicht, ob ich es wirklich sehe oder ob ich es mir bloß einbilde, ich weiß es beim besten Willen nicht – steht sie dort drinnen an der Spüle und wäscht ab? Liegt dort, mitten auf dem Küchentisch, ein kleines Mädchen in einer dieser kleinen Babywippen?

Ich schließe die Augen, lasse die Dunkelheit anwachsen und sich ausbreiten, bis sie von tiefer Trauer zu etwas noch Schlimmerem transformiert: zu einer Erinnerung, einem Flashback. Ich habe ihn nicht nur gebeten, mich zurückzurufen. Jetzt weiß ich es wieder: Ich habe geweint. Ich habe ihm erklärt, dass ich ihn immer noch liebe. Dass ich ihn immer lieben werde. *Bitte, Tom, bitte, ich muss mit dir reden. Du fehlst mir.* Nein nein nein nein nein nein nein.

Ich muss mich damit abfinden; es hat keinen Sinn, die Augen davor zu verschließen. Den ganzen Tag werde ich mich elend fühlen, in wiederkehrenden Wellen wird es mich quälen – erst stärker, dann schwächer, dann wieder stärker –, der Knoten in meiner Magengrube, die peinigende Scham, das glühende Gesicht, die fest zusammengekniffenen Augen, als könnte ich damit alles auslöschen. Und den ganzen Tag über werde ich mir einreden: Es ist doch gar nicht so schlimm, oder? Es ist nicht das Schlimmste, was mir je passiert ist, es ist nicht so schlimm, wie in aller Öffentlichkeit zu Boden zu gehen oder mitten auf der Straße einen Fremden anzuschreien. Es ist nicht so schlimm, wie bei einem Grillfest meinen Mann zu blamieren, indem ich die Frau eines seiner Freunde beschimpfe.

Es ist nicht so schlimm, wie nachts zu Hause mit ihm zu streiten, bis ich mit dem Golfschläger auf ihn losgehe und damit im Flur vor unserem Schlafzimmer eine tiefe Kerbe in den Putz schlage. Es ist nicht so schlimm, wie nach einer dreistündigen Mittagspause durchs Büro zu taumeln, bis alle glotzen und Martin Miles mich beiseitenimmt. *Du solltest vielleicht lieber heimgehen, Rachel.* In einem Buch einer trockenen Alkoholikerin hab ich einmal gelesen, wie sie zwei Männern einen Blowjob verpasste – zwei Männern, die sie gerade erst in einem Lokal an einer belebten Londoner Straße kennengelernt hatte. Ich las das und weiß noch, wie ich dachte: So schlimm bin ich nicht. Das ist inzwischen die Messlatte.

Abends

Ich musste den ganzen Tag an Jess denken und konnte mich auf nichts anderes konzentrieren als auf die Szene von heute Morgen. Wie kam ich überhaupt auf den Gedanken, dass dort irgendwas nicht gestimmt hätte? Auf die Entfernung konnte ich unmöglich ihr Gesicht erkennen, doch als ich sie ansah, spürte ich, dass sie allein war. Nicht nur allein – einsam. Vielleicht war sie das ja auch; vielleicht ist er verreist, in irgendeines jener heißen Länder, in die er immer fliegen muss, um Leben zu retten. Und sie vermisst ihn und macht sich Sorgen, obwohl sie genau weiß, dass er wegmusste.

Natürlich vermisst sie ihn – genauso wie ich. Er ist freundlich, stark, er besitzt all die Eigenschaften, die ein Ehemann haben sollte. Und die beiden sind Partner. Ich sehe es ihnen an, ich weiß schließlich, wie sie miteinander umgehen. Dass er diese Stärke, diesen Beschützerinstinkt ausstrahlt, bedeutet allerdings nicht, dass sie schwach wäre. Sie hat andere Stärken; sie vollführt intellektuelle Gedankensprünge, bei denen es ihm vor Bewunderung die Sprache verschlägt. Sie stößt sofort zum Kern eines Problems vor, seziert und analysiert es schneller, als andere Leute »Guten Morgen« sagen können. Bei Partys hält er gern ihre Hand, obwohl sie seit Jahren zusammen sind. Sie respektieren einander, sie machen sich nicht gegenseitig klein.

Heute Abend bin ich völlig erledigt. Ich bin nüchtern, stocknüchtern. An manchen Tagen fühle ich mich so elend, dass ich unbedingt trinken muss; an anderen Tagen so elend, dass ich nichts trinken kann. Heute dreht sich mir bei dem bloßen Gedanken an Alkohol der Magen um. Aber abends nüchtern im Zug zu sitzen ist eine Herausforderung, vor allem jetzt, bei dieser Hitze. Ein Schweißfilm überzieht meine Haut, in meinem Mund prickelt es, meine Augen brennen, die Wimperntusche hat sich in den Augenwinkeln abgesetzt.

Ich schrecke auf, weil in meiner Handtasche das Handy summt. Am anderen Fenster sitzen zwei Mädchen, die erst mich und dann einander ansehen und verstohlen lächeln. Ich habe keine Ahnung, was sie denken, aber ich weiß, dass es nichts Gutes ist. Mein Herz hämmert, während ich nach dem Handy krame. Mir ist klar, dass auch der Anruf nichts Gutes bedeuten kann. Womöglich ist es Cathy, die mich ganz freundlich fragt, ob ich heute Abend nicht vielleicht eine Trinkpause einlegen möchte? Oder meine Mutter, die mir eröffnet, dass sie nächste Woche nach London kommen, dass sie mich im Büro besuchen will und wir dann zusammen mittagessen gehen könnten? Ich werfe einen Blick aufs Display. Es ist Tom. Ich zögere nur eine Sekunde, dann nehme ich das Gespräch entgegen.

»Rachel?«

In den ersten fünf Jahren, die ich ihn kannte, nannte er mich nie Rachel, immer nur Rach. Manchmal auch Shelley, weil er genau wusste, dass ich den Namen nicht ausstehen konnte, und es ihn zum Lachen brachte, wenn er sah, wie ich erst zusammenzuckte und dann kichern musste, weil ich nicht anders konnte, als mit ihm zu lachen.

»Rachel? Ich bin's.« Seine Stimme ist bleiern, er klingt abgekämpft. »Hör zu, du musst damit aufhören, okay?«

Ich sage nichts. Der Zug wird langsamer, wir sind fast auf einer Höhe mit seinem Haus, mit meinem alten Haus. Ich möchte zu ihm sagen: *Komm raus, schnell, stell dich auf den Rasen. Ich will dich sehen.*

»Bitte, Rachel, du darfst mich nicht ständig anrufen. Du musst dein Leben endlich in den Griff bekommen.«

In meiner Kehle sitzt ein Kloß, hart wie ein Kieselstein und genauso glatt und sperrig. Ich kann nicht schlucken. Ich bringe kein Wort heraus.

»Rachel? Bist du noch dran? Ich weiß, es geht dir nicht gut, und das tut mir auch leid, ehrlich, aber ... Ich kann dir nicht helfen, und diese ständigen Anrufe machen Anna echt fertig. Okay? Ich kann dir nicht mehr helfen. Geh zu den Anonymen Alkoholikern oder so. Bitte, Rachel, geh heute nach der Arbeit zu irgendeinem AA-Treffen.«

Ich ziehe das verdreckte Pflaster von meiner Fingerkuppe und betrachte das blasse, verschrumpelte Fleisch darunter, das eingetrocknete Blut am Rand des Fingernagels. Ich presse den Daumennagel meiner rechten Hand auf den Schnitt und spüre, wie er sich mit einem scharfen, heißen Schmerz wieder öffnet. Blut fließt aus der Wunde. Die Mädchen auf der anderen Seite des Wagens beobachten mich mit unbewegten Mienen.

MEGAN
Ein Jahr zuvor

Mittwoch, 16. Mai 2012

Morgens

Ich höre den Zug kommen. Der Rhythmus ist mir inzwischen in Fleisch und Blut übergegangen. Er wird schneller, wenn der Zug hinter dem Bahnhof Northcote Tempo aufnimmt, verlangsamt sich, wenn die Wagen um die Kurve gerattert kommen, und wird zu einem Rumpeln, bis der Zug gut hundert Meter hinter unserem Haus meistens mit kreischenden Bremsen vor dem Signal anhält. Der Kaffee auf dem Tisch ist inzwischen kalt, aber mir ist angenehm warm, und ich bin zu faul, um aufzustehen und mir einen neuen zu machen.

Manchmal sehe ich nicht einmal auf, wenn die Züge vorbeifahren, sondern höre nur hin. Wenn ich morgens mit geschlossenen Augen dasitze und die heiße Sonne orangerot auf meine Lider brennt, könnte ich überall sein. An einem Strand in Südspanien oder in Italien, in den Cinque Terre, wo es so viele hübsche bunte Häuser gibt und die Züge die Touristen hin- und herkarren. Ich könnte auch wieder in Holkham sein, wo mir das Geschrei der Möwen in den Ohren gellt und ich Salz auf der Zunge schmecke, während in einer halben Meile Entfernung ein Geisterzug auf den rostigen Gleisen vorbeirollt.

Heute hält der Zug nicht an, er zuckelt langsam vorüber. Ich höre die Räder über die Schienenverbindungen klackern und kann beinahe das Schaukeln spüren. Auch wenn ich die Gesichter der Fahrgäste nicht sehen kann und weiß, dass es nur Pendler sind, die in Euston aussteigen, um hinter ihre Schreibtische zu huschen, kann ich doch träumen: von exotischeren Reisen, von Abenteuern am Ende der Strecke und jenseits davon. In Gedanken fahre ich immer wieder zurück nach Holkham; komisch, dass ich an Tagen wie diesem so gern, so sehnsüchtig an diesen Ort denke, aber so ist es eben. Der Wind im Gras, der weite schiefergraue Himmel über den Dünen, das halb verfallene, mäuseverpestete Haus voller Kerzen und Dreck und Musik. Inzwischen kommt es mir fast vor wie ein Traum.

Ich spüre, dass mein Herz ein klein bisschen zu schnell schlägt.

Dann höre ich seine Schritte auf der Treppe und wie er meinen Namen ruft.

»Willst du noch einen Kaffee, Megs?«

Der Zauber ist verflogen, und ich bin wieder wach.

Abends

Mir ist kühl vom Wind und warm von den zwei Fingerbreit Wodka in meinem Martini. Ich sitze draußen auf der Terrasse und warte darauf, dass Scott heimkommt. Ich will ihn überreden, mich zum Abendessen zu dem Italiener in der Kingly Road auszuführen. Wir sind ewig nicht mehr ausgegangen.

Heute habe ich praktisch nichts geschafft. Eigentlich hätte ich meine Bewerbung für den Textilkundekurs an der St. Martins fertig machen sollen. Ich hatte auch wirklich damit angefangen. Ich saß gerade unten in der Küche, als ich plötzlich eine Frau schreien hörte, und zwar so schrill, dass ich schon dachte, es würde gerade irgendjemand umgebracht. Ich rannte hinaus in den Garten, konnte aber nichts sehen.

Hören konnte ich sie allerdings immer noch. Es war furchtbar – das Schreien ging mir durch Mark und Bein, und die Stimme war grässlich durchdringend und verzweifelt. »Was machst du da? Was machst du denn mit ihr? Gib sie mir, gib sie mir!« Wahrscheinlich dauerte das alles nur ein paar Sekunden, gleichzeitig schien es gar nicht mehr aufzuhören.

Ich rannte nach oben und kletterte hinaus auf die Terrasse und sah von dort durch die Bäume zwei Frauen, die ein paar Gärten weiter am Zaun standen. Eine von ihnen weinte – vielleicht weinten auch beide –, und dann war da noch ein Kind, das sich die Seele aus dem Leib brüllte.

Ich wollte schon die Polizei rufen, doch exakt in diesem Augenblick schien sich alles wieder halbwegs beruhigt zu haben. Die Frau, die so geschrien hatte, rannte mit dem Baby im Arm ins Haus, die andere blieb draußen stehen. Erst ging auch sie auf das Haus zu, doch dann stolperte sie, kam wieder auf die Beine und ging danach im Garten im Kreis herum. Echt schräg. Weiß der Himmel, was da los war. Aber für mich war es das aufregendste Erlebnis seit Wochen.

Meine Tage fühlen sich leer an, seit ich nicht mehr in die Galerie gehe. Sie fehlt mir wirklich. Mir fehlen die Gespräche mit den Künstlern. Mir fehlen sogar die ermüdenden Unterhaltungen mit diesen hippen Müttern, die mit einem Starbucks-Becher in der Hand in die Galerie geschlendert kommen, um die ausgestellten Werke anzuglotzen und hinterher ihren Freundinnen zu erklären, dass selbst die kleine Jessie im Kindergarten schönere Bilder gemalt hätte.

Manchmal hab ich nicht schlecht Lust, ein bisschen nachzuforschen, ob ich irgendwen von früher aufspüren kann, aber dann denke ich: Worüber sollten wir uns noch unterhalten? Sie würden Megan, die glücklich verheiratete Vorstadtehefrau, nicht wiedererkennen. Außerdem wäre es viel zu riskant zurückzublicken; so was ist nie gut. Ich warte noch, bis der Sommer zu Ende geht, dann suche ich mir einen neuen Job. Es wäre eine Schande, diese langen Sommertage zu vergeuden. Ich werde schon was finden, hier oder woanders. Da bin ich mir ganz sicher.

Dienstag, 14. August 2012

Morgens

Ich stehe vor meinem Kleiderschrank und starre zum hundertsten Mal auf die Stange voller hübscher Kleider, die perfekte Garderobe für die Geschäftsführerin einer kleinen, aber angesagten Galerie. Kein einziges Stück darin sieht nach Babysitter aus. O Gott, ich muss allein schon bei dem Wort würgen. Ich ziehe Jeans und ein T-Shirt an und kämme mein Haar zurück. Ich mache mir nicht einmal die Mühe, Make-up aufzulegen. Es wäre idiotisch, mich schick zu machen, nur um den ganzen Tag mit einem Baby zu verbringen, oder?

Halb auf einen Streit aus, schlurfe ich nach unten. Scott ist in der Küche und macht Kaffee. Er dreht sich grinsend zu mir um, und augenblicklich hellt sich meine Laune auf. Ich verziehe meinen Schmollmund zu einem Lächeln. Er gibt mir einen Kaffee und einen Kuss.

Es wäre Blödsinn, ihm die Schuld zu geben. Schließlich war es allein meine Idee. Ich habe mich freiwillig bereit erklärt, auf das Kind dieser Leute weiter unten in der Straße aufzupassen. Anfangs dachte ich, das könnte vielleicht nett werden. Absolut bescheuert, ehrlich, ganz offensichtlich war ich nicht bei Sinnen. Gelangweilt, verrückt, neugierig. Ich wollte mich mit eigenen Augen überzeugen. Ich glaube, die Idee kam mir, nachdem ich sie im Garten schreien gehört hatte; ich wollte einfach wissen, was da los gewesen war. Nicht dass ich nachgefragt hätte, versteht sich. Das geht schließlich auf keinen Fall.

Scott hat mich ermutigt – er war sofort Feuer und Flamme, als ich ihn darauf ansprach. Vielleicht glaubt er, ich würde Muttergefühle entwickeln, sobald ich mit einem Baby zusammen bin. Tatsächlich ist genau das Gegenteil der Fall: Nach der Arbeit laufe ich sofort nach Hause, ich kann es kaum erwarten, aus meinen Klamotten heraus- und unter die Dusche zu kommen, damit ich mir den Babygeruch abwaschen kann.

Ich sehne mich nach den Zeiten in der Galerie zurück, wo ich schick angezogen und hübsch frisiert mit anderen Erwachsenen über Kunst oder Filme oder gar nichts plaudern durfte. Gar nichts wäre im Augenblick ein gewaltiger Fortschritt gegenüber meinen Gesprächen mit Anna. Gott, sie ist aber auch beschränkt! Irgendwie hat man bei ihr das Gefühl, dass sie früher durchaus etwas zu sagen wusste, aber inzwischen dreht sich alles nur noch um das Kind: Ist ihm warm genug? Ist ihm zu warm? Wie viel hat es getrunken? Und sie ist ständig *da*, die meiste Zeit fühle ich mich absolut überflüssig. Mein Job ist es, auf die Kleine aufzupassen, während Anna sich ausruht. Ihr eine Erholungspause zu verschaffen. Aber eine Erholungspause *wovon*? Außerdem ist sie seltsam nervös. Immer wieder merke ich, wie sie sich in meiner Nähe herumdrückt. Wie sie ganz zappelig ist. Sie zuckt jedes Mal zusammen, wenn ein Zug vorbeifährt, und schreckt hoch, sobald das Telefon klingelt. »Sie sind so schrecklich zerbrechlich, nicht wahr?«, sagt sie manchmal, und da kann ich ihr nicht widersprechen.

Ich ziehe die Tür hinter mir zu und gehe mit bleiernen Schritten fünfzig Meter die Blenheim Road entlang bis zu ihrem Haus. Mein Gang hat nichts Leichtes. Heute öffnet nicht sie mir die Tür, sondern er, der Mann. Tom, in Anzug und Lederschuhen, auf dem Weg zur Arbeit. Er sieht gut aus in seinem Anzug; nicht so gut wie Scott – er ist kleiner und blasser, und seine Augen liegen ein bisschen zu eng beieinander, wenn man ihn aus der Nähe betrachtet –, aber auch nicht schlecht. Er legt ein breites Tom-Cruise-Lächeln auf, dann ist er auch schon weg, und ich und sie und das Baby bleiben zurück.

Donnerstag, 16. August 2012

Nachmittags

Ich hab wieder hingeworfen.

Ich fühle mich unglaublich erleichtert, als wäre jetzt endlich alles möglich. Ich bin wieder frei!

Ich sitze auf der Terrasse und warte auf Regen. Der Himmel über mir ist fast schwarz, die Schwalben ziehen ihre Kreise und Schlingen, die Luft ist von Feuchtigkeit gesättigt. In ungefähr einer Stunde kommt Scott heim, und dann muss ich es ihm sagen. Bestimmt ist er nur kurz sauer; ich kann es ihm schließlich erklären. Und ich werde auch nicht wieder den ganzen Tag zu Hause hocken – ich habe Pläne. Ich könnte einen Fotokurs machen oder einen Marktstand pachten und Schmuck verkaufen. Ich könnte kochen lernen.

In der Schule sagte mal ein Lehrer zu mir, ich wäre eine Meisterin darin, mich selbst neu zu erfinden. Damals hatte ich keine Ahnung, was er damit meinte; ich dachte, er wollte mich vielleicht anbaggern, aber inzwischen gefällt mir der Gedanke irgendwie. Ausreißerin, Geliebte, Ehefrau, Kellnerin, Galeriemanagerin, Kindermädchen – und das ist längst nicht alles. Wer will ich also morgen sein?

Eigentlich wollte ich gar nicht kündigen, die Worte kamen einfach so aus meinem Mund. Wir saßen am Küchentisch, Anna mit dem Baby auf dem Schoß, und Tom war noch mal kurz heimgekommen, weil er etwas vergessen hatte, darum war er ebenfalls da und trank noch einen Kaffee, und die ganze Situation war einfach lächerlich, es gab überhaupt keinen Grund für mich, dort zu sein. Schlimmer noch: Ich fühlte mich unwohl, ganz so, als würde ich mich ihnen aufdrängen.

»Ich habe einen anderen Job gefunden«, sagte ich, ohne lang zu überlegen. »Ich kann nicht länger bei euch arbeiten.« Anna sah mich an – sie glaubte mir offensichtlich nicht – und sagte nur: »Ach, wie schade«, aber ich hörte ihr an, dass sie es nicht wirklich ernst meinte. Allerdings schien sie erleichtert zu sein. Sie fragte nicht einmal, was das denn für ein neuer Job wäre – zum Glück, denn eine überzeugende Lüge hatte ich mir nicht zurechtgelegt.

Tom wirkte ein bisschen überrascht. »Du wirst uns fehlen«, sagte er, aber auch das war gelogen.

Der Einzige, der wirklich enttäuscht sein wird, ist Scott, darum muss ich mir gut überlegen, was ich ihm sage. Vielleicht behaupte ich einfach, Tom hätte mich anbaggern wollen. Das sollte als Grund ausreichen.

Donnerstag, 20. September 2012

Morgens

Es ist kurz nach sieben, draußen ist es immer noch frisch, aber wunderschön: all diese Gärten nebeneinander, die – grün und kalt – nur darauf warten, dass die Sonnenstrahlen wie Finger von den Gleisen herüberkriechen und sie allesamt zum Leben erwecken. Ich bin schon seit Stunden wach; ich kann nicht schlafen. Ich habe seit Tagen nicht mehr geschlafen. Ich hasse das – nichts hasse ich mehr als Schlaflosigkeit, als sinnlos dazuliegen, während sich die Gedanken langsam im Kreis drehen, tick tick tick tick. Es juckt mich am ganzen Körper. Am liebsten würde ich mir den Kopf rasieren.

Ich will flüchten. Ich will in einem Cabrio mit offenem Verdeck über die Straßen fegen. Ich will an die Küste fahren – egal, welche. Ich will am Strand spazieren gehen. Mein Bruder und ich, wir wollten immer nur reisen. Wir hatten große Pläne, Ben und ich. Na schön, hauptsächlich waren es Bens Pläne – er war ein echter Träumer. Wir wollten auf Motorrädern von Paris bis an die Côte d'Azur fahren oder die amerikanische Pazifikküste entlang von Seattle bis Los Angeles; wir wollten auf Che Guevaras Spuren von Buenos Aires nach Caracas fahren. Wenn ich all das getan hätte, wäre ich vielleicht nie hier gelandet, wo ich nichts mehr mit mir anzufangen weiß. Vielleicht wäre ich aber auch genau hier gelandet, wenn ich all das getan hätte, und wäre überglücklich. Natürlich habe ich nichts von all dem getan – weil Ben nie bis nach Paris kam. Er schaffte es nicht einmal bis Cambridge. Er starb auf der A10, wo sein Schädel unter den Rädern eines Sattelschleppers zermalmt wurde.

Ich vermisse ihn. Jeden Tag. Mehr als irgendwen sonst, glaube ich. Er ist das große Loch in meinem Leben, das Loch in meiner Seele. Aber vielleicht war er auch nur der Anfang, ich weiß es nicht. Ich weiß nicht mal, ob es bei all dem wirklich um Ben ging oder eher darum, was dann passierte – um alles, was seither passierte. Ich weiß nur, dass ich zeitweise wunderbar zurechtkomme, das Leben schön finde und es mir an nichts fehlt, und im nächsten Augenblick will ich nur noch weg, bin überall und nirgends zugleich, gerate wieder ins Rutschen und verliere jeden Halt.

Ich gehe jetzt zu einem Psychotherapeuten. Was echt bizarr werden könnte – aber auch ganz witzig. Ich habe mir immer schon gedacht, dass es vielleicht ganz lustig wäre, katholisch zu sein und zur Beichte gehen zu können, wo du dir alle Sünden einfach von der Seele redest und irgendjemand dir erklärt, dass dir vergeben werde, dass dir all deine Sünden genommen werden und deine Weste wieder reingewaschen sei.

Natürlich ist es nicht das Gleiche. Ich bin ein bisschen nervös, aber in letzter Zeit konnte ich überhaupt nicht mehr einschlafen, darum saß Scott mir auch im Nacken. Ich habe ihm erklärt, dass ich es schwierig genug finde, mit meinen *Bekannten* über diese Dinge zu reden – ich kann selbst mit ihm kaum darüber sprechen. Er meinte, genau darum gehe es ja gerade: Einem Fremden könne man einfach alles erzählen. Aber das stimmt nicht ganz. Man kann nicht *alles* erzählen. Armer Scott, er weiß nicht mal die Hälfte. Er liebt mich so sehr, dass es fast schon wehtut. Ich weiß nicht, wie er das schafft. Mich würde das zum Wahnsinn treiben.

Aber irgendwas *muss* ich tun, und auf diese Weise habe ich wenigstens das Gefühl, etwas zu unternehmen. All die Projekte, die ich mir eingebildet habe – Fotokurse und Kochkurse –, bei näherer Betrachtung erscheinen sie ziemlich sinnlos, so als würde ich mein Leben nur spielen, statt es tatsächlich zu leben. Ich brauche endlich wieder etwas, was ich tun *muss*, etwas, was man mir nicht nehmen kann. Ich kann nicht einfach nur Ehefrau sein, das schaffe ich nicht. Es ist mir ein Rätsel, wie irgendwer das durchhält. Der Tag besteht da nur aus Warten. Darauf, dass der Mann nach Hause kommt und dich liebt. Entweder das – oder du siehst dich nach einer Ablenkung um.

Abends

Man lässt mich warten. Der Termin war eigentlich vor einer halben Stunde, und ich sitze immer noch im Wartezimmer, blättere in einer *Vogue* und bin inzwischen kurz davor, einfach aufzustehen und wieder zu verschwinden. Ich weiß, dass Ärzte mit ihren Terminen in Verzug kommen können, aber Psychotherapeuten? In Filmen sieht es immer so aus, als würden sie dich rausschmeißen, sobald deine fünfzig Minuten um sind. Wahrscheinlich zeigt Hollywood eher nicht die Art von Therapeuten, an die man vom Kassenarzt überwiesen wird.

Gerade als ich wirklich im Begriff bin aufzustehen, zur

Theke zu gehen und der Arzthelferin zu erklären, dass ich jetzt lang genug gewartet habe und wieder heimgehe, schwingt die Tür zum Sprechzimmer auf, und ein sehr großer, schlaksiger Mann tritt heraus, sieht mich bedauernd an und streckt mir die Hand entgegen.

»Mrs. Hipwell, bitte verzeihen Sie, dass ich Sie habe warten lassen«, sagt er, und ich lächle ihn nur an und erkläre, dass es schon in Ordnung sei, denn in diesem Moment habe ich tatsächlich das Gefühl, dass alles in Ordnung kommt. Ich fühle mich schon jetzt ganz beruhigt, obwohl ich erst seit ein, zwei Sekunden seine Gesellschaft genieße.

Ich glaube, es ist die Stimme. Leise und tief. Mit einem leichten Akzent, was ich erwartet habe – schließlich heißt er Dr. Kamal Abdic. Ich schätze ihn auf Mitte dreißig, obwohl er mit seiner unglaublichen, honigdunklen Haut viel jünger aussieht. Er hat Hände, die ich mir an meinem Körper vorstellen könnte, lange, feingliedrige Finger, die ich fast auf meiner Haut zu spüren meine.

Wir reden über nichts wirklich Wichtiges, es ist schließlich die Einführungssitzung, die Kennenlernrunde. Er fragt mich, weshalb ich zu ihm gekommen bin, und ich erzähle ihm von den Panikattacken, der Schlaflosigkeit; dass ich nachts wach liege, weil ich Angst vor dem Einschlafen habe. Er möchte, dass ich das ein bisschen ausführlicher schildere, aber dazu bin ich noch nicht bereit. Er fragt mich, ob ich Medikamente nehme oder Alkohol trinke. Als ich antworte, dass ich inzwischen andere Laster habe, fange ich seinen Blick auf und habe den Eindruck, dass er genau weiß, was ich meine. Und im nächsten Moment habe ich das Gefühl, dass ich das hier ein bisschen ernster nehmen sollte, also erzähle ich ihm von der Insolvenz der Galerie und dass ich nichts mehr mit mir anzufangen weiß, dass ich ziellos durchs Leben treibe und zu viel Zeit in meinem Kopf verbringe. Er sagt kaum etwas, hakt nur gelegentlich nach, aber ich will ihn sprechen hören und frage ihn darum auf dem Weg nach draußen, woher er stamme.

»Maidstone«, sagt er, »in Kent. Aber vor ein paar Jahren bin ich nach Corly gezogen.« Er weiß genau, dass ich die Frage anders gemeint habe, und grinst mich an.

Als ich heimkomme, wartet Scott bereits auf mich, drückt mir einen Drink in die Hand und will alles hören. Ich erzähle ihm, dass es ganz okay gewesen sei. Er fragt mich nach dem Therapeuten: ob er mir gefalle, ob er sympathisch sei. Ganz okay, sage ich wieder, weil ich nicht allzu begeistert klingen will. Er fragt mich, ob wir auch über Ben gesprochen haben. Scott glaubt, dass alles mit Ben zusammenhängt. Vielleicht hat er recht. Vielleicht kennt er mich besser, als ich glaube.

Dienstag, 25. September 2012

Morgens

Heute bin ich schon wieder früh aufgewacht, aber davor habe ich ein paar Stunden geschlafen, was eine Verbesserung gegenüber letzter Woche darstellt. Weil ich mich beim Aufstehen beinahe ausgeruht fühlte, beschloss ich, mich nicht auf die Terrasse zu setzen, sondern spazieren zu gehen.

Beinahe ohne dass ich es bemerkt hätte, habe ich mich immer mehr abgeschottet. Wenn ich überhaupt noch aus dem Haus gehe, dann eigentlich nur noch zum Einkaufen, zum Pilateskurs oder zu meinem Therapeuten. Hin und wieder auch noch zu Tara. Ansonsten bleibe ich zu Hause. Kein Wunder, dass ich unruhig werde.

Vor dem Haus gehe ich nach rechts und biege dann links ab auf die Kingly Road. Am Pub vorbei – The Rose. Früher waren wir ständig dort; ich weiß auch nicht, warum wir irgendwann nicht mehr dort hingingen. Es gefiel mir dort nie wirklich – zu viele Pärchen knapp unter vierzig, die zu viel tranken, Ausschau nach was Besserem hielten und sich im Stillen fragten, ob sie im Zweifel wirklich den Mumm dazu hätten. Vielleicht sind wir deshalb nicht mehr hingegangen – weil es mir nicht gefiel. Am Pub vorbei, an den Läden vorbei. Ich will nicht allzu weit gehen, nur eine kleine Runde, um mir die Beine zu vertreten.

Es ist schön, so früh unterwegs zu sein, bevor die Schulkinder losziehen und der Berufsverkehr einsetzt; die Straßen sind noch sauber und leer, der Tag steckt voller Möglichkeiten. Ich biege wieder links ab und schlendere an dem kleinen Spielplatz vorbei, dem einzigen Flecken hier, den man mit gutem Willen als Grünfläche bezeichnen kann. Noch ist er menschenleer, aber in ein paar Stunden werden hier die Kleinkinder, Mütter und Au-pairs einfallen. Die Hälfte der Pilatesmädels wird hier sein, von Kopf bis Fuß in Sweaty Betty gekleidet, und um die Wette stretchen und Starbucks-Becher in den manikürten Händen halten.

Ich gehe am Park vorbei und weiter in Richtung Roseberry Avenue. Wenn ich jetzt rechts abbiegen würde, käme ich an meiner Galerie vorbei – meiner ehemaligen Galerie, jetzt einem leeren Schaufenster –, aber das will ich nicht, weil es immer noch zu sehr wehtut. Ich habe mich so sehr bemüht, sie zu einem Erfolg zu machen. Falscher Ort, falsche Zeit – Kunst ist nicht gefragt in Suburbia, nicht bei der derzeitigen Wirtschaftslage. Stattdessen gehe ich nach links, am Tesco Express vorbei und an diesem anderen Pub, wohin die Leute aus der Villensiedlung gehen, und danach wieder heimwärts. Allmählich wird mir ein bisschen flau im Magen, ich werde nervös. Ich habe Angst, dass mir die Watsons über den Weg laufen könnten, denn irgendwie ist es immer peinlich, wenn wir uns begegnen; ganz offensichtlich habe ich keinen neuen Job, ich hab sie angelogen, als ich nicht mehr für sie arbeiten wollte.

Genauer gesagt ist es mir peinlich, wenn ich *ihr* begegne. Tom ignoriert mich, aber Anna scheint die Sache persönlich zu nehmen. Offensichtlich glaubt sie, dass ich meine kurzlebige Karriere als Kindermädchen ihretwegen und wegen ihres Kindes aufgegeben habe. Tatsächlich ging es dabei nicht um *ihr* Kind – obwohl die Kleine wirklich ununterbrochen heult und deshalb echt nicht leicht zu mögen ist. Es ist alles unendlich viel komplizierter, aber das kann ich ihr natürlich nicht erklären. Wie auch immer. Dass ich den Watsons nicht mehr begegnen will, ist wahrscheinlich auch ein Grund dafür, dass ich mich immer mehr zurückgezogen habe. Insgeheim hoffe ich, dass sie irgendwann wegziehen. Ich weiß, dass es ihr hier nicht gefällt: Sie hasst das Haus, sie hasst es, in den Möbeln seiner Exfrau wohnen zu müssen, und sie hasst die Züge.

An der Ecke bleibe ich stehen und werfe einen Blick in die Fußgängerunterführung. Der kalte, muffige Geruch jagt mir jedes Mal einen leichten Schauer über den Rücken. Es ist, als würde man einen Stein umdrehen, um nachzusehen, was sich darunter versteckt: Moos und Würmer und Erde. Das Ganze erinnert mich daran, wie ich als Kind im Garten spielte und mit Ben im Teich nach Fröschen suchte. Ich gehe weiter. Die Straße ist frei – von

Tom oder Anna keine Spur –, und der Teil von mir, der sich nach etwas Drama im Leben sehnt, ist ein klein wenig enttäuscht.

Abends

Scott hat eben angerufen, um Bescheid zu sagen, dass er heute länger arbeiten muss, was mir überhaupt nicht passt. Ich stehe schon den ganzen Tag unter Strom. Kann nicht stillsitzen. Ich verzehre mich danach, dass er heimkommt und mich beruhigt, doch jetzt wird es noch Stunden dauern. Bis dahin werden meine Gedanken sich endlos im Kreis gedreht haben, und mir ist jetzt schon klar, dass mir die nächste schlaflose Nacht bevorsteht.

Ich kann nicht einfach nur dasitzen und den Zügen nachsehen. Dazu bin ich zu fahrig, mein Herz flattert wie ein Vogel im Käfig. Ich schlüpfe in meine Flipflops und gehe nach unten, aus der Haustür und auf die Blenheim Road hinaus. Es ist jetzt ungefähr halb acht – ein paar Nachzügler kommen noch von der Arbeit, ansonsten ist niemand zu sehen, dafür hört man das Geschrei der Kinder, die hinter den Häusern in den Gärten spielen und die letzten sommerlichen Sonnenstrahlen genießen, bevor sie zum Abendessen hereingerufen werden.

Ich gehe die Straße entlang in Richtung Bahnhof. Kurz bleibe ich vor Nummer dreiundzwanzig stehen und frage mich, ob ich klingeln soll. Aber was sollte ich sagen? Dass mir der Zucker ausgegangen ist? Dass ich nur ein bisschen plaudern will? Die Jalousien sind halb hochgezogen, aber ich kann niemanden im Haus entdecken.

Ich gehe vor bis zur Straßenecke, und ohne lang darüber nachzudenken, marschiere ich weiter in die Unterführung. Ich bin etwa zur Hälfte durch, als ein Zug darüber hinwegfährt, und das ist ein fantastisches Gefühl: wie ein Erdbeben, das durch einen hindurchdonnert und das Blut aufwühlt. Ich senke den Kopf und sehe etwas am Boden, ein lilafarbenes Haarband, ausgeleiert und abgenutzt. Wahrscheinlich hat es eine Joggerin verloren, aber irgendetwas daran jagt mir einen Schauer über den Rücken, und plötzlich will ich nur noch weg von hier, wieder hinaus in die Sonne.

Auf dem Rückweg fährt er auf der Straße an mir vorbei, unsere Blicke begegnen sich, und er lächelt mir zu.

RACHEL

Freitag, 12. Juli 2013

Morgens

Ich bin fix und fertig, mein Hirn ist ganz wattig vor Schlaf. Wenn ich getrunken habe, schlafe ich so gut wie gar nicht. Ich falle für ein, zwei Stunden ins Koma, dann schrecke ich wieder hoch, krank vor Angst und angewidert von mir selbst. Wenn ich einen ganzen Tag lang nichts trinke, dann sinke ich nachts in Tiefschlaf, in völlige Bewusstlosigkeit, und morgens werde ich nicht wieder richtig wach, ich kann den Schlaf einfach nicht abschütteln, er hängt mir stundenlang, manchmal den ganzen Tag lang nach.

Heute sitzt nur eine Handvoll Leute in meinem Abteil und niemand davon in meiner unmittelbaren Nähe. Niemand beobachtet mich, und so lehne ich den Kopf ans Fenster und schließe die Augen.

Das Kreischen der Zugbremsen reißt mich wieder ins Hier und Jetzt. Wir stehen vor dem Signal. Zu dieser Uhrzeit, zu dieser Jahreszeit scheint die Sonne genau auf die Rückseite der Häuser an der Strecke und überflutet sie mit Licht. Ich kann fast spüren, wie die morgendlichen Sonnenstrahlen mein Gesicht und meine Arme wärmen, während ich am Frühstückstisch sitze und Zeitung lese, Tom mir gegenüber, meine nackten Füße auf seinen, weil seine Füße immer so viel wärmer sind als meine. Ich spüre, wie er mich anlächelt, wie die Röte an meinem Hals emporklettert, genau wie jedes Mal, wenn er mich auf diese ganz bestimmte Weise angesehen hat.

Ich blinzle angestrengt, und Tom löst sich in Luft auf. Wir stehen immer noch vor dem Signal. Ich sehe Jess in ihrem Garten, und hinter ihr kommt ein Mann aus dem Haus. Er hält etwas in der Hand – vielleicht einen Becher Kaffee –, doch als ich genauer hinsehe, erkenne ich, dass es nicht Jason ist. Dieser Mann ist größer, schlanker, dunkler. Ein Freund der Familie, vielleicht ihr oder Jasons Bruder. Sie nimmt ihm den Becher ab und stellt ihn auf den Gartentisch. Es ist ein Cousin aus Australien, der ein paar Wochen in England verbringt; Jasons ältester Freund; ihr Trauzeuge. Jess geht auf ihn zu, legt die Hände an seine Taille und küsst ihn lang und leidenschaftlich. Der Zug fährt wieder an.

Ich kann es nicht glauben. Ich schnappe nach Luft – erst jetzt merke ich, dass ich den Atem angehalten habe. Warum sollte sie so etwas tun? Jason liebt sie, das ist doch nicht zu übersehen, sie sind glücklich miteinander. Ich kann nicht glauben, dass sie ihm das antut, das hat er nicht verdient. Ich merke, dass ich zutiefst enttäuscht bin, ganz so, als wäre *ich* betrogen worden. Ein vertrauter Schmerz macht sich in meiner Brust breit. Ich kenne dieses Gefühl. In einer ganz anderen Qualität und ungleich intensiver, versteht sich, aber ich erkenne die Art des Schmerzes wieder. So was vergisst man nicht.

Ich erfuhr es so, wie wohl jeder heutzutage so etwas erfährt: durch eine elektronische Schludrigkeit. Manchmal ist es eine SMS oder eine Voicemail; in meinem Fall war es eine E-Mail, die zeitgemäßere Version der Lippenstiftspur am Kragen. Es war wirklich ein Zufall, ich wollte

Tom nicht nachspionieren. Er wollte nicht, dass ich an seinen Computer gehe, er hatte immer Angst, dass ich versehentlich etwas Wichtiges löschen könnte oder vielleicht etwas Falsches anklicke und damit ein Virus oder einen Trojaner oder was weiß ich auf seinen Computer lade.

»Technik ist nicht wirklich deine Stärke, was, Rach?«, sagte er, nachdem ich einmal versehentlich sämtliche Kontakte aus dem Adressbuch seines E-Mail-Programms gelöscht hatte. Darum sollte ich seinen Computer einfach nicht wieder anrühren.

Ich hatte wirklich die besten Absichten, ich wollte wiedergutmachen, dass ich in letzter Zeit ein bisschen trübselig und kompliziert gewesen war, und plante dafür zu unserem Vierjährigen einen ganz besonderen Kurzurlaub, der uns an unsere frühen Zeiten erinnern sollte. Es sollte eine Überraschung werden, darum musste ich heimlich seinen Terminkalender checken, ich musste also nachsehen.

Ich habe ihm nicht nachgeschnüffelt, ich wollte ihn nicht in flagranti ertappen oder so. So dumm war ich nicht. Ich wollte keine dieser grässlich misstrauischen Ehefrauen sein, die die Hosentaschen ihrer Männer durchwühlen. Ein einziges Mal war ich an sein Telefon gegangen, während er unter der Dusche stand, und da regte er sich furchtbar auf und warf mir vor, ich würde ihm nicht trauen. Er schien so tief verletzt zu sein, dass ich mich ganz elend fühlte.

Ich musste seinen Terminkalender checken, und er hatte den Laptop eingeschaltet gelassen, weil er um ein Haar zu spät zu einem Meeting losgefahren wäre. Es war die perfekte Gelegenheit, darum sah ich nur kurz in seinen Kalender und notierte mir ein paar mögliche Termine. Als ich das Browserfenster mit dem Kalender wieder schloss, fiel mein Blick auf sein E-Mail-Programm – eingeloggt und offen einsehbar. Ganz oben war eine Nachricht von aboyd@cinnamon.com. Ich klickte sie an. XXXXX. Das war alles – nur eine Reihe von X. Im ersten Moment hielt ich es für eine Spammail, bis mir klar wurde, dass es sich um Küsschen handelte.

Es war die Antwort auf eine Nachricht, die er ein paar Stunden zuvor verschickt hatte, um kurz nach sieben, als ich noch schlafend im Bett gelegen hatte.

Gestern Nacht beim Einschlafen war ich in Gedanken bei dir. Ich träumte davon, deinen Mund, deine Brüste, die Innenseite deiner Schenkel zu küssen. Und als ich heute Morgen aufwachte, warst nur du in meinem Kopf. Ich hätte dich so gern berührt. Erwarte nicht, dass ich noch bei Verstand bin, das kann ich nicht, nicht bei dir.

Daraufhin las ich seine E-Mails. Es waren Dutzende, alle versteckt in einem Ordner namens »Admin«. Ich erfuhr, dass sie Anna Boyd hieß und dass mein Mann in sie verliebt war. Das versicherte er ihr zumindest immer wieder. Er erklärte ihr, er habe noch nie so etwas empfunden, er könne es nicht erwarten, wieder mit ihr zusammen zu sein, es werde nicht mehr lange dauern, bis sie ein Paar würden.

Mir fehlen die Worte, um meine Gefühle an jenem Tag zu beschreiben, aber jetzt, im Zug, kocht die Wut wieder in mir hoch, ich bohre die Fingernägel in meine Handflächen und spüre Tränen in meinen Augen brennen. Glühender Zorn durchschießt mich wie ein Blitzschlag. Ich habe das Gefühl, dass mir etwas weggenommen wurde. Wie kann sie nur? Wie kann Jess so etwas tun? Was stimmt nicht mit ihr? Sieht sie nicht, was für ein Leben sie mit Jason führt, sieht sie nicht, wie schön es ist? Es war mir immer ein Rätsel, wie Menschen kaltschnäuzig darüber hinwegsehen können, welches Unheil sie anrichten, indem sie ihrem Herzen folgen. Wer sagt, dass es gut ist, seinem Herzen zu folgen? Es ist der reinste Egoismus, Selbstsucht sondergleichen. Hass durchflutet mich. Wenn diese Frau jetzt vor mir stünde, wenn Jess jetzt vor mir stünde, würde ich ihr ins Gesicht spucken. Ich würde ihr die Augen auskratzen.

Abends

Es gibt wieder Behinderungen auf der Strecke. Der Schnellzug um vier vor sechs nach Stoke wurde gestrichen, und so haben umso mehr Fahrgäste meinen Zug gestürmt und drängen sich in meinem Wagen. Ich habe zum Glück noch einen Sitzplatz bekommen, allerdings nicht am Fenster, sondern am Gang, wo fremde Körper gegen meine Schulter und mein Knie drücken und mich bedrängen. Am liebsten würde ich dagegen andrücken, aufstehen und sie wegschubsen. Die Hitze hat sich den ganzen Tag über aufgestaut und lastet inzwischen so schwer auf uns, dass ich das Gefühl habe, durch eine Maske atmen zu müssen. Obwohl jedes einzelne Fenster geöffnet ist, dringt nicht einmal während der Fahrt frische Luft in diese stickige, verschlossene Sardinendose. Mir ist schlecht. Immer wieder läuft in meinem Kopf die Szene von heute Morgen ab, ich kann das Gefühl nicht abschütteln, immer noch in dem Café zu stehen, immer noch sehe ich ihre Gesichter vor mir.

Ich gebe Jess die Schuld. Heute Morgen kreisten meine

Gedanken ausschließlich um Jess und Jason, um das, was sie getan hat, wie ihn das treffen muss, um den unausweichlichen Streit, wenn er es erfährt und seine Welt, genau wie meine damals, in Fetzen gerissen wird. Ich wanderte wie durch dichten Nebel die Straßen entlang, ohne mir bewusst zu machen, wohin ich überhaupt ging. Völlig gedankenlos betrat ich das Café, in dem jeder bei Huntingdon Whitely seine Pause verbringt. Erst als ich durch die Tür getreten war, bemerkte ich sie, doch da war es schon zu spät, um wieder kehrtzumachen; die Augen für einen Sekundenbruchteil erschrocken aufgerissen, starrten sie mich an, bevor ihnen bewusst wurde, dass sie besser ein Lächeln aufsetzen sollten. Martin Miles mit Sasha und Harriet – ein Triumvirat der Verlegenheit, das mich herbeirief, zu sich winkte.

»Rachel!« Martin hatte die Arme ausgebreitet und zog mich an seine Brust. Damit hatte ich nicht gerechnet; meine Hände klemmten zwischen unseren Körpern und drückten gegen seinen Rumpf. Sasha und Harriet lächelten und hauchten mir zurückhaltend Luftküsse zu, um mir nicht zu nahe zu kommen. »Was führt dich denn hierher?«

Für einen schrecklich langen Moment war mein Hirn wie leer gefegt. Ich starrte zu Boden, merkte, wie ich rot anlief, begriff dann, dass ich es dadurch nur schlimmer machte, und lächelte gekünstelt. »Ein Vorstellungsgespräch. Ein Vorstellungsgespräch.«

»Ach!« Martin konnte seine Überraschung nicht verhehlen, während Sasha und Harriet anerkennend nickten. »Und bei wem?«

Mir fiel keine einzige Public-Relations-Agentur mehr ein. Nicht ein einziger Name. Mir wollte auch keine Immobilienfirma einfallen, erst recht keine, die realistischerweise im Augenblick jemanden einstellen würde. Kopfschüttelnd stand ich da und rieb mir mit dem Zeigefinger über die Unterlippe, bis Martin schließlich sagte: »Streng geheim, was? Manche Firmen sind da echt eigen, findest du nicht auch? Verpassen dir einen Maulkorb, bis sämtliche Verträge unterschrieben sind und es endlich offiziell ist.« Er wusste selbst, dass das Blödsinn war; er sagte das nur, um mir beizustehen, und niemand kaufte es ihm ab, aber alle taten so und nickten eifrig. Harriet und Sasha sahen heimlich an mir vorbei zur Tür. Sie schämten sich für mich – sie wollten nur noch so schnell wie möglich weg.

»Ich gehe jetzt besser meinen Kaffee bestellen«, sagte ich. »Ich will nicht zu spät kommen.«

Martin legte die Hand auf meinen Unterarm. »War schön, dich mal wiederzusehen, Rachel.« Sein Mitleid war nicht zu überhören. Erst in den letzten ein, zwei Jahren meines Lebens ist mir bewusst geworden, wie beschämend es ist, bemitleidet zu werden.

Eigentlich hatte ich vorgehabt, zur Holborn Library in der Theobalds Road zu gehen, aber das hätte ich danach nicht mehr ertragen, also ging ich stattdessen in den Regent's Park. Ich wanderte bis ans andere Ende zum Zoo. Dort setzte ich mich in den Schatten einer Platane, dachte an all die unausgefüllten Stunden, die jetzt vor mir lagen, ging im Geist immer wieder das Gespräch im Café durch und sah dabei jedes Mal Martins Gesichtsausdruck bei unserem Abschied vor mir.

Ich hatte nicht mal eine halbe Stunde dort gesessen, als mein Handy klingelte. Es war noch einmal Tom, diesmal von seinem Festnetzanschluss aus. Ich versuchte, mir vorzustellen, wie er in unserer sonnigen Küche an seinem Laptop arbeitete, aber immer wieder schoben sich Bestandteile seines neuen Lebens in mein Blickfeld und trübten es ein. Bestimmt war sie mit ihm im Raum, irgendwo im Hintergrund, kochte Tee oder fütterte das kleine Mädchen, streifte ihn mit ihrem Schatten. Ich ließ den Anruf auf der Mailbox landen. Dann steckte ich das Handy wieder in die Tasche und versuchte, es zu ignorieren. Ich wollte nichts mehr hören, nicht heute; der Tag war bereits schlimm genug gewesen, dabei war es noch nicht einmal halb elf vormittags. Etwa drei Minuten hielt ich durch, dann holte ich das Handy wieder raus und rief die Mailbox auf. Ich machte mich auf die Pein gefasst, seine Stimme zu hören – jene Stimme, die früher immer heiter und beschwingt mit mir gesprochen hatte, mittlerweile aber nur noch dazu erhoben wurde, um mich zu ermahnen, zu trösten oder zu bemitleiden –, aber nicht er war auf der Mailbox.

»Rachel, hier ist Anna.«

Ich legte sofort auf.

Ich bekam keine Luft mehr, in meinem Kopf begann sich alles zu drehen, und meine Haut begann zu jucken, bis ich irgendwann aufstand, zu einem Eckladen an der Titchfield Street hinüberging und vier Dosen Gin Tonic kaufte, mit denen ich an meinen Platz im Park zurückkehrte. Ich riss die erste Dose auf, trank sie, so schnell ich konnte, leer und machte sofort die zweite Dose auf. Ich setzte mich mit dem Rücken zum Weg, damit ich die Jogger und die Mütter mit den Buggys und die Touristen nicht sehen musste, denn solange ich sie nicht sah, konnte ich mir wie ein Kleinkind einbilden, dass sie mich auch nicht sähen. Dann rief ich wieder meine Mailbox auf.

»Rachel, hier ist Anna.« Lange Pause. »Ich muss mit dir über diese Anrufe sprechen …« Noch eine lange Pause – sie redet mit mir und tut gleichzeitig etwas anderes, aufräumen oder die Waschmaschine beladen, sie betreibt Multitasking, wie es sich für eine beschäftigte Ehefrau und Mutter gehört. »Hör zu, ich weiß, dass du eine schwere Zeit durchmachst«, sagt sie, als hätte sie rein gar nichts damit zu tun, »aber du kannst uns nicht ständig nachts anrufen.« Sie klingt kurz angebunden, gereizt. »Es ist schlimm genug, dass du uns aufweckst, aber du weckst damit auch Evie auf, und das geht einfach nicht. Wir geben uns solche Mühe, damit sie endlich durchschläft.« *Wir geben uns solche Mühe, damit sie endlich durchschläft.* Wir. Uns. Unsere kleine Familie. Mit unseren Problemen und unseren festen Abläufen. Blöde Schlampe. Dieses Kuckucksweib hat ihr Ei in mein Nest gelegt. Sie hat mir alles gestohlen. Erst hat sie mir alles gestohlen, und jetzt ruft sie mich auch noch an, um mir zu erklären, dass ihr mein Leid lästig sei?

Ich leere die zweite Dose und setze die dritte an. Das selige Hochgefühl, das der durch meine Adern strömende Alkohol in mir auslöst, hält nur ein paar Minuten an, dann wird mir übel. Ich habe ein zu hohes Tempo vorgelegt, selbst für meine Verhältnisse. Ich muss langsamer machen. Wenn ich nicht langsamer werde, wird irgendwas Schlimmes passieren. Dann werde ich irgendwas tun, was ich später bereue. Ich werde sie zurückrufen, ich werde ihr erklären, dass sie mir am Arsch vorbeigeht und dass mir ihre Familie am Arsch vorbeigeht und dass es mir am Arsch vorbeigeht, ob ihr Kind auch nur eine einzige Nacht in seinem Leben durchschlafen wird. Ich erkläre ihr, dass diese Phrase, die er damals bei ihr angebracht hat – *erwarte nicht, dass ich noch bei Verstand bin* –, dass er die auch bei mir gebracht hat, als wir frisch verliebt waren; er benutzte sie in einem Brief, in dem er mir seine nie versiegende Leidenschaft erklärte. Dabei ist sie nicht einmal von ihm. Er hat sie Henry Miller geklaut. Alles, was sie bekommt, ist secondhand. Ich würde gern wissen, wie sie sich dabei fühlt. Ich will sie zurückrufen und fragen: Wie fühlt es sich an, Anna, in meinem Haus zu wohnen, umgeben von lauter Möbeln, die ich gekauft habe, in einem Bett zu schlafen, das ich jahrelang mit ihm geteilt habe, dein Kind am selben Küchentisch zu füttern, auf dem er mich gefickt hat?

Ich finde es immer noch unglaublich, das sie freiwillig dort geblieben sind, in diesem Haus, in *meinem* Haus. Ich war fassungslos, als er es mir erzählte. Ich habe dieses Haus geliebt. Ich war diejenige, die darauf bestand, es seiner Lage zum Trotz zu kaufen. Ich wohnte gern dort unten an den Gleisen, ich sah gern den Zügen nach, ich mochte die Geräusche – nicht das Zischen der Intercitys, sondern das altmodische Rumpeln der alten Loks und Wagen. Tom meinte damals, das würde nicht ewig so bleiben, irgendwann würde man die Strecke modernisieren, und dann würden nur noch Schnellzüge vorbeikreischen, aber ich hielt es für ausgeschlossen, dass es je dazu kommen würde. Ich wäre in dem Haus geblieben, ich hätte ihn ausbezahlt, wenn ich das Geld gehabt hätte. Aber das hatte ich nicht, und als wir uns scheiden ließen, war einfach kein Käufer da, der uns das Haus zu einem anständigen Preis abgekauft hätte, darum verkündete er schließlich, er werde stattdessen mich ausbezahlen und dort wohnen bleiben, bis er den richtigen Preis dafür erzielen würde. Nur ist ihm das nie geglückt. Stattdessen ließ er sie dort einziehen, und weil sie das Haus ebenso sehr liebte wie ich, beschlossen sie, dort wohnen zu bleiben. Sie muss sich ihrer selbst und seiner Liebe ungeheuer sicher sein, wenn es sie nicht stört, so offensichtlich in die Fußstapfen einer anderen Frau zu treten. Offenbar betrachtet sie mich nicht als Bedrohung. Mir fällt dabei ein, wie Ted Hughes Assia Wevill in das Haus einziehen ließ, das er zuvor mit Sylvia Plath geteilt hatte; wie sie Sylvias Kleider trug, ihr Haar mit derselben Bürste kämmte. Ich will Anna anrufen und ihr erzählen, dass Assia mit dem Kopf im Gasherd endete, genau wie Sylvia.

Offenbar war ich eingenickt, eingeschläfert vom Gin und der heißen Sonne. Noch während ich aufschreckte, tastete ich ängstlich nach meiner Handtasche. Sie war noch da. Meine Haut kribbelte, ich war von Ameisen belagert, sie waren in meinen Haaren und an meinem Hals und an meiner Brust, und ich sprang hektisch um mich schlagend auf. Zwanzig Meter weiter hörten zwei Teenager auf, einen Fußball hin und her zu kicken, und bogen sich vor Lachen, als sie mich sahen.

Der Zug hält an. Wir sind praktisch auf einer Höhe mit Jess' und Jasons Haus, aber ich kann nicht aus dem Fenster auf der anderen Seite und über die Gleise sehen, dafür stehen zu viele Menschen im Mittelgang. Ich frage mich, ob sie zu Hause sind, ob er Bescheid weiß, ob er ausgezogen ist oder ob er immer noch ein Leben lebt, das sich irgendwann als Lüge entpuppen wird.

Samstag, 13. Juli 2013

Morgens

Ohne auf die Uhr sehen zu müssen, weiß ich, dass es zwischen Viertel vor und Viertel nach acht ist. Ich erkenne das an der Helligkeit und am Lichteinfall, ich höre es an den

Straßengeräuschen und daran, dass Cathy genau vor meinem Zimmer den Flur saugt. Cathy steht jeden Samstag sehr früh auf, um Hausputz zu machen, komme, was wolle. Selbst wenn sie Geburtstag hätte, selbst wenn es der Tag des Jüngsten Gerichts wäre – wäre es ein Samstag, würde Cathy früher als sonst aufstehen, um staubzusaugen. Sie behauptet, das sei für sie kathartisch, es stimme sie aufs Wochenende ein, und weil sie den Hausputz wie eine Aerobicstunde angehe, müsse sie nicht ins Fitnessstudio.

Eigentlich stört es mich nicht besonders, dieses frühmorgendliche Staubsaugen, weil ich ohnehin längst nicht mehr schlafen kann. Vormittags kann ich nie schlafen; ich kann einfach nicht friedlich bis in die Puppen daliegen. Ich wache inzwischen fast immer abrupt auf, atme hektisch, mein Herz rast, ich habe einen schalen Geschmack im Mund und weiß sofort, dass es das wieder einmal war. Ich bin hellwach. Je dringender ich alles vergessen will, desto weniger gelingt es mir. Leben und Licht lassen mir keinen Frieden. Ich liege da, lausche Cathys aufdringlicher, fröhlicher Geschäftigkeit und denke an das Kleiderbündel an den Gleisen und an Jess, die im morgendlichen Sonnenschein ihren Geliebten geküsst hat.

Der Tag liegt wie ausgewalzt vor mir, und keine Minute davon ist gefüllt.

Ich könnte den Bauernmarkt an der Broad Street besuchen; ich könnte ein Stück Wild und Pancetta kaufen und den Tag am Herd verbringen.

Ich könnte mich mit einer Tasse Tee aufs Sofa setzen und mir *Saturday Kitchen* ansehen.

Ich könnte ins Fitnessstudio gehen.

Ich könnte meinen Lebenslauf umschreiben.

Ich könnte abwarten, bis Cathy das Haus verlässt, dann

zum Getränkeladen gehen und zwei Flaschen Sauvignon Blanc kaufen.

In einem anderen Leben wachte ich ebenfalls immer früh auf: vom Rumpeln des vorbeiratternden Acht-Uhr-Vierers. Ich schlug die Augen auf und lauschte den Regentropfen am Fenster. In meinem Rücken spürte ich ihn – schläfrig, warm, hart. Anschließend zog er meistens los, um die Zeitung zu holen, und ich machte Rührei, wir saßen in der Küche und tranken Tee, wir gingen auf ein spätes Mittagessen in den Pub, schliefen später ineinander verknäuelt vor dem Fernseher ein. Ich nehme an, inzwischen lebt er anders, ohne entspannten Samstagssex und Rührei, dafür mit einer anderen Art von Glück, mit einem kleinen Mädchen, das fröhlich plappernd zwischen ihm und seiner Frau im Bett liegt. Wahrscheinlich lernt es gerade sprechen, Dada und Mama und irgendeine Geheimsprache, die außer den Eltern niemand versteht.

Der Schmerz ist heftig und schwer, und er sitzt mitten in meiner Brust. Ich kann es kaum erwarten, dass Cathy das Haus verlässt.

Abends

Ich will Jason sehen.

Ich habe den ganzen Tag in meinem Zimmer verbracht und darauf gewartet, dass Cathy endlich geht, damit ich mir etwas zu trinken holen kann. Aber sie wollte einfach nicht. Unbeirrt und wie festbetoniert saß sie im Wohnzimmer, um »ein bisschen was von dem Papierkram wegzuschaffen«. Am Spätnachmittag ertrug ich die Enge und die Langeweile nicht mehr und erklärte ihr, dass ich spazieren gehen würde. Ich schlenderte zum Wheatsheaf, einem großen, anonymen Pub jenseits der High Street, und trank dort drei große Gläser Wein und zwei Jack Daniel's. Danach ging ich zum Bahnhof, kaufte mir ein paar Dosen Gin Tonic und stieg in den Zug.

Ich will Jason sehen.

Ich will ihn nicht *besuchen.* Ich werde nicht vor seinem Haus aufkreuzen und an die Tür klopfen. Weit davon entfernt. So verrückt bin ich nicht. Ich will nur an ihrem Haus vorbeifahren, im Zug daran vorüberrollen. Ich hab sonst nichts zu tun, und ich hab keine Lust, wieder nach Hause zu gehen. Ich will ihn einfach nur sehen. Ich will sie beide sehen.

Das ist keine gute Idee. Mir ist klar, dass das keine gute Idee ist.

Aber was kann es schaden?

Ich fahre bis Euston, dann drehe ich um und fahre wieder zurück. (Ich mag Züge, daran ist doch nichts verkehrt, oder? Züge sind etwas Wunderbares.)

Früher, als ich noch ich selbst war, träumte ich immer davon, mit Tom romantische Zugreisen zu unternehmen. (Die Bergensbane zum fünften Hochzeitstag, der Blue Train zu seinem Vierzigsten.)

Augenblick. Gleich kommen wir wieder an ihrem Haus vorbei.

Das Licht ist an, aber ich kann nicht mehr allzu gut sehen. (Weil alles doppelt ist. Ein Auge zumachen. Besser.)

Da sind sie! Ist er das? Sie stehen auf der Terrasse. Das sind sie doch? Ist das Jason? Ist das Jess?

Ich will näher ran, ich kann von meinem Platz aus nichts erkennen. Ich will näher ran.

Ich fahre nicht noch mal zurück nach Euston. Ich steige in Witney aus. (Ich sollte nicht in Witney aussteigen, das ist viel zu gefährlich. Was, wenn Tom mich sieht – oder Anna?)

Ich steige in Witney aus.

Keine gute Idee.

Eine verdammt schlechte Idee.

Ein Mann sitzt am gegenüberliegenden Fenster, sein sandblondes Haar hat einen leichten Stich ins Rötliche. Er lächelt mich an. Ich will etwas zu ihm sagen, aber die Worte verpuffen, sie fliegen mir einfach von der Zunge, bevor ich dazu komme, sie auszusprechen. Ich kann sie schmecken, aber ich weiß nicht, ob sie süß sind oder sauer.

Lächelt er mich an, oder feixt er nur? Ich kann es nicht sagen.

Sonntag, 14. Juli 2013

Morgens

Mein Herz hämmert, laut und beklemmend, als säße es mir im Hals. Mein Mund ist wie ausgedörrt, das Schlucken tut weh. Ich wälze mich auf die Seite, das Gesicht zum Fenster. Die Vorhänge sind zugezogen, doch selbst das wenige Licht tut mir in den Augen weh. Ich hebe die Hand ans Gesicht; ich drücke mir mit den Fingern auf die Lider und versuche, den Schmerz wegzumassieren. Meine Fingernägel sind dreckig.

Irgendwas stimmt nicht. Einen Moment lang meine ich zu fallen, so als hätte sich das Bett unter meinem Körper aufgelöst. Gestern Nacht – da war etwas. Die Luft dringt scharf in meine Lunge, und ich setze mich auf, viel zu schnell, mit rasendem Puls und pochenden Kopfschmerzen.

Ich warte darauf, dass die Erinnerung wieder einsetzt.

Manchmal braucht sie eine Weile. Manchmal kehrt sie schon nach Sekunden zurück. Manchmal bleibt sie ganz aus.

Irgendwas ist passiert, irgendwas Schlimmes. Es gab einen Streit. Es wurde geschrien. Fäuste? Ich weiß es nicht, ich erinnere mich nicht mehr daran. Ich war im Pub, dann bin ich in den Zug gestiegen, dann war ich am Bahnhof, dann auf der Straße. Blenheim Road. Ich war in der Blenheim Road.

Schwarzes Grauen überrollt mich in einer gewaltigen Welle.

Irgendetwas ist passiert, ich weiß, dass irgendwas passiert ist. Ich habe es nicht vor Augen, aber ich kann es spüren. Meine Mundhöhle tut weh, als hätte ich mir auf die Wange gebissen, und auf meiner Zunge liegt der metallische Geschmack von Blut. Mir ist übel und schwindlig. Ich fahre mir mit den Händen durchs Haar, über meinen Schädel. Ich zucke zusammen. Auf der rechten Seite spüre ich eine schmerzhafte, empfindliche Beule. Mein Haar ist blutverklebt.

Ich bin hingefallen, genau. Auf der Treppe am Bahnhof von Witney. Habe ich mir den Kopf angeschlagen? Ich weiß noch, dass ich im Zug saß, aber danach tut sich eine schwarze Kluft auf, ein riesiges Loch. Ich atme tief ein und aus und versuche, meinen Puls zu beruhigen, um die in mir aufsteigende Panik niederzuringen. Denk nach! Was habe ich getan? Ich war im Pub, ich bin in den Zug gestiegen. Da saß ein Mann – jetzt fällt es mir wieder ein. Mit rötlichen Haaren. Er hat mich angelächelt. Ich glaube, angesprochen hat er mich auch, aber ich weiß nicht mehr, was er gesagt hat. Da ist noch mehr, irgendwas war noch mit ihm, aber ich bekomme es nicht zu fassen, ich kann es in der Schwärze nicht finden.

Ich habe Angst, weiß aber nicht genau, wovor, was meine Angst nur mehr steigert. Ich weiß nicht einmal, ob ich vor irgendetwas Angst haben muss. Ich sehe mich im Zimmer um. Mein Handy liegt nicht auf dem Nachttisch. Meine Handtasche liegt nicht auf dem Boden, sie hängt auch nicht wie sonst über der Stuhllehne. Aber ich muss sie bei mir gehabt haben, weil ich zu Hause bin, und das heißt, dass ich den Schlüssel in der Hand hatte.

Ich steige aus dem Bett. Ich bin nackt. Ich sehe mich in dem bodenlangen Spiegel am Kleiderschrank stehen. Meine Hände zittern. Meine Wangen sind mit Wimperntusche verschmiert, meine Unterlippe ist aufgeplatzt. An den Beinen habe ich blaue Flecke. Mir ist schlecht. Ich setze mich auf die Bettkante, lasse den Kopf zwischen die Knie sinken und warte, bis die Übelkeit abflaut. Dann stehe ich wieder auf, greife nach meinem Morgenmantel und ziehe die Tür einen Spaltbreit auf. In der Wohnung ist es still. Aus irgendeinem Grund bin ich mir sicher, dass Cathy nicht da ist. Hat sie nicht erzählt, dass sie bei Damien übernachten wollte? Es kommt mir so vor, ich weiß aber nicht mehr, wann genau sie das gesagt haben soll. Bevor ich ausging? Oder hab ich später noch einmal mit ihr gesprochen? So leise wie möglich schleiche ich in den Flur. Ich sehe, dass Cathys Schlafzimmertür offen steht. Ich werfe einen Blick hinein. Ihr Bett ist gemacht. Natürlich ist es möglich, dass sie längst aufgestanden ist und das Bett gemacht hat, aber irgendwie glaube ich nicht, dass sie gestern Abend hier war, was mich erleichtert. Wenn sie nicht hier war, konnte sie mich auch nicht heimkommen sehen oder hören, und das heißt, dass sie nicht mitbekommen hat, wie fertig ich war. Eigentlich sollte es mir egal sein, aber das ist es nicht: Die Scham, die ich nach so einem Vorfall empfinde, steigt nicht nur proportional zur Schwere der Verfehlung, sondern auch zur Anzahl der Menschen, die Zeuge davon wurden.

Oben an der Treppe wird mir wieder schwindlig, und ich halte mich mit aller Kraft am Geländer fest. Eine meiner größten Ängste (abgesehen von der, innerlich zu verbluten, wenn meine Leber den Geist aufgibt) ist es, die Treppe hinunterzufallen und mir den Hals zu brechen. Schon allein bei dem Gedanken wird mir wieder übel. Ich würde mich gern hinlegen, aber erst muss ich meine Tasche finden, einen Blick auf mein Handy werfen. Ich muss mich zumindest vergewissern, dass ich meine Kreditkarten nicht verloren habe, und ich muss wissen, wen ich wann angerufen habe.

Die Handtasche habe ich im Flur fallen gelassen, gleich hinter der Wohnungstür. Die Jeans und meine Unterwäsche liegen in einem verknitterten Haufen daneben; schon an der Treppe rieche ich Urin. Ich greife nach meiner Tasche und suche nach meinem Handy – Gott sei Dank, es ist noch da, zwischen ein paar verknüllten Zwanzigern und einem blutigen Taschentuch. Wieder überkommt mich die Übelkeit – diesmal stärker; ich spüre die Magensäure in meinem Rachen und renne los, schaffe es aber nicht mehr bis ins Bad und kotze mitten auf der Treppe auf die Stufenmatten.

Ich muss mich hinlegen. Entweder ich lege mich hin, oder ich falle gleich in Ohnmacht. Ich werde die Treppe runterfallen. Sauber machen muss ich später.

Oben stecke ich mein Telefon ans Ladekabel und lege mich aufs Bett. Ganz behutsam und zögerlich hebe ich nacheinander meine Glieder an, um sie zu inspizieren. An meinen Beinen, oberhalb der Knie, leuchten blaue

Flecke, so wie meistens nach einem Absturz, Blutergüsse, die man sich zuzieht, wenn man sich irgendwo anstößt. Besorgniserregender sind die Flecke an meinen Oberarmen: dunkle, ovale Spuren, die wie Fingerabdrücke aussehen. Das muss nicht unbedingt was heißen, so was hatte ich schon öfter, gewöhnlich nachdem ich irgendwo gestürzt war und mir irgendjemand aufgeholfen hatte. Die Platzwunde an meinem Kopf fühlt sich übel an, aber vielleicht habe ich sie mir bei etwas Harmlosem zugezogen, beim Einsteigen in ein Auto. Vielleicht bin ich mit dem Taxi heimgefahren.

Ich greife nach meinem Handy. Zwei Nachrichten sind drauf. Die erste, empfangen um kurz nach fünf, stammt von Cathy, die fragt, wo ich abgeblieben sei. Sie werde bei Damien übernachten, wir sehen uns also morgen. Sie hofft, dass ich mich nicht allein betrinke. Die zweite, empfangen um Viertel nach zehn, stammt von Tom. Als ich seine Stimme höre, fällt mir vor Schreck beinahe das Handy aus der Hand; er brüllt.

»Herrgott, Rachel, was stimmt eigentlich nicht mit dir, verflucht noch mal? Ich hab die Nase voll, okay? Ich bin eben fast eine Stunde lang durch die Gegend gefahren und hab nach dir gesucht. Du hast Anna zu Tode erschreckt, ist dir das klar? Sie dachte, du würdest... Sie dachte... Ich konnte sie nur mit Mühe davon abhalten, die Polizei zu rufen. Lass uns endlich in Frieden! Hör auf anzurufen, hör auf, vor unserem Haus herumzulungern, lass uns einfach in Frieden. Ich will nicht mit dir sprechen, hast du kapiert? Ich will nicht mit dir sprechen, ich will dich nicht sehen, ich will nicht, dass du meiner Familie nahe kommst. Dein eigenes Leben kannst du meinetwegen zerstören, aber meins wirst du nicht zerstören, nicht mehr.

Ich werde dich nicht länger beschützen, hast du kapiert? Bleib uns einfach vom Leib.«

Ich habe keine Ahnung, was ich getan habe. Was habe ich getan? Was habe ich zwischen 17:00 Uhr und 22:15 Uhr getan? Warum hat Tom nach mir gesucht? Was habe ich Anna angetan? Ich ziehe mir die Decke über den Kopf, ich kneife die Augen zu. Ich versuche, vor mir zu sehen, wie ich mich auf dem schmalen Weg zwischen ihrem Garten und dem Nachbargarten dem Haus nähere und dann über den Zaun klettere. Ich stelle mir vor, wie ich die Glastür aufschiebe und lautlos in die Küche schleiche. Anna sitzt am Tisch. Ich packe sie von hinten, ich wühle meine Hand in ihr langes blondes Haar, ich reiße ihren Kopf zurück, ich zerre sie auf den Boden und schlage ihren Kopf auf die kühlen blauen Fliesen.

Abends

Irgendwer schreit. Aus dem Einfallswinkel der Sonnenstrahlen durch mein Zimmerfenster schließe ich, dass ich lange geschlafen habe; es muss schon später Nachmittag oder früher Abend sein. Mein Kopf tut weh. Auf meinem Kissen ist Blut. Ich höre, wie unten jemand schreit.

»Das glaub ich einfach nicht! Scheiße, verflucht! Rachel! RACHEL!«

Ich bin eingeschlafen. O Jesus, ich hab die Kotze nicht von der Treppe gewischt! Und meine Sachen liegen auch noch im Flur, o Gott, o Gott.

Ich schlüpfe in meine Jogginghose und in ein T-Shirt. Als ich die Zimmertür aufmache, steht Cathy vor mir. Sie erschrickt sichtlich, als sie mich sieht.

»Um Himmels willen, was ist denn mit dir passiert?«,

sagt sie, und dann hebt sie die Hand. »Tut mir leid, Rachel, aber eigentlich will ich das gar nicht wissen. Ich ertrage das nicht mehr. Ich will nicht heimkommen und …« Sie bringt den Satz nicht fertig, sondern sieht nur den Flur entlang in Richtung Treppe.

»Es tut mir leid«, sage ich. »Es tut mir wirklich wahnsinnig leid. Mir war so schlecht, und ich wollte das sauber machen …«

»Dir war nicht schlecht, oder? Du warst besoffen. Du warst verkatert. Tut mir leid, Rachel, aber das ertrage ich nicht mehr. Ich kann so nicht mehr leben. Du musst ausziehen, okay? Ich gebe dir vier Wochen, um was anderes zu finden, aber dann musst du ausziehen.« Sie dreht sich um und geht auf ihr Schlafzimmer zu. »Und könntest du bei aller Liebe diese Sauerei wegmachen?« Dann knallt sie die Tür hinter sich zu.

Nachdem ich sauber gemacht habe, verschwinde ich wieder in mein Zimmer. Cathys Tür ist immer noch geschlossen, aber ihr stummer Zorn strahlt bis auf den Flur heraus. Ich kann es ihr nicht verdenken. Ich wäre auch stinksauer, wenn ich heimkäme und von einer pissegetränkten Unterhose und einer Kotzelache auf der Treppe empfangen würde. Ich setze mich aufs Bett, klappe den Laptop auf, logge mich in mein E-Mail-Konto ein und mache mich daran, eine Nachricht an meine Mutter zu verfassen. Jetzt ist es endgültig so weit, denke ich. Ich muss sie um Hilfe bitten. Wenn ich wieder nach Hause zöge, könnte ich nicht so weitermachen, ich müsste etwas ändern, ich müsste wieder auf die Beine kommen. Allerdings fehlen mir die Worte, ich weiß nicht, wie ich es ihr erklären soll. Ich kann mir ihr Gesicht vorstellen, wenn sie meinen Hilferuf liest, die unwirsche

Enttäuschung, den Verdruss. Fast kann ich sie seufzen hören.

Mein Handy piept. Eine Nachricht auf der Mailbox, empfangen schon vor Stunden. Es ist noch einmal Tom. Ich möchte mir nicht anhören, was er zu sagen hat, aber ich muss, ich kann nicht anders. Mein Puls beschleunigt, während ich meine Mailbox aufrufe und mich auf das Schlimmste gefasst mache.

»Rachel, rufst du mich bitte zurück?« Er klingt längst nicht mehr so wütend, und mein Puls beruhigt sich halbwegs. »Ich will nur wissen, ob du noch gut nach Hause gekommen bist. Du hast gestern Abend ziemlich übel ausgesehen.« Ein langer, tiefer Seufzer. »Hör zu. Es tut mir leid, dass ich dich gestern Abend angebrüllt habe, dass alles ein bisschen ... außer Kontrolle geraten ist. Du hast mein volles Mitgefühl, Rachel, ehrlich, aber das muss einfach aufhören.«

Ich spiele die Nachricht ein zweites Mal ab, höre die Güte in seiner Stimme, und dann kommen mir die Tränen. Es vergeht viel Zeit, bis ich wieder aufhören kann zu weinen, bis ich in der Verfassung bin, ihm eine SMS zu schreiben. Dass es mir wahnsinnig leidtue und ich jetzt zu Hause sei. Mehr kann ich nicht schreiben, weil ich schließlich nicht weiß, was genau mir leidtut. Ich weiß nicht, was ich Anna angetan habe, womit ich ihr Angst eingejagt haben soll. Ehrlich gesagt interessiert es mich auch nicht besonders, aber ich will Tom nicht unglücklich machen. Nach allem, was er durchgemacht hat, hat er es verdient, glücklich zu sein. Ich werde ihm sein Glück bestimmt nicht vereiteln. Ich wünschte mir nur, er könnte es mit mir teilen.

Ich lege mich aufs Bett und verkrieche mich unter der

Bettdecke. Ich wüsste zu gern, was gestern passiert ist; ich wollte, ich wüsste, was mir leidtun muss. Angestrengt versuche ich, einen flüchtigen Erinnerungsfetzen einzuordnen. Ich habe das bestimmte Gefühl, dass ich einen Streit mit angesehen habe oder darin verwickelt war. Mit Anna? Meine Finger tasten über die Wunde an meinem Kopf, über den Schnitt an meiner Lippe. Beinahe sehe ich die Szene vor mir, beinahe höre ich die Worte, doch dann verschwimmt alles wieder. Ich bekomme es einfach nicht zu fassen. Jedes Mal, wenn ich meine, jetzt ist es greifbar, zieht es sich wieder in die Dunkelheit zurück, knapp außerhalb meiner Reichweite.

MEGAN

Dienstag, 2. Oktober 2012

Morgens

Es wird bald regnen, das spüre ich genau. Meine Zähne klappern, meine Fingerspitzen sind weiß mit einem Stich ins Bläuliche. Ich werde nicht hineingehen. Es gefällt mir hier draußen – es ist Katharsis, Reinigung, wie ein Eisbad. Außerdem wird Scott ohnehin bald rauskommen und mich wieder reinholen. Er wird mich wie ein Kind in ein Badetuch wickeln.

Gestern Abend hatte ich auf dem Heimweg eine Panikattacke. Erst war da dieses Motorrad, das immer und immer wieder aufheulte, dann rollte ein roter Wagen langsam an mir vorbei wie auf dem Straßenstrich, und außerdem waren da diese zwei Frauen mit Kinderwagen, die mir den Weg blockierten. Weil ich auf dem Bürgersteig nicht an ihnen vorbeikam, trat ich auf die Straße und wäre um ein Haar von einem Auto überfahren worden, das in der Gegenrichtung unterwegs war und das ich gar nicht bemerkt hatte. Der Fahrer hupte wie blöd und schrie irgendwas. Im nächsten Moment bekam ich keine Luft mehr, mein Herz raste, und ich spürte dieses Schlingern im Magen, so als hätte ich gerade etwas eingeworfen und würde jetzt auf das High zusteuern – diesen Adrenalinschub, bei dem dir vor Vorfreude gleichzeitig übel und angst wird.

Ich rannte heim und durch das Haus hindurch bis an den Zaun vor den Gleisen, dann setzte ich mich auf den Boden und wartete auf einen Zug, der mich durchrüttelte und alles andere übertönte. Ich hoffte darauf, dass Scott mir nachkäme und mich beruhigte, aber er war nicht daheim. Ich versuchte, über den Zaun zu klettern, ich wollte mich eine Weile auf die andere Seite setzen, wo niemand hinkommt. Dabei schnitt ich mir die Hand auf, darum ging ich wieder hinein, und dann kam Scott nach Hause und fragte mich, was denn passiert sei. Ich sagte, ich hätte beim Abspülen ein Glas fallen gelassen. Er glaubte mir kein Wort und regte sich furchtbar auf.

Mitten in der Nacht stand ich auf und schlich nach unten auf die Terrasse, ohne dass Scott wach geworden wäre. Ich wählte seine Nummer und lauschte, als er ranging, seiner Stimme, erst leise und schläfrig, dann lauter, argwöhnisch, besorgt, ärgerlich. Ich legte auf und wartete ab, ob er zurückrufen würde. Ich hatte meine Nummer nicht unterdrückt, also hätte er es tun können. Als kein Anruf kam, rief ich noch mal an und noch mal und noch mal. Irgendwann landete ich auf der Mailbox, die mir unpersönlich und geschäftsmäßig versicherte, dass er sich so bald wie möglich bei mir melden werde. Ich spielte mit dem Gedanken, in der Praxis anzurufen und meinen nächsten Termin vorzuziehen, aber ich ahne, dass dort nachts die Telefonanlage abgeschaltet wird, darum ging ich wieder ins Bett. Ich machte kein Auge zu.

Vielleicht fahre ich nachher in den Corly Wood, um ein bisschen zu fotografieren; bestimmt ist es im Wald diesig und düster und stimmungsvoll, ich müsste also ein paar gute Bilder hinkriegen. Ich habe mir überlegt, Postkarten drucken zu lassen und auszuprobieren, ob ich sie in dem Geschenkeladen in der Kingly Road verkaufen kann. Scott sagt immer, ich solle mir keine Gedanken über einen Job machen, ich solle mich einfach nur ausruhen. Wie eine Invalidin! Dabei ist Ruhe das Letzte, was ich jetzt brauchen kann. Ich brauche etwas, was meine Tage ausfüllt. Keine Ahnung, was sonst passieren wird.

Abends

Bei der heutigen Nachmittagssitzung schlug Dr. Abdic – Kamal, wie ich ihn inzwischen nennen darf – mir vor, Tagebuch zu führen. Um ein Haar hätte ich geantwortet: Das kann ich nicht, ich kann mich nicht darauf verlassen, dass mein Mann es nicht liest. Aber ich habe nichts dergleichen gesagt, weil mir das schrecklich illoyal gegenüber Scott vorgekommen wäre. Trotzdem stimmt es. Ich könnte unmöglich irgendwo festhalten, was ich tatsächlich fühle oder denke oder tue. Ein Paradebeispiel: Als ich am Abend heimkam, war mein Laptop warm. Er weiß genau, wie man den Browserverlauf und was weiß ich nicht alles löscht. Er kann seine Spuren perfekt verwischen. Aber ich weiß eben auch, dass ich den Computer ausgeschaltet hatte, bevor ich das Haus verließ. Er hat schon wieder meine Mails gelesen.

Das stört mich nicht weiter, weil es darin nichts zu lesen gibt. (Eine Menge Spammails von Headhunterfirmen und von Jenny aus dem Pilateskurs, die fragt, ob ich ihrem Supper Club beitreten möchte, in dem sie und ihre Freundinnen einander donnerstags bekochen. Lieber würde ich tot umfallen.) Es stört mich nicht, weil er so die Gewissheit hat, dass nichts im Busch ist, dass ich nichts aushecke. Und das ist gut für mich – für uns –, selbst wenn es gar nicht stimmt. Außerdem kann ich ihm nicht wirklich böse sein, schließlich hat er allen Grund, misstrauisch zu sein. Ich habe ihm schon früher Anlass dazu gegeben und werde es wahrscheinlich wieder tun. Ich bin keine vorbildliche Ehefrau. Das schaffe ich nicht. Sosehr ich ihn auch liebe, dafür reicht es einfach nicht.

Samstag, 13. Oktober 2012

Morgens

Letzte Nacht habe ich fünf Stunden geschlafen, länger als seit Ewigkeiten, und das Merkwürdige ist, dass ich gestern beim Heimkommen so aufgedreht war, dass ich schon dachte, ich würde stundenlang herumflattern wie ein aufgescheuchtes Huhn. Ich hatte mir eingeredet, dass ich es nicht noch mal tun würde, nicht nach dem letzten Mal, aber dann hab ich ihn gesehen, ihn gewollt und mir gedacht: Warum denn nicht? Ich sehe nicht ein, warum ausgerechnet ich mich einschränken soll; andere Leute tun es schließlich auch nicht. Und Männer sowieso nicht. Ich will niemanden verletzen, aber man muss sich selbst treu bleiben, oder etwa nicht? Mehr tue ich nicht, ich bleibe nur meinem wahren Wesen treu, jenem Wesen, das niemand kennt – weder Scott noch Kamal noch sonst jemand.

Nach der Pilatesstunde gestern Abend habe ich Tara gefragt, ob sie irgendwann nächste Woche mal mit mir ins Kino gehen, und dann, ob sie mich decken würde.

»Falls er bei dir anruft, kannst du dann sagen, dass ich gerade auf dem Klo bin und dass ich ihn gleich zurückrufe? Danach rufst du mich an, und ich rufe ihn an, und alles ist cool.«

Sie zuckte bloß mit den Schultern und sagte: »Meinetwegen.« Sie wollte nicht mal wissen, was ich vorhatte oder mit wem. Sie will einfach um jeden Preis mit mir befreundet sein.

Ich habe mich mit ihm im Swan in Corly getroffen; er hatte uns ein Zimmer besorgt. Wir müssen aufpassen, wir dürfen uns unter keinen Umständen erwischen lassen. Für ihn wäre das echt übel – es würde sein Leben zerstören. Aber auch für mich wäre es eine Katastrophe. Ich will mir gar nicht ausmalen, was Scott dann tun würde.

Hinterher wollte er mit mir reden, über das, was in Norwich passiert war, als ich noch jünger war. Ich hatte ein paar Andeutungen fallen lassen, doch gestern Abend wollte er Einzelheiten hören. Ich erzählte dies und das, allerdings nicht die Wahrheit. Ich log, erfand Geschichten, sprach von all dem versauten Zeug, das er hören wollte. Es machte mir Spaß. Ich habe kein schlechtes Gewissen, weil ich ihn angelogen habe, außerdem bezweifle ich, dass er mir auch nur die Hälfte geglaubt hat. Und ich bin mir ziemlich sicher, dass er mich auch belügt.

Er lag auf dem Bett und sah zu, wie ich mich anzog. Dann sagte er: »Das muss aufhören, Megan. Du weißt das. Wir können so nicht weitermachen.« Natürlich er hat recht, ich sehe es ja genauso. Wir sollten nicht, wir dürfen nicht, aber wir werden weitermachen. Das war garantiert nicht das letzte Mal. Er kann einfach nicht Nein sagen. Auf dem Heimweg ist mir all das noch einmal durch den Kopf gegangen, und das gefällt mir daran am besten – dass ich diese Macht über ihn habe. Das ist wirklich berauschend.

Abends

Ich bin in der Küche und öffne gerade eine Flasche Wein, da stellt sich Scott hinter mich, legt die Hände auf meine Schultern und drückt sie sanft. »Wie war's heute in der Therapie?«, fragt er. Ich behaupte, es wäre gut gewesen, dass wir Fortschritte machten. Inzwischen hat er sich damit abgefunden, dass ich keine Einzelheiten erzähle. Dann: »Und gestern Abend – war's nett mit Tara?«

Weil ich mit dem Rücken zu ihm dastehe, kann ich nicht erkennen, ob die Frage ernst gemeint ist oder ob er Verdacht geschöpft hat. Aus seinem Tonfall kann ich es ebenso wenig schließen.

»Sie ist wirklich nett«, sage ich. »Ihr würdet euch bestimmt gut verstehen. Nächste Woche wollen wir übrigens ins Kino gehen. Wie wär's, wenn ich danach mit ihr hierherkäme und wir eine Kleinigkeit essen würden?«

»Und ich darf nicht mit ins Kino?«, fragt er.

»Aber sicher«, sage ich, drehe mich zu ihm um und küsse ihn auf den Mund, »aber sie will unbedingt in diesen Film mit Sandra Bullock, und ...«

»Kein Wort mehr! Bring sie einfach anschließend zum Abendessen vorbei«, sagt er und drückt mit beiden Händen sanft von hinten meine Taille.

Ich schenke uns Wein ein, und wir gehen nach draußen. Wir setzen uns an den Rand der Terrasse, mit den Füßen im Gras.

»Ist sie eigentlich verheiratet?«, fragt er.

»Tara? Nein. Single.«

»Kein Freund?«

»Ich glaube nicht.«

»Vielleicht eine Freundin?« Er zieht die Brauen hoch, und ich muss lachen. »Wie alt ist sie überhaupt?«

»Keine Ahnung«, sage ich. »Um die vierzig.«

»Oh. Und ganz allein? Klingt ein bisschen traurig.«

»Mhm. Ich dachte auch, dass sie vielleicht einsam sein könnte.«

»Sie haben es immer auf dich abgesehen, die Einsamen, was? Sie gehen auf dich los wie die Motten aufs Licht.«

»Wirklich?«

»Sie hat also keine Kinder?«, fragt er, und ich weiß nicht, ob ich es mir einbilde, aber sobald das Thema Kinder aufkommt, höre ich eine leichte Schärfe in seiner Stimme und spüre, wie sich ein Streit anbahnt, den ich auf jeden Fall vermeiden will, mit dem ich jetzt nicht umgehen kann, also stehe ich auf und sage zu ihm, er soll die Weingläser mit reinnehmen, weil wir jetzt hoch ins Schlafzimmer gehen.

Er folgt mir. Ich fange noch auf der Treppe an, mich auszuziehen, und als wir oben ankommen und er mich aufs Bett drückt, bin ich mit den Gedanken zwar nicht bei ihm, aber das tut nichts zur Sache, weil er das schließlich nicht weiß. Ich bin gut genug, um ihn glauben zu lassen, dass es ausschließlich um ihn geht.

RACHEL

Montag, 15. Juli 2013

Morgens

Als ich heute Morgen aus dem Haus gehen wollte, rief Cathy mich noch mal zurück und umarmte mich flüchtig und irgendwie steif. Im ersten Moment dachte ich, sie würde mir gleich verkünden, dass sie mich doch nicht rauswerfen wolle, aber stattdessen drückte sie mir nur einen Ausdruck in die Hand, auf dem sie mir hochoffiziell das Zimmer kündigte, komplett mit Auszugsdatum. Sie konnte mir dabei nicht in die Augen sehen. Sie tat mir leid, ehrlich, allerdings nicht so leid, wie ich mir selber tue. Sie lächelte mich traurig an und sagte: »Ich mache das wirklich nicht gern, Rachel, das musst du mir glauben.« Die ganze Angelegenheit war unendlich peinlich. Wir standen im Flur, der trotz all meiner Bemühungen mit Bleiche immer noch leicht nach Erbrochenem roch. Mir standen die Tränen in den Augen, aber ich wollte nicht, dass sie sich noch schlechter fühlte, als sie es sowieso schon tat, darum lächelte ich übertrieben fröhlich und sagte: »Ist nicht so schlimm, ehrlich, das ist kein Problem«, so als hätte sie mich nur um einen kleinen Gefallen gebeten.

Jetzt, im Zug, kommen mir endlich die Tränen, und es ist mir gleich, ob irgendwer mich heulen sieht; soweit es die Leute um mich herum betrifft, könnte genauso gut mein Hund überfahren worden sein. Man könnte bei mir eine unheilbare Krankheit diagnostiziert haben. Oder ich könnte eine vertrocknete, geschiedene, demnächst obdachlose Alkoholikerin sein.

Wenn ich genau darüber nachdenke, ist es tatsächlich lächerlich. Wie konnte es überhaupt so weit kommen? Ich frage mich, wann mein Abstieg begonnen hat; ich frage mich, bis zu welchem Zeitpunkt ich ihn hätte abwenden können. Wo habe ich die falsche Abzweigung genommen? Nicht als ich Tom begegnete, der nach Dads Tod meine Trauer vertrieb. Nicht als wir vor sieben Jahren heirateten, an einem eigenartig winterlichen Maitag, sorgenfrei und in Glückseligkeit getaucht. Damals war ich noch glücklich, kreditwürdig, erfolgreich. Nicht als wir in Nummer dreiundzwanzig einzogen, ein geräumigeres und charmanteres Haus, als ich es mir im zarten Alter von sechsundzwanzig je als eigenes Heim erträumt hätte. Mir stehen immer noch die ersten Tage vor Augen, in denen ich barfuß durchs Haus wanderte, der Wärme der Holzdielen unter meinen nackten Füßen nachspürte, mich in den weiten Räumen erging und mich an den leeren Zimmern freute, die alle nur darauf warteten, gefüllt zu werden. In denen Tom und ich Pläne schmiedeten: wie wir den Garten bepflanzen, was wir an die Wände hängen, wie wir das freie Zimmer streichen wollten – das in meiner Vorstellung schon damals das Kinderzimmer war.

Vielleicht hat es genau da angefangen. Vielleicht war das der Moment, an dem es begann schiefzulaufen: der Moment, in dem ich uns nicht mehr als Paar, sondern als Familie sah. Nachdem ich dieses Bild erst mal im Kopf hatte, genügten wir zwei allein nicht mehr. War das der Punkt, ab dem Tom mich anders ansah, ab dem seine Enttäuschung meine widerspiegelte? Weil ich ihm das Gefühl gab, dass er mir nicht mehr genügte, obwohl er so viel für mich, für unsere Beziehung aufgegeben hatte?

Bis Northcote lasse ich den Tränen freien Lauf, dann reiße ich mich zusammen, tupfe mir die Augen trocken und erstelle auf der Rückseite von Cathys Kündigungsschreiben eine Liste von zu erledigenden Punkten:

Holborn Library
E-Mail an Mum
E-Mail an Martin, Zeugnis???
AA-Treffen raussuchen – London/Ashbury
Cathy das mit Job erzählen?

Als der Zug am Signal hält, blicke ich auf und sehe Jason auf der Terrasse stehen. Er sieht zu den Gleisen herüber. Es ist, als würde er mich direkt ansehen, und plötzlich überkommt mich ein merkwürdiges Gefühl – als hätte er mich schon mal so angesehen; als hätte er mich tatsächlich gesehen. Ich stelle mir vor, wie er mich anlächelt, und mir wird angst und bange, ohne dass ich wüsste, warum.

Er dreht sich weg, und der Zug fährt wieder an.

Abends

Ich sitze in der Notaufnahme im University College Hospital. Ich wurde von einem Taxi angefahren, als ich die Gray's Inn Road überqueren wollte. Ich war stocknüchtern, möchte ich anmerken, aber ich war aufgewühlt, zerstreut, fast schon panisch. Ein zwei Zentimeter langer Schnitt über meinem rechten Auge wird gerade von einem extrem gut aussehenden Assistenzarzt vernäht, der enttäuschend barsch und kurz angebunden ist. Als er fertig ist mit Nähen, fällt ihm die Beule an meinem Kopf auf.

»Die ist schon älter«, erkläre ich ihm.

»Sieht aber ziemlich frisch aus«, erwidert er.

»Sie ist nicht von heute.«

»Frisch aus der Schlacht zurück, was?«

»Ich hab mir den Kopf angeschlagen, als ich ins Auto steigen wollte.«

Ausgiebig untersucht er meinen Schädel und sagt dann: »Ein Auto, ja?« Er richtet sich wieder auf und sieht mir in die Augen. »Das sieht mir aber gar nicht danach aus. Es sieht eher so aus, als hätte jemand Sie mit irgendeinem Gegenstand geschlagen«, sagt er, und mir wird kalt. Ich erinnere mich vage daran, dass ich mich geduckt habe, um einem Schlag auszuweichen, dass ich die Hände erhoben hatte. Ist das eine echte Erinnerung? Der Doktor beugt sich wieder vor und betrachtet die Wunde genauer. »Mit etwas Scharfem, Gezacktem vielleicht…«

»Nein«, sage ich. »Es war ein Auto. Ich habe mir beim Einsteigen den Kopf angeschlagen.« Ich möchte nicht nur ihn, sondern auch mich selbst überzeugen.

»Okay.« Jetzt lächelt er mich an, tritt noch mal zurück und geht dann leicht in die Hocke, sodass wir auf Augenhöhe sind. »Aber sonst ist alles in Ordnung« – er wirft einen Blick in seine Unterlagen –, »Rachel?«

»Ja.«

Er sieht mich eindringlich an; er glaubt mir nicht. Er macht sich Sorgen. Vielleicht argwöhnt er, dass ich häuslicher Gewalt ausgesetzt bin. »Na schön. Trotzdem mache ich die Wunde lieber mal sauber. Sie sieht nicht gut aus. Kann ich jemanden für Sie anrufen? Ihren Mann vielleicht?«

»Ich bin geschieden«, erkläre ich ihm.

»Dann jemand anderen?« Dass ich geschieden bin, kümmert ihn nicht weiter.

»Meine Freundin, bitte, sie macht sich bestimmt schon Sorgen.« Ich gebe ihm Cathys Namen und ihre Nummer. Cathy wird sich überhaupt keine Sorgen machen – ich bin sonst nie um diese Zeit zu Hause –, aber mit ein wenig Glück hat sie Mitleid mit mir, weil ich von diesem Taxi angefahren wurde, und verzeiht mir, was gestern passiert ist. Wahrscheinlich wird sie glauben, dass ich betrunken war und deshalb angefahren wurde. Ich frage mich, ob ich den Arzt überreden könnte, mir Blut abzunehmen oder so, damit ich ihr beweisen kann, dass ich stocknüchtern war. Ich lächle ihn an, aber er sieht nicht her, sondern macht sich Notizen. Davon abgesehen ist es eine lächerliche Idee.

Es war meine Schuld; der Taxifahrer konnte nichts dafür. Ich trat – nein, rannte – direkt vor dem Taxi auf die Fahrbahn. Ich weiß auch nicht, was ich mir dabei gedacht habe, so blindlings loszurennen. Wahrscheinlich habe ich mir gar nichts dabei gedacht; über den Straßenverkehr habe ich jedenfalls nicht nachgedacht. Ich habe an Jess denken müssen. Die gar nicht Jess heißt, sondern Megan Hipwell, und die jetzt vermisst wird.

Ich war in der Bücherei in der Theobalds Road. Ich hatte gerade von meinem Yahoo-Account eine E-Mail an meine Mutter geschickt (in der ich ihr nichts von Bedeutung geschrieben hatte, es war eher eine Art Test-E-Mail gewesen, um auszuloten, wie weit ihre mütterlichen Gefühle mir gegenüber im Augenblick tragen würden). Auf der Yahoo-Abmeldeseite stehen Nachrichten, und zwar auf die persönliche Postleitzahl zugeschnitten – weiß der Geier, woher die meine Postleitzahl kennen. Sie kennen sie jedenfalls. Und dort war ein Bild von ihr zu sehen: von Jess, *meiner* Jess, der perfekten Blondine, direkt über der Schlagzeile: SORGE UM VERMISSTE FRAU AUS WITNEY.

Im ersten Moment war ich mir nicht mal sicher. Das Foto sah irgendwie nach ihr aus, eigentlich sah sie darauf genauso aus wie in meiner Vorstellung, und trotzdem zweifelte ich an mir. Dann las ich den Artikel, in dem der Straßenname erwähnt wurde, und damit war jeder Zweifel ausgeräumt.

Die Polizei von Buckinghamshire zeigt sich nach dem Verschwinden der 29-jährigen Megan Hipwell aus der Blenheim Road in Witney zunehmend besorgt. Hipwell wurde zuletzt am Samstagabend von ihrem Mann Scott gesehen, als sie gegen 19:00 Uhr das gemeinsame Haus verließ, um sich mit einer Freundin zu treffen. Einfach zu verschwinden sei »ganz und gar nicht ihre Art«, so Scott Hipwell. Die Vermisste trägt Jeans und ein rotes T-Shirt. Sie ist 1,65 m groß, hat blonde Haare und blaue Augen. Hinweise auf den Verbleib von Mrs. Hipwell nimmt die Polizei von Buckinghamshire entgegen.

Sie wird also vermisst. Jess wird vermisst. Megan wird vermisst. Seit Samstag. Ich habe sie gegoogelt – auch im *Witney Argus* gab es einen Artikel, aber ohne weitere Details. Ich musste wieder daran denken, wie ich Jason – Scott – heute Morgen auf der Terrasse stehen sah, wie er mich ansah, wie er mich anlächelte. Ich schnappte meine Tasche, sprang auf und rannte aus der Bücherei, direkt auf die Straße, direkt vor ein schwarzes Taxi.

»Rachel? Rachel?« Der gut aussehende Arzt reißt mich aus den Gedanken. »Ihre Freundin ist hier und will Sie abholen.«

MEGAN

Donnerstag, 10. Januar 2013

Morgens

An manchen Tagen will ich nicht rausgehen. Dann denke ich, ich wäre glücklich, wenn ich nie wieder einen Fuß auf die Straße setzen müsste. Nicht einmal meine Arbeit fehlt mir dann. Ich will einfach nur ungestört bleiben in meinem sicheren, warmen Hafen bei Scott.

Dass es draußen dunkel und kalt und eklig ist, trägt natürlich zu diesem Gefühl bei. Und dass der Regen seit Wochen kein Ende nimmt – ein eisiger, peitschender, bitterer Regen, begleitet von Windböen, die so laut durch die Baumkronen pfeifen, dass sie sogar den Zug übertönen. Ich höre nicht mehr, wie er über die Gleise rattert und mich in Versuchung führt, mich verlockt, auf Reisen zu gehen.

Heute will ich nirgendwohin, ich will nicht weg, ich will nicht mal nur kurz vor die Tür. Ich will hierbleiben, in unserem Kaninchenbau, zusammen mit meinem Mann, ich will fernsehen und Eis essen, nachdem ich ihn angerufen und überredet habe, früher von der Arbeit heimzukommen, damit wir noch am Nachmittag miteinander schlafen können.

Natürlich muss ich später noch mal raus, denn heute ist Kamal-Tag. In letzter Zeit habe ich mit ihm viel über

Scott gesprochen, darüber, was ich alles falsch gemacht habe, über mein Versagen als Ehefrau. Kamal behauptet, ich müsse mir überlegen, wie ich mich selber glücklich machen kann; ich müsse aufhören, andernorts nach dem Glück zu suchen. Es stimmt, das muss ich, das ist mir selber klar, doch dann überkommt es mich wieder, und ich denke: Scheiß drauf, das Leben ist zu kurz.

Ich muss daran denken, wie wir damals in den Osterferien mit der Familie nach Santa Margherita fuhren. Ich war gerade fünfzehn geworden und lernte am Strand diesen deutlich älteren Typen kennen – in den Dreißigern wahrscheinlich, wenn nicht schon Anfang vierzig –, der mich einlud, am nächsten Tag mit ihm segeln zu gehen. Ben war dabei und wurde ebenfalls eingeladen, aber er meinte – ganz der fürsorgliche große Bruder –, wir sollten nicht mitfahren, weil er dem Mann nicht traute. Er hielt ihn für einen schmierigen Widerling. Was er bestimmt auch war. Aber ich war stinksauer, denn wann würden wir je wieder die Gelegenheit haben, auf einer Privatjacht übers Ligurische Meer zu segeln? Ben meinte, solche Gelegenheiten würden sich uns noch häufig bieten, wir würden ein Leben voller Abenteuer führen. Letzten Endes fuhren wir also nicht mit, und in diesem Sommer verlor Ben auf der A10 die Kontrolle über sein Motorrad, und so gingen wir beide nie mehr segeln.

Mit Ben zusammen zu sein fehlt mir sehr. Wir waren furchtlos.

Ich habe Kamal alles über Ben erzählt, aber jetzt nähern wir uns allmählich den anderen Sachen, der Wahrheit, der ganzen Wahrheit. Der Geschichte mit Mac. Dem Davor und dem Danach. Bei Kamal ist das alles gut aufgehoben, er darf nichts davon weitererzählen, Patientengespräche sind vertraulich. Und selbst wenn er es jemandem erzählen dürfte, würde er es wohl kaum tun. Ich vertraue ihm, ich vertraue ihm wirklich. Merkwürdig, aber weder die Angst vor einem moralischen Urteil noch davor, was er mit all dem anfangen könnte, hat mich bisher davon abgehalten, ihm alles zu erzählen – sondern Scott. Es kommt mir so vor, als würde ich ihn hintergehen, wenn ich Kamal erzähle, was ich Scott nicht erzählen kann. Eigentlich eine Lappalie, wenn man bedenkt, was ich sonst noch alles angestellt habe – wie oft ich ihn betrogen habe –, aber das ist es nicht. Dass ich das alles nicht mit ihm teile, kommt mir irgendwie viel schlimmer vor, weil es hierbei um mein Leben geht, weil es mein Innerstes berührt.

Bisher halte ich mich allerdings halbwegs bedeckt, weil ich unmöglich alles offenbaren kann, was ich empfinde. Ich weiß, genau darum geht es bei einer Therapie, aber das kann ich einfach nicht. Ich muss vage bleiben, all diese verschiedenen Männer vermengen, die Lover und Exlover, aber ich rede mir ein, dass das nicht weiter schlimm ist, weil es schließlich nicht darauf ankommt, wer sie im Einzelnen sind. Wichtig ist nur, was sie bei mir auslösen. Erstickungsgefühle, Rastlosigkeit, Hunger. Warum bekomme ich nie, was ich brauche? Warum können sie es mir nicht geben?

Na schön, manchmal können sie es sehr wohl. Und manchmal brauche ich nichts weiter als Scott. Wenn ich nur lernen kann, dieses Gefühl festzuhalten, das Gefühl, das ich in diesem Moment habe – wenn ich nur herausfinden könnte, wie ich mich auf dieses Glück konzentrieren und den Augenblick genießen kann, ohne mich ständig zu fragen, wo das nächste High herkommen soll –, dann wird alles gut.

Abends

Bei Kamal muss ich mich immer konzentrieren. Wenn er mich mit diesen Löwenaugen ansieht, die Hände im Schoß gefaltet, die langen Beine übereinandergeschlagen, dann fällt es mir schwer, meine Gedanken nicht schweifen zu lassen. Es fällt mir schwer, mir nicht vorzustellen, was wir zusammen anstellen könnten.

Ich muss mich konzentrieren. Wir haben über die Zeit nach Bens Beerdigung gesprochen, nachdem ich Reißaus genommen hatte. Eine Weile war ich in Ipswich – nicht lange, aber dort lernte ich Mac kennen. Er arbeitete in einem Pub oder so. Er las mich auf dem Heimweg auf. Ich tat ihm leid.

»Er wollte nicht mal … Du weißt schon.« Ich muss lachen. »Wir standen in seiner Wohnung, und ich wollte schon abkassieren, da sah er mich an, als wäre ich komplett verrückt. Ich erklärte ihm, ich wäre alt genug, aber das glaubte er mir nicht. Und er wartete – ganz im Ernst – bis zu meinem sechzehnten Geburtstag. Bis dahin war er auch zurück in diese Hütte in der Nähe von Holkham gezogen. Ein altes Steinhaus am Ende eines Wegs, der nirgendshin führt, mit einem kleinen Grundstück drumherum, etwa eine halbe Meile vom Strand entfernt. An der Seite des Grundstücks verläuft eine alte Bahnstrecke. Nachts lag ich oft wach – ich war ständig breit, wir waren andauernd am Rauchen – und meinte, Züge zu hören, oft war ich mir so sicher, dass ich tatsächlich aufstand und nach draußen ging und nach den Lichtern Ausschau hielt.«

Kamal rutscht in seinem Stuhl hin und her und nickt bedächtig. Er sagt kein Wort. Das heißt, dass ich weiterreden soll.

»Im Grunde war ich wirklich glücklich mit Mac. Ich blieb … Gott, ich glaube, es waren alles in allem drei Jahre. Ich war … neunzehn, als ich auszog. Genau. Neunzehn.«

»Warum bist du ausgezogen, wenn du doch glücklich warst?«, fragt er, und schon sind wir wieder mittendrin, und zwar noch schneller, als ich vermutet hätte. Ich hatte nicht einmal Zeit, mir alles zurechtzulegen und langsam darauf zuzusteuern. Ich kann das nicht. Es ist noch zu früh.

»Mac hat mich verlassen. Er hat mir das Herz gebrochen«, sage ich, was die Wahrheit und gleichzeitig gelogen ist. Ich bin noch nicht bereit, die ganze Wahrheit zu erzählen.

Als ich heimkomme, ist Scott nicht zu Hause, also hole ich meinen Laptop heraus und google ihn – zum ersten Mal überhaupt. Zum ersten Mal seit zehn Jahren suche ich wieder nach Mac. Ich werde nicht fündig. Es gibt Hunderte Craig McKenzies auf der Welt, und keiner davon scheint meiner zu sein.

Freitag, 8. Februar 2013

Morgens

Ich gehe im Wald spazieren. Noch vor Tagesanbruch bin ich losgezogen, es beginnt gerade erst zu dämmern, und es ist totenstill bis auf das gelegentliche Gezeter der Elstern über mir in den Bäumen. Ich spüre, wie sie mich mit ihren Knopfaugen berechnend verfolgen. Ein Elsternorakel. Eine bringt Kummer, zwei bringen Jubel, bei dreien kommt ein Mädel, bei vieren ein Buberl. Fünf bringen Silber, sechs bringen Gold, sieben ein Geheimnis, das dein bleiben sollt.

Davon habe ich mehr als genug.

Scott ist unterwegs, bei einer Fortbildung irgendwo in Sussex. Gestern früh ist er losgefahren, und er kommt erst heute Abend zurück. Ich kann tun und lassen, was ich will.

Vor seiner Abreise erklärte ich ihm, dass ich nach meiner Therapiesitzung mit Tara ins Kino gehen wollte. Dass ich das Handy abstellen werde. Mit ihr habe ich auch gesprochen. Ich habe sie vorgewarnt, dass er anrufen, dass er mir nachspionieren könnte. Diesmal wollte sie wissen, was ich eigentlich vorhabe. Ich zwinkerte ihr zu, lächelte geheimnisvoll, und sie lachte. Ich glaube wirklich, sie ist einsam, und ihr Leben könnte ein bisschen erotische Spannung vertragen.

In meiner Sitzung mit Kamal sprachen wir über Scott, über die Sache mit dem Laptop. Es war vor ungefähr einer Woche. Ich hatte nach Mac gesucht – ich hatte mehrere Suchanfragen gestartet, ich wollte einfach herausfinden, wo er inzwischen steckt und was er so treibt. Inzwischen findet man von fast jedem ein Bild im Internet, und ich wollte sein Gesicht sehen. Aber ich konnte ihn nicht finden. An diesem Abend ging ich früher ins Bett als sonst. Scott blieb noch ein bisschen wach und sah fern, und ich hatte vergessen, meinen Browserverlauf zu löschen. Ein dummer Fehler – sonst tue ich das immer als Letztes, bevor ich den Computer zuklappe, ganz gleich, wonach ich gesucht habe. Ich weiß, dass Scott als Technikfreak trotzdem herausfinden kann, was ich so treibe, aber er bräuchte länger dafür, darum lässt er es fast immer bleiben.

Jedenfalls hatte ich es vergessen. Und am nächsten Tag gab es deswegen Streit. Einen der handgreiflichen Sorte. Er wollte wissen, wer Craig ist. Wie lange ich mich schon mit ihm treffe. Wo wir uns begegnet sind. Was Craig hätte, was er nicht hat. Dummerweise erzählte ich ihm, dass Craig ein Freund aus meiner Vergangenheit sei, was alles nur noch schlimmer machte. Als Kamal fragte, ob ich Angst vor Scott habe, wurde ich richtig sauer.

»Er ist mein Ehemann«, fuhr ich ihn an. »Ich habe natürlich keine Angst vor ihm.«

Kamal sah mich erschrocken an. Tatsächlich hab ich mich selbst erschreckt. Ich hätte nicht gedacht, dass ich so aufbrausen, dass ich Scott so vehement in Schutz nehmen konnte. Es überraschte mich selbst.

»Es gibt viele Frauen, die Angst vor ihren Ehemännern haben, Megan.« Ich wollte schon etwas einwenden, aber er hob die Hand. »Das Verhalten, das du gerade beschrieben hast – deine E-Mails zu lesen, den Verlauf deines Internetbrowsers zu kontrollieren ... Du erzählst das so, als wäre das gar nichts Besonderes, als wäre das völlig normal. Aber das ist es nicht, Megan. Es ist nicht normal, so tief in die Privatsphäre eines anderen Menschen einzudringen. Das wird mitunter als Form von emotionalem Missbrauch betrachtet.«

Das klang so melodramatisch, dass ich lachen musste. »Das ist doch kein Missbrauch«, erwiderte ich. »Nicht, wenn es mich nicht stört. Und das tut es nicht. Es stört mich nicht.«

Daraufhin lächelte er mich an, allerdings ziemlich traurig. »Hast du nicht das Gefühl, dass es dich stören sollte?«, fragte er.

Ich zuckte mit den Schultern. »Vielleicht ... Aber es stört mich einfach nicht. Er ist eifersüchtig, er ist besitzergreifend. So ist er eben. Ich liebe ihn trotzdem, und manche Schlachten lohnen sich einfach nicht zu schlagen. Normalerweise bin ich vorsichtig. Normalerweise ist das ja auch kein Thema, weil ich meine Spuren verwische.«

Er schüttelte kaum merklich den Kopf.

»Ich dachte, du dürftest mich nicht verurteilen«, sagte ich.

Nach der Sitzung fragte ich ihn, ob er mit mir was trinken gehen wollte. Er sagte Nein, das gehe nicht, das verstoße gegen die Standesordnung. Also folgte ich ihm nach Hause. Seine Wohnung liegt in derselben Straße wie die Praxis. Ich klopfte an seine Wohnungstür, und als er aufmachte, fragte ich: »Verstößt das auch gegen die Standesordnung?« Ich schob meine Hand in seinen Nacken, stellte mich auf die Zehenspitzen und küsste ihn auf den Mund.

»Megan«, sagte er mit Samtstimme. »Nicht. Das geht nicht. Nicht.«

Es war einfach zu schön – dieses Drängen und Ziehen, diese Begierde und Verweigerung. Ich wollte dieses Gefühl nicht wieder verlieren, ich wünschte mir so sehr, dass ich es würde festhalten können.

Heute wurde ich in aller Frühe aus dem Bett getrieben, weil sich die Geschichten in meinem Kopf unaufhörlich im Kreis drehten. Ich konnte unmöglich noch länger liegen bleiben, wach und allein, und in Gedanken all die Möglichkeiten durchgehen, die ich ergreifen oder ignorieren könnte, und darum stand ich auf, zog mich an und ging einfach drauflos. Bis ich mich hier wiederfand.

Ich spaziere also durch den Wald und lausche den Gedanken in meinem Kopf – ich und er, Verführung, Erlösung. Wenn ich mich nur auf irgendetwas einlassen könnte – wenn ich nur einmal an etwas festhalten könnte, statt mich immerzu im Kreis zu drehen. Was, wenn ich das, wonach ich suche, gar nicht finden kann? Was, wenn es ein Ding der Unmöglichkeit ist?

Die Luft kühlt meine Lunge aus, meine Fingerspitzen verfärben sich bläulich. Ein Teil von mir würde sich am liebsten hinlegen, mitten ins Laub, bis die Kälte mich übermannt. Aber ich kann nicht. Es ist Zeit zu gehen.

Bis ich wieder in der Blenheim Road bin, ist es fast neun Uhr, und natürlich: Sobald ich um die Ecke biege, sehe ich sie mit ihrem Kinderwagen auf mich zukommen. Das Kind ist ausnahmsweise still. Sie sieht mich an, nickt und schenkt mir eines dieser halben Lächeln, das ich nicht erwidere. Normalerweise würde ich so tun, als wäre ich nett, aber heute Morgen bin ich ganz und gar ich selbst. Ich fühle mich high, fast als hätte ich etwas eingeworfen, und kann beim besten Willen kein nettes Gesicht aufsetzen.

Nachmittags

Nachmittags bin ich eingeschlafen. Und panisch aus dem Schlaf hochgeschreckt. Mit schlechtem Gewissen. Ich fühle mich wirklich schuldig. Nur nicht schuldig genug.

Ich musste wieder daran denken, wie er mitten in der Nacht aufgebrochen war, nachdem er mir einmal mehr erklärt hatte, dass wir so nicht würden weitermachen können. Dass es das letzte Mal gewesen wäre, das allerletzte Mal. Er stieg in seine Jeans. Ich lag auf dem Bett und lachte, weil er das schon beim letzten und beim vorletzten Mal und beim vorvorletzten Mal gesagt hatte. Er warf mir einen kurzen Blick zu. Ich weiß nicht, wie ich diesen Blick beschreiben soll. Er war nicht direkt wütend, auch nicht verächtlich – eher eine Warnung.

Mir ist mulmig. Ich gehe im Haus herum; ich finde keine Ruhe, es ist, als wäre jemand hier gewesen, während ich geschlafen habe. Alles steht an seinem Platz, trotzdem fühlt sich das Haus anders an, als hätte jemand alles angefasst und ein winziges Stück verschoben, und während ich herumgehe, kommt es mir so vor, als wäre dieser Jemand immer noch im Haus, immer knapp außerhalb meines Blickfelds. Dreimal kontrolliere ich die Terrassentüren, aber die sind verriegelt. Hoffentlich kommt Scott bald heim. Ich brauche ihn.

RACHEL

Dienstag, 16. Juli 2013

Morgens

Ich sitze im Acht-Uhr-Vierer, doch diesmal nicht auf dem Weg nach London, sondern nach Witney. Ich hoffe, dass ich dadurch eine Erinnerung freisetzen kann, dass ich alles wieder vor mir sehe, sobald ich am Bahnhof stehe, dass mir dort alles klar wird. Meine Hoffnung ist zwar nicht allzu groß, aber mehr kann ich nun mal nicht tun. Tom kann ich nicht anrufen, dazu schäme ich mich zu sehr, und außerdem hat er seinen Standpunkt deutlich gemacht. Er will nichts mehr mit mir zu tun haben.

Megan wird immer noch vermisst; inzwischen ist sie seit mehr als sechzig Stunden verschwunden, und landesweit wird über sie berichtet. Heute Morgen stand es auf der Webseite der *BBC* und der *MailOnline*, und auch auf anderen Webseiten gab es ein paar kurze Artikel.

Die Artikel der *BBC* und der *Mail* habe ich ausgedruckt; ich hab sie bei mir. Folgendes habe ich ihnen entnehmen können:

Megan und Scott sind am Samstagabend in Streit geraten. Eine Nachbarin hat ausgesagt, sie habe einen lauten Wortwechsel gehört. Scott hat zugegeben, dass sie sich gestritten haben, und behauptet, seine Frau habe die Nacht bei einer Freundin namens Tara Epstein in Corly verbringen wollen.

Doch bei Tara ist Megan nie angekommen. Tara erklärte, sie habe Megan zuletzt am Freitagnachmittag im Pilateskurs gesehen. (Wusst ich's doch, dass Megan Pilates macht.) Laut Ms. Epstein verhielt sie sich dort »ganz normal, genau wie sonst auch. Sie war gut gelaunt, und sie hat mir erzählt, dass sie zu ihrem Dreißigsten im August was ganz Besonderes machen will.«

Gegen 19:15 Uhr am Samstagabend hat eine Zeugin Megan auf dem Weg zum Bahnhof Witney gesehen.

Megan hat keine Verwandten in der Gegend. Ihre Eltern sind verstorben.

Und sie ist arbeitslos. Früher führte sie eine kleine Kunstgalerie in Witney, aber die musste im April vergangenen Jahres schließen. (Wusst ich's doch, dass Megan sich für Kunst interessiert.)

Scott ist selbstständiger IT-Berater. (Ich kann verflucht noch mal nicht glauben, dass Scott IT-Berater sein soll.)

Megan und Scott sind seit drei Jahren verheiratet; seit Januar 2012 wohnen sie in dem Haus in der Blenheim Road.

Laut *Daily Mail* ist das Haus 400 000 Pfund wert.

In diesem Moment wird mir klar, dass es nicht gut aussieht für Scott. Und nicht nur, weil sie sich gestritten haben, sondern weil das nun mal so ist: Wenn einer Frau irgendwas zustößt, konzentriert sich die Polizei immer erst mal auf den Ehemann oder den Freund. Allerdings fehlen der Polizei in diesem Fall ein paar wesentliche Informationen. Die Ermittlungen werden sich ausschließlich auf den Ehemann konzentrieren, weil von ihrem Freund vermutlich niemand etwas weiß.

Möglicherweise bin ich die Einzige, die weiß, dass es ihn gibt.

Ich wühle in meiner Tasche nach einem Zettel. Auf der Rückseite eines Kassenzettels für zwei Flaschen Wein erstelle ich eine Liste der wahrscheinlichsten Erklärungen für das Verschwinden von Megan Hipwell:

1. Sie ist mit ihrem Lover durchgebrannt, den ich von jetzt an als L. bezeichnen werde.
2. L. hat ihr etwas angetan.
3. Scott hat ihr etwas angetan.
4. Sie hat ihren Mann verlassen und lebt jetzt woanders.
5. Jemand anderes als L. oder Scott hat ihr etwas angetan.

Die erste Möglichkeit halte ich für am wahrscheinlichsten, dicht gefolgt von Nummer vier, denn ich bin davon überzeugt, dass Megan eine willensstarke, unabhängige Frau ist. Und falls sie eine Affäre hat, könnte es doch gut sein, dass sie eine Weile untertauchen will, um die Sache für sich zu klären, oder nicht? Nummer fünf erscheint mir nicht besonders wahrscheinlich. Dass ein völlig Fremder einen Mord begeht, kommt nicht oft vor.

Meine Beule pocht, und ich muss wieder an den Streit denken, den ich am Samstagabend mitbekommen oder mir eingebildet oder geträumt habe. Als wir an Megans und Scotts Haus vorbeifahren, blicke ich auf. Ich höre das Blut in meinem Kopf rauschen. Ich bin aufgeregt. Ich habe Angst. Die Fenster von Nummer fünfzehn werfen die Morgensonne zurück und sehen aus wie blinde Augen.

Abends

Gerade als ich mich hingesetzt habe, klingelt das Handy. Es ist Cathy. Ich lasse die Mailbox rangehen. Sie hinterlässt mir eine Nachricht. »Hi, Rachel, ich wollte nur mal hören, ob bei dir alles in Ordnung ist.« Seit der Geschichte mit dem Taxi macht sie sich Sorgen um mich. »Ich wollte dir nur sagen, dass es mir leidtut, du weißt schon, das von neulich, als ich gesagt habe, dass du ausziehen musst. Das war falsch, ich hab ein bisschen überreagiert. Du kannst natürlich so lange bei mir wohnen bleiben, wie du willst.« Es bleibt eine Weile still, dann sagt sie: »Ruf kurz zurück, okay? Und komm gleich nach Hause, Rach, geh nicht erst in den Pub.«

Das habe ich auch gar nicht vor. Mittags hätte ich wirklich gern etwas getrunken; nach allem, was heute in Witney passiert ist, hatte ich wirklich einen Drink nötig. Aber ich habe ihn mir verkniffen, weil ich einen klaren Kopf bewahren muss. Ich hatte schon viel zu lange keinen guten Grund mehr, einen klaren Kopf zu bewahren.

Die Fahrt nach Witney heute Morgen war wirklich befremdlich. Ich hatte das Gefühl, seit Ewigkeiten nicht mehr dort gewesen zu sein, dabei sind in Wahrheit nur ein paar Tage vergangen. Trotzdem hätte es für mich ein völlig fremder Ort sein können, ein anderer Bahnhof in einer anderen Stadt. Ich war nicht mehr dieselbe Frau, die am Samstagabend dorthin gefahren war. Ich war verkrampft und stocknüchtern, ich reagierte überempfindlich auf jedes Geräusch und auf die Helligkeit und hatte panische Angst, gesehen zu werden.

Ich darf mich dort nicht aufhalten – das war das beherrschende Gefühl heute Morgen –, denn inzwischen ist es ihr Territorium: das von Tom und Anna und Scott und Megan. Ich bin dort die Außenseiterin, ich gehöre nicht mehr dorthin, und gleichzeitig ist mir alles so unendlich vertraut. Am Bahnhof die Betonstufen hinunter, dann am Zeitungskiosk vorbei auf die Roseberry Avenue, einen halben Block bis zu der Kreuzung, wo rechts ein Backsteinbogen in die feuchte Fußgängerunterführung unter den Gleisen führt und links die Blenheim Road beginnt, eine schmale Allee, flankiert von schlichten viktorianischen Reihenhäusern. Als würde ich heimkehren: nicht in irgendein Zuhause, sondern in das Heim meiner Kindheit, an einen Ort, den ich in einem früheren Leben verlassen habe; der mir so vertraut ist, als würde ich eine Treppe hinaufgehen und genau wissen, welche Stufe knarzt.

Und das Gefühl sitzt nicht allein in meinem Kopf – ich spüre die Vertrautheit in meinen Knochen; die Erinnerung sitzt in jedem Muskel. Als ich heute Morgen an dem verrußten Tunnelmaul, dem Eingang zur Unterführung, vorüberging, beschleunigte sich mein Schritt wie von selbst. Es war keine bewusste Reaktion; an dieser Stelle bin ich immer schon ein bisschen schneller gegangen. Jeden Abend, vor allem im Winter, habe ich hier früher auf dem Heimweg das Tempo angezogen und nur für alle Fälle einen kurzen Blick nach rechts geworfen. Nie stand dort jemand – weder an all den Abenden noch heute –, und trotzdem blieb ich heute früh wie angewurzelt stehen und starrte in die Dunkelheit, weil ich mich plötzlich selbst zu sehen glaubte. Ich sah, wie ich ein paar Meter hinter dem Tunneleingang zusammengesackt an der Wand kauerte, den Kopf in beide Hände gestützt, Gesicht und Hände blutverschmiert.

Mit klopfendem Herzen blieb ich stehen, so stocksteif,

dass die morgendlichen Pendler auf dem Weg zum Bahnhof einen Schlenker um mich herummachen mussten und ein oder zwei von ihnen sich im Vorbeigehen nach mir umdrehten. Ich konnte nicht sagen, ob es tatsächlich passiert war – ich kann es immer noch nicht. Warum hätte ich die Unterführung betreten sollen? Welchen Grund hätte ich gehabt, dort hineinzugehen, wo es dunkel und feucht ist und nach Pisse stinkt?

Ich kehrte um und ging zum Bahnhof zurück. Ich wollte weg aus Witney; ich wollte auf einmal nicht mal mehr zu Scotts und Megans Haus gehen. Ich wollte nur noch fort. Irgendwas Schlimmes war dort passiert, das war mir klar.

Ich kaufte mir eine Fahrkarte und lief die Bahnhofstreppe hinauf zur anderen Seite des Bahnsteigs, und dabei blitzte das nächste Bild in meinem Kopf auf: diesmal nicht aus der Unterführung, sondern von dieser Treppe. Wie ich auf den Stufen stolpere und ein Mann mich am Arm festhält, um mir wieder aufzuhelfen. Der Mann aus dem Zug, der mit dem rötlichen Haar. Ich konnte ihn schemenhaft vor mir sehen, aber der Ton fehlte. Ich erinnerte mich vage daran, gelacht zu haben – über mich selbst oder über irgendwas, was er gesagt hatte. Ich bin mir ziemlich sicher, dass er nett zu mir war. Fast völlig sicher. Hier ist zwar etwas Grausames passiert, aber ich glaube nicht, dass es etwas mit ihm zu tun hat.

Ich stieg wieder in den Zug und fuhr weiter nach London. Dort ging ich in die Bücherei, setzte mich an einen Computer und googelte sämtliche Artikel über Megan, die ich finden konnte. Auf der Webseite des *Telegraph* stieß ich auf einen kurzen Artikel, demzufolge »ein gut 30-jähriger Mann der Polizei bei den Ermittlungen« helfe. Das muss Scott sein. Ich kann mir nicht vorstellen, dass er ihr was antun würde. Ich *weiß,* dass er ihr nichts antun würde. Ich habe sie zusammen beobachtet; ich weiß, wie sie miteinander umgehen. In dem Artikel war auch eine Telefonnummer angegeben, unter der man anrufen kann, wenn man im Besitz wichtiger Hinweise zu sein glaubt. Ich werde dort auf dem Heimweg von einem öffentlichen Telefon aus anrufen. Ich werde ihnen von L. erzählen und von meinen Beobachtungen.

Gerade als wir in Ashbury ankommen, klingelt mein Handy. Es ist wieder Cathy. Armes Ding, sie macht sich offenbar wirklich Sorgen um mich.

»Rach? Sitzt du im Zug? Bist du schon auf dem Heimweg?« Sie klingt nervös.

»Ja, ich bin unterwegs«, erkläre ich ihr. »In einer Viertelstunde bin ich da.«

»Hier sind zwei Polizisten, Rachel«, sagt sie, und schlagartig wird mir eiskalt. »Sie wollen mit dir reden.«

Mittwoch, 17. Juli 2013

Morgens

Megan wird immer noch vermisst, und ich habe – wiederholt – die Polizei belogen.

Bis ich gestern Abend heimkam, hatte ich mich fast in Panik gesteigert. Ich versuchte, mir einzureden, dass die Polizei mich wegen meines Unfalls mit dem Taxi befragen wollte, aber das war natürlich Quatsch. Ich hatte schon am Unfallort mit einem Polizisten gesprochen – ich war ganz eindeutig schuld gewesen. Es musste also mit Samstagabend zu tun haben. Offenbar habe ich etwas angestellt.

Offenbar habe ich etwas Schreckliches angestellt und jetzt einen Blackout.

Das klingt unwahrscheinlich, ich weiß. Was hätte ich schon anstellen können? Die Blenheim Road aufsuchen, Megan Hipwell überwältigen, ihre Leiche beseitigen und anschließend alles vergessen? Das klingt lächerlich. Es *ist* lächerlich. Trotzdem weiß ich, dass am Samstag irgendetwas vorgefallen ist. Ich wusste es, sowie ich in den dunklen Tunnel unter den Gleisen blickte und sich das Blut in meinen Adern regelrecht in Eiswasser verwandelte.

Blackouts sind real, und sie sind etwas anderes, als nur noch verschwommen im Gedächtnis zu haben, wie man von irgendeinem Club wieder nach Hause gekommen ist, oder sich nicht mehr erinnern zu können, worüber man im Pub so schrecklich lachen musste. Sie sind anders. Einfach nur schwarz; verlorene Stunden, die nie mehr zurückgeholt werden können.

Tom hat mir mal ein Buch darüber gekauft. Nicht besonders romantisch – aber er hatte sich zu oft Entschuldigungen von mir anhören müssen, ohne dass ich überhaupt gewusst hätte, wofür ich mich entschuldigen sollte. Ich glaube, er wollte mir damit vor Augen halten, was ich anrichtete, wozu ich möglicherweise fähig war. Das Buch hatte ein Arzt verfasst; trotzdem weiß ich bis heute nicht, ob es stimmt: Der Autor behauptete, dass man bei einem Blackout nicht einfach nur vergesse, was man erlebt hat, sondern dass man dabei von vornherein gar keine Erinnerungen produziere, die man vergessen könnte. Seiner Theorie zufolge gerät man dabei in einen Zustand, in dem nicht die geringste Erinnerung im Kurzzeitgedächtnis abgespeichert wird. Und während man in dieser tiefen Schwärze verharrt, benimmt man sich ganz anders als sonst, man reagiert schlicht auf das, was man gerade zu erleben glaubt, weil man – da man ja keine neuen Erinnerungen abspeichert – womöglich gar nicht weiß, was wirklich passiert. Zur Warnung für den Filmrisstrinker packte er auch ein paar Anekdoten in sein Buch: So hatte es beispielsweise in New Jersey einen Typen gegeben, der sich anlässlich einer Party zum Nationalfeiertag hatte zulaufen lassen. Danach stieg er in seinen Wagen, fuhr mehrere Meilen in die verkehrte Richtung über den Freeway und krachte schließlich in einen Van mit sieben Insassen. Der Van ging in Flammen auf, sechs Menschen starben. Dem Trinker passierte nichts. Wie fast immer. Er konnte sich nicht einmal mehr daran erinnern, in sein Auto gestiegen zu sein.

Ein anderer Mann, diesmal aus New York, war von einer Bar aus geradewegs zu dem Haus gefahren, in dem er aufgewachsen war, hatte dort die neuen Bewohner erstochen und sich dann nackt ausgezogen, bevor er wieder in sein Auto stieg und heimfuhr, um sich ins Bett zu legen. Als er am nächsten Morgen aufwachte, fühlte er sich zwar schrecklich und hatte keine Ahnung, wo sich seine Klamotten befanden und wie er heimgekommen war, aber erst als die Polizei kam, um ihn abzuholen, erkannte er, dass er anscheinend völlig grundlos zwei Menschen niedergemetzelt hatte.

Also ist so was keineswegs ausgeschlossen, auch wenn es albern klingt, und bis ich gestern Abend heimkam, hatte ich mich schon halb selbst davon überzeugt, dass ich irgendetwas mit Megans Verschwinden zu tun hatte.

Die Polizisten, ein gut vierzigjähriger Beamter in Zivil und ein jüngerer in Uniform mit Akne am Hals, saßen auf dem Sofa im Wohnzimmer. Cathy stand am Fenster und rang die Hände. Sie sah komplett verängstigt aus. Die Polizisten erhoben sich. Der in Zivil, ein leicht gebückt stehender Riese, streckte mir die Hand entgegen und stellte sich als Detective Inspector Gaskill vor. Den Namen seines Begleiters nannte er ebenfalls, aber den habe ich schon wieder vergessen. Ich konnte mich nicht konzentrieren. Ich konnte kaum atmen.

»Worum geht es denn?«, blaffte ich sie an. »Ist was passiert? Ist was mit meiner Mutter? Oder mit Tom?«

»Es geht allen gut, Ms. Watson, wir wollen uns nur kurz mit Ihnen darüber unterhalten, was Sie am Samstagabend getan haben«, sagte Gaskill. Es klang irgendwie irreal; so was sagen sie normalerweise nur im Fernsehen. Sie wollen wissen, was ich am Samstagabend getan habe. Aber was in aller Welt hab ich am Samstagabend getan?

»Ich muss mich hinsetzen«, sagte ich, und der Detective deutete auf seinen Platz auf dem Sofa, direkt neben Aknehals. Cathy trat von einem Fuß auf den anderen und nagte an ihrer Unterlippe. Sie sah aus, als würde sie gleich durchdrehen.

»Ist alles in Ordnung, Ms. Watson?«, fragte Gaskill und deutete auf die Platzwunde über meinem Auge.

»Ich wurde von einem Taxi angefahren«, antwortete ich. »Gestern Nachmittag in London. Ich war im Krankenhaus. Das können Sie nachprüfen.«

»Okay«, sagte er mit einem leichten Kopfschütteln. »Also – Samstagabend …«

»Da war ich in Witney«, antwortete ich und versuchte dabei, so gut es ging, das Beben in meiner Stimme zu unterdrücken.

»Weswegen?«

Aknehals hatte ein Notizbuch hervorgeholt und einen Stift gezückt.

»Ich wollte meinen Mann sehen«, sagte ich.

»Oh, Rachel…«, kam es von Cathy.

Doch der Detective ging gar nicht darauf ein. »Ihren Mann?«, fragte er. »Sie meinen Ihren Exmann? Tom Watson?« Ja, ich trage immer noch seinen Namen. So war es einfach praktischer. Auf diese Weise brauchte ich meine Kreditkarten und meine E-Mail-Adresse nicht zu ändern, keinen neuen Pass zu beantragen und so weiter.

»Genau. Ich wollte ihn sehen, aber dann beschloss ich, dass es wohl keine allzu gute Idee wäre, und darum fuhr ich wieder heim.«

»Um wie viel Uhr war das?« Gaskills Stimme war völlig neutral, sein Gesicht absolut ausdruckslos. Er bewegte beim Sprechen kaum die Lippen. Ich hörte, wie Aknehals mit dem Stift übers Papier kratzte, und ich hörte das Blut in meinen Ohren pulsieren.

»Da war es…ähm…Ich glaube, da war es gegen halb sieben. Ich glaube, ich habe gegen sechs den Zug genommen, meine ich…«

»Und wieder zu Hause waren Sie…«

»Vielleicht gegen halb acht?« Ich sah auf, fing Cathys Blick auf und sah ihr an, dass sie meine Lüge durchschaute. »Vielleicht auch ein bisschen später. Vielleicht so gegen acht. Ja, Moment, jetzt fällt es mir wieder ein – ich glaube, ich war um kurz nach acht wieder hier.« Ich spürte, wie mir die Röte in die Wangen stieg; falls dieser Mann nicht merkte, dass ich ihn anlog, dann hatte er eindeutig den Beruf verfehlt.

Der Detective drehte sich um, griff nach einem der Stühle unter dem Ecktisch, zog ihn mit einer schnellen, fast brutalen Bewegung an sich heran und stellte ihn nur einen Schritt entfernt mir gegenüber auf. Dann setzte er sich hin, die Hände auf den Knien, den Kopf leicht zur Seite geneigt. »Na schön«, sagte er. »Sie sind also gegen sechs Uhr hier losgegangen und müssten demnach gegen halb sieben in Witney gewesen sein. Und gegen acht waren Sie wieder hier, was bedeuten würde, dass Sie Witney gegen halb acht verlassen haben. Trifft das ungefähr zu?«

»Ja, hört sich richtig an«, sagte ich, wieder mit einem verräterischen Beben in der Stimme. In ein, zwei Sekunden würde er mich fragen, was ich eine Stunde lang dort getrieben habe, und ich würde es ihm nicht sagen können.

»Aber Sie haben Ihren Exmann dann doch nicht gesehen. Was haben Sie also während dieser vollen Stunde in Witney gemacht?«

»Ich bin ein bisschen spazieren gegangen.«

Er wartete ab, ob ich das weiter ausführen würde. Ich spielte kurz mit dem Gedanken, ihm zu erzählen, dass ich in einen Pub gegangen wäre, aber das wäre töricht gewesen – das würde sich leicht überprüfen lassen. Er würde mich fragen, in welchem Pub ich denn gewesen sei, und dann, ob ich dort mit irgendjemandem gesprochen habe. Während ich noch überlegte, was ich ihm erzählen sollte, wurde mir klar, dass ich noch gar nicht auf den Gedanken gekommen war, ihn zu fragen, *warum* er überhaupt wissen wollte, wo ich am Samstagabend gewesen war, und dass das an sich schon merkwürdig aussehen musste. Es sah unter Garantie so aus, als würde ich mich irgendwie schuldig fühlen.

»Haben Sie mit irgendjemandem gesprochen?«, fragte er, als hätte er meine Gedanken gelesen. »Vielleicht in einem Laden oder in irgendeiner Bar?«

»Am Bahnhof habe ich mit einem Mann gesprochen«, platzte es laut, beinahe triumphierend aus mir heraus, als würde das irgendetwas beweisen. »Warum wollen Sie das alles wissen? Was ist denn überhaupt passiert?«

Detective Inspector Gaskill lehnte sich auf seinem Stuhl zurück. »Wie Sie vielleicht gehört haben, wird eine Frau aus Witney vermisst – eine Frau, die nur ein paar Häuser von Ihrem Exmann entfernt in der Blenheim Road wohnt. Wir gehen derzeit von Tür zu Tür und fragen überall nach, ob jemand die Vermisste in der Nacht gesehen hat oder ob jemandem irgendwas Ungewöhnliches aufgefallen ist. Bei diesen Nachforschungen fiel Ihr Name.« Er verstummte kurz, um der Bemerkung Nachdruck zu verleihen. »Sie wurden an jenem Abend in der Blenheim Road gesehen, ungefähr zur selben Zeit, als die vermisste Mrs. Hipwell das Haus verließ. Mrs. Anna Watson hat uns gegenüber erwähnt, sie habe Sie nicht weit von ihrem eigenen Haus entfernt auf der Straße gesehen, ganz in der Nähe von Mrs. Hipwells Haus. Sie haben sich eigenartig benommen, meinte sie – und darum habe sie sich Sorgen gemacht. So große Sorgen, dass sie um ein Haar die Polizei gerufen hätte.«

Mein Herz flatterte wie ein eingesperrtes Vögelchen. Ich brachte kein Wort heraus. In diesem Augenblick sah ich nur noch mich selbst, wie ich zusammengesackt und mit Blut an den Händen in der Fußgängerunterführung kauerte. *Blut an meinen Händen.* Das war mein Blut, oder? Ganz bestimmt war es mein Blut gewesen. Ich sah auf, Gaskill starrte mich an, und ich begriff, dass ich sofort irgendetwas sagen musste, wenn ich nicht wollte, dass er weiter in meinen Gedanken las. »Ich habe nichts getan«, sagte ich. »Wirklich nicht. Ich wollte nur … Ich wollte nur meinen Mann …«

»Ihren Exmann«, korrigierte Gaskill mich erneut. Er zog ein Foto aus seiner Jackentasche und hielt es mir hin. Ein Bild von Megan. »Sind Sie am Samstagabend dieser Frau begegnet?«, fragte er. Ich starrte stumm darauf hinab. Es war ein surreales Erlebnis, sie auf diese Weise präsentiert zu bekommen – diese perfekte Blondine, die ich beobachtet, deren Leben ich in meinem Kopf zusammengesetzt und wieder auseinandergenommen hatte. Das Foto sah aus wie eine professionelle Porträtaufnahme. Ihre Züge wirkten ein bisschen schwerer, als ich sie mir ausgemalt hatte, nicht ganz so fein wie die der Jess in meinem Kopf. »Ms. Watson? Sind Sie ihr begegnet?«

Ich wusste nicht, ob wir uns begegnet waren. Ich wusste es wirklich nicht. Ich weiß es immer noch nicht.

»Ich glaube nicht«, sagte ich.

»Sie glauben nicht? Sie könnten ihr also begegnet sein?«

»Ich ... Ich bin mir nicht sicher.«

»Hatten Sie am Samstagabend etwas getrunken?«, fragte er. »Hatten Sie getrunken, bevor Sie nach Witney fuhren?«

Wieder schoss mir die Hitze ins Gesicht. »Ja«, gab ich zu.

»Mrs. Watson – Anna Watson – erwähnte, dass Sie betrunken gewirkt haben, als sie Sie sah. Waren Sie betrunken?«

»Nein«, sagte ich und sah dabei unbeirrt den Detective an, hauptsächlich um Cathys Blick auszuweichen. »Ich hatte am Nachmittag ein bisschen was getrunken, ja, aber ich war nicht betrunken.«

Gaskill seufzte. Er schien von mir enttäuscht zu sein. Erst sah er Aknehals, dann wieder mich an. Langsam und bedächtig stand er auf und schob den Stuhl unter den Tisch zurück. »Bitte rufen Sie mich an, falls Ihnen noch was einfällt, was diesen Samstagabend betrifft und uns womöglich weiterhelfen könnte«, sagte er und überreichte mir eine Visitenkarte.

Während Gaskill Cathy düster zunickte und sich zum Aufbruch bereit machte, sackte ich auf dem Sofa regelrecht zusammen. Ich spürte, wie sich mein Herzschlag allmählich wieder normalisierte, doch schon im nächsten Moment jagte er wieder hoch, als ich ihn fragen hörte: »Sie arbeiten in der Werbung, nicht wahr? Bei Huntingdon Whitely?«

»Genau«, sagte ich. »Huntingdon Whitely.«

Er wird das überprüfen und feststellen, dass ich gelogen habe. Das darf er nicht selbst herausfinden – ich muss es ihm sagen!

Darum werde ich mich heute noch auf den Weg zum Polizeirevier begeben, um reinen Tisch zu machen. Ich werde ihm alles erzählen: dass ich meinen Job schon vor Monaten verloren habe, dass ich am Samstagabend sturzbetrunken war und keine Ahnung habe, wann ich wieder nach Hause kam. Ich werde ihm sagen, was ich schon gestern Abend hätte sagen müssen: dass er in die falsche Richtung ermittelt. Ich glaube, Megan Hipwell hatte eine Affäre, werde ich ihm erklären.

Abends

Die Polizei hält mich für sensationsgeil. Für eine Stalkerin, eine Irre, für psychisch instabil. Es war ein Riesenfehler, zur Polizei zu gehen. Damit habe ich die Situation für mich nur verschlimmert, und Scott habe ich auch nicht geholfen, obwohl ich in erster Linie seinetwegen hingegangen bin. Er braucht meine Hilfe, weil die Polizei mit

Sicherheit davon ausgeht, dass er ihr etwas angetan hat, während ich ihn besser kenne und weiß, dass das nicht stimmt. Ich kann es spüren, so verrückt es klingen mag. Ich habe gesehen, wie er sich ihr gegenüber verhält. Er könnte ihr nichts antun.

Na schön, ich bin nicht nur zur Polizei gegangen, um Scott zu helfen. Da war noch diese Sache mit der Lüge, die ich geraderücken musste. Die Lüge, dass ich immer noch für Huntingdon Whitely arbeiten würde.

Ich brauchte eine Ewigkeit, um meinen Mut zusammenzunehmen und das Gebäude zu betreten. Ein Dutzend Mal war ich kurz davor, wieder umzudrehen und heimzufahren, aber am Ende ging ich doch hinein, fragte den Sergeant am Empfang, ob ich mit Detective Inspector Gaskill sprechen könne, und wurde von ihm in einen stickigen Warteraum gebracht, wo ich über eine Stunde sitzen musste, bis mich irgendjemand holen kam. Bis dahin schwitzte und schlotterte ich, als wäre ich auf dem Weg zu meiner eigenen Hinrichtung. Man führte mich in einen zweiten, noch kleineren und stickigeren, komplett fensterlosen und sauerstofffreien Raum. Dort ließ man mich weitere zehn Minuten allein, bis irgendwann Gaskill auftauchte, und zwar zusammen mit einer Frau, die ebenfalls in Zivil war. Er begrüßte mich höflich; er schien kein bisschen überrascht zu sein, mich wiederzusehen. Seine Begleiterin stellte er mir als Detective Sergeant Riley vor. Sie ist jünger als ich, groß, schlank, dunkelhaarig, hübsch auf eine kantige, fast fuchshafte Weise. Keiner von beiden erwiderte mein Lächeln.

Wir setzten uns, aber niemand sagte etwas; beide sahen mich bloß erwartungsvoll an.

»Ich habe mich wieder an den Mann erinnert«, sagte

ich. »Ich hatte Ihnen doch erzählt, dass da ein Mann am Bahnhof war. Ich kann ihn beschreiben.« Riley zog ganz leicht die Augenbrauen hoch und rutschte auf ihrem Stuhl hin und her. »Er war mittelgroß, mittelschwer und hatte rötliche Haare. Er hielt mich am Arm fest, als ich auf der Treppe ausrutschte.«

Gaskill beugte sich vor, stemmte die Ellbogen auf die Tischplatte und faltete die Hände vor dem Gesicht.

»Er trug … Ich glaube, er trug ein blaues Hemd.«

Das stimmt so nicht. Ich erinnere mich durchaus an einen Mann und bin mir auch ziemlich sicher, dass er rötliche Haare hatte. Ich glaube, dass er mich noch im Zug angelächelt oder mir zumindest zugeschmunzelt hat. Ich glaube, er ist in Witney ausgestiegen, und er könnte mit mir gesprochen haben. Möglicherweise bin ich auf der Bahnhofstreppe ausgerutscht. Ich erinnere mich noch, ausgerutscht zu sein, aber ich weiß nicht mehr, ob die Erinnerung vom Samstagabend oder von einem anderen Tag stammt. Ich bin schon häufig und auf vielen Treppen ausgerutscht. Und ich weiß beim besten Willen nicht mehr, was er getragen hat.

Die Detectives waren wenig beeindruckt von meinen Ausführungen. Riley schüttelte kaum merklich den Kopf. Gaskill nahm seine Hände wieder runter und legte sie ausgebreitet und mit den Handflächen nach oben auf den Tisch. »Na schön. Sind Sie wirklich nur deswegen hergekommen, Ms. Watson?«, fragte er ganz ohne jeden Ärger, sondern fast aufmunternd. Schade, dass Riley nicht verschwinden wollte. Mit Gaskill konnte ich reden; ihm konnte ich mich anvertrauen.

»Ich arbeite nicht mehr für Huntingdon Whitely«, sagte ich schließlich.

»Aha.« Er lehnte sich in seinem Stuhl zurück und wirkte prompt interessierter.

»Ich bin seit drei Monaten nicht mehr dort. Meine Mitbewohnerin ... Also, ehrlich gesagt ist sie meine Vermieterin ... Ich habe es ihr immer noch nicht gesagt. Ich bin zurzeit auf Jobsuche. Sie soll es nicht erfahren, weil sie sich sonst womöglich Sorgen wegen der Miete macht. Ich habe Geld. Ich kann die Miete bezahlen, aber ... Jedenfalls habe ich gestern nicht die Wahrheit gesagt, was meinen Job angeht, und dafür will ich mich entschuldigen.«

Riley beugte sich vor und lächelte unaufrichtig. »Ich verstehe. Sie arbeiten nicht mehr für Huntingdon Whitely. Sie arbeiten also für niemanden mehr, sehe ich das richtig? Sie sind arbeitslos?« Ich nickte. »Okay. Aber ... Sie haben sich nicht arbeitssuchend gemeldet oder so?«

»Nein.«

»Und ... Ihrer Mitbewohnerin ist nicht aufgefallen, dass Sie nicht mehr zur Arbeit gehen?«

»Aber das tue ich! Ich meine – ich gehe nicht mehr ins Büro, aber ich fahre immer noch nach London, genau wie früher, zur gleichen Zeit und ... damit sie ... damit sie nichts merkt.«

Riley warf Gaskill einen kurzen Blick zu; er starrte mich weiter leicht stirnrunzelnd an.

»Ich weiß, das klingt merkwürdig«, fuhr ich fort, beließ es dann aber dabei, denn wenn man es laut ausspricht, klingt es nicht nur merkwürdig, sondern einfach nur gestört.

»Schön. Sie tun so, als würden Sie weiterhin jeden Tag zur Arbeit fahren«, sagte Riley und runzelte jetzt ebenfalls die Stirn, als würde sie sich Sorgen um mich machen. Als würde sie mich für völlig geistesgestört halten. Ich antwortete nicht, ich nickte auch nicht, ich blieb einfach stumm. »Darf ich fragen, warum Sie gekündigt haben, Ms. Watson?«

Lügen war zwecklos. Falls sie nicht schon vor dieser Unterhaltung mein Arbeitsverhältnis überprüft hätten, würden sie das spätestens hiernach tun. »Ich wurde gefeuert«, sagte ich.

»Sie wurden entlassen«, kam es von einer hörbar zufriedenen Riley. Ganz offensichtlich hatte sie genau diese Antwort erwartet. »Und warum?«

Ich seufzte leise und wandte mich hilfesuchend an Gaskill: »Ist das wirklich so wichtig? Spielt es eine Rolle, warum ich nicht mehr dort arbeite?«

Gaskill sagte nichts, studierte nur weiter ein paar Notizen, die Riley ihm zugeschoben hatte, und schüttelte dann kaum merklich den Kopf. Riley veränderte die Taktik.

»Ms. Watson, ich möchte Ihnen noch ein paar Fragen zum Samstagabend stellen.«

Ich warf Gaskill einen Blick zu – *das haben wir doch schon alles besprochen* –, aber er sah nicht zu mir rüber. »Na schön.« Ich hob die Hand und betastete meine Kopfverletzung. Ich konnte nicht anders.

»Erzählen Sie mir, was Sie am Samstagabend in der Blenheim Road zu suchen hatten. Worüber wollten Sie mit Ihrem Exmann reden?«

»Ich glaube nicht, dass Sie das irgendetwas angeht«, sagte ich und dann schnell, bevor sie etwas einwenden konnte: »Könnte ich vielleicht ein Glas Wasser haben?«

Daraufhin stand Gaskill auf und ging hinaus, was ganz und gar nicht in meinem Sinne war. Riley sagte kein Wort. Sie sah mich einfach nur an, die Spur eines Lächelns um die Lippen. Weil ich ihren Blick nicht ertrug, starrte ich stattdessen auf die Tischplatte hinab oder ließ den Blick durch den Raum schweifen. Mir war klar, dass das ihre Taktik war: Sie würde schweigen, bis mir die Stille so unangenehm würde, dass ich etwas sagen musste, obwohl ich eigentlich nichts sagen wollte. »Ich hatte ein paar Dinge mit ihm zu besprechen«, gab ich schließlich zu. »Privatangelegenheiten.« Es klang aufgeblasen und albern.

Riley seufzte. Fest entschlossen, keinen Ton mehr zu sagen, bis Gaskill zurück war, biss ich mir auf die Lippe. Sobald er wieder da war und ein Glas mit milchigem Wasser vor mir abgestellt hatte, begann Riley erneut zu sprechen.

»Privatangelegenheiten?«, hakte sie nach.

»Genau.«

Ich war mir nicht sicher, ob der Blick, den Riley und Gaskill wechselten, irritiert oder amüsiert war. Ich schmeckte Schweiß auf meiner Oberlippe und nahm einen Schluck Wasser; es schmeckte schal. Gaskill wühlte in den Papieren auf dem Tisch und schob dann den Haufen beiseite, als wäre er damit fertig oder als würde ihn gar nicht interessieren, was darin stand.

»Ms. Watson, die … äh … jetzige Frau Ihres Exmanns, Mrs. Anna Watson, hat sich Ihretwegen besorgt geäußert. Sie hat uns erzählt, Sie haben sie und ihren Ehemann belästigt, Sie seien uneingeladen bei ihr zu Hause aufgetaucht und haben bei einer Gelegenheit …« Gaskill warf einen Blick auf seine Notizen, aber da hatte Riley ihn schon unterbrochen.

»Bei einer Gelegenheit sind Sie in Mr. und Mrs. Watsons Heim eingedrungen und wollten mit ihrem Kind – ihrem neugeborenen Baby – verschwinden.«

Mitten im Raum tat sich ein schwarzes Loch auf und

verschluckte mich. »Das stimmt so nicht!«, brachte ich hervor. »Ich wollte nicht damit *verschwinden* ... Es war ganz anders, das stimmt so nicht ... Ich ... Ich wollte nicht damit verschwinden.«

Ich wurde immer aufgeregter, ich begann zu zittern und zu weinen, und dann sagte ich, dass ich jetzt heimwolle. Riley schob ihren Stuhl zurück, stand auf, sah Gaskill achselzuckend an und ging. Gaskill reichte mir ein Taschentuch.

»Sie können jederzeit gehen, Ms. Watson. Sie sind hergekommen, weil Sie uns etwas erzählen wollten.« Dabei schenkte er mir ein Lächeln, als wolle er mich damit um Verzeihung bitten. In diesem Moment war er mir richtig sympathisch. Am liebsten hätte ich seine Hand genommen und gedrückt, aber das tat ich nicht, das wäre sonderbar gewesen. »Ich glaube, Sie wollen mir noch mehr erzählen«, sagte er dann, und in diesem Moment wurde er mir noch sympathischer, weil er *mir* statt *uns* gesagt hatte.

»Vielleicht«, sagte er im Aufstehen und führte mich zur Tür, »möchten Sie zwischendurch eine Pause machen, sich die Beine vertreten und etwas essen. Und wenn Sie bereit sind, kommen Sie wieder, und dann können Sie mir alles erzählen.«

Eigentlich hatte ich vorgehabt, die ganze Sache zu vergessen und wieder heimzufahren. Mit dem festen Willen, all das hinter mir zu lassen, machte ich mich auf den Weg zum Bahnhof. Dann musste ich an die Zugfahrt denken, an das tägliche Hin und Her auf der immer selben Strecke, jedes Mal an ihrem Haus vorbei – an Megans und Scotts Haus. Was, wenn sie nie gefunden würde? Dann würde ich mich ewig fragen – und mir ist klar, wie unwahrscheinlich das ist, aber nichtsdestotrotz –, ob ich ihr mit meiner Aussage womöglich hätte helfen können. Und wenn man Scott beschuldigen würde, ihr etwas angetan zu haben, nur weil nie jemand von L. erfahren hätte? Und wenn sie in diesem Moment in L.s Haus gefangen wäre, wenn sie gefesselt in seinem Keller säße, verletzt und blutig, oder im Garten begraben läge?

Ich befolgte Gaskills Rat, kaufte mir in einem Laden an der Ecke ein Schinken-Käse-Sandwich und eine Flasche Wasser und ging damit in den einzigen Park in der Gegend, ein ziemlich tristes, von Häusern aus den Dreißigerjahren umgebenes Stück Grün, das fast komplett von einem asphaltierten Spielplatz eingenommen wird. Ich setzte mich auf eine Bank am Rand und sah zu, wie Mütter und Kindermädchen ihre Schutzbefohlenen ermahnten, keinen Sand aus dem Sandkasten zu essen. Noch vor ein paar Jahren habe ich genau davon geträumt. Ich träumte davon herzukommen – natürlich nicht, um zwischen zwei Befragungen bei der Polizei ein Schinken-Käse-Sandwich zu vertilgen –, ich träumte davon, mit meinem eigenen Baby herzukommen. Ich stellte mir vor, welchen Buggy ich kaufen und wie viel Zeit ich bei Trotters und im Early Learning Centre verbringen würde, um niedliche Kindersachen und pädagogisch wertvolles Spielzeug auszusuchen. Ich stellte mir vor, wie ich hier sitzen und mein eigenes kleines Freudenbündel auf meinem Schoß auf und ab hüpfen lassen würde.

Es sollte nicht sein. Kein Arzt hat mir je erklären können, warum ich nicht schwanger werden kann. Ich bin jung genug, fit genug, und damals, als wir es probierten, habe ich kaum getrunken. Mein Mann produzierte hinreichend aktives Sperma. Es sollte einfach nicht sein. Ich musste nicht die Qualen einer Fehlgeburt durchstehen –

ich wurde einfach gar nicht erst schwanger. Wir unternahmen sogar einen Versuch mit einer In-vitro-Fertilisation; einen zweiten konnten wir uns nicht leisten. Es war, wie alle zuvor gesagt hatten, ein höchst unerfreuliches und fruchtloses Unterfangen. Allerdings hatte uns nie jemand davor gewarnt, dass wir daran zerbrechen könnten. Doch genau das passierte. Genauer gesagt zerbrach erst ich daran und dann unsere Beziehung.

Das Problem am Unfruchtbarsein ist, dass es einem ständig vor Augen geführt wird. Jedenfalls als Frau in den Dreißigern. Meine Freundinnen bekamen Kinder, die Freundinnen meiner Freundinnen bekamen Kinder, alles drehte sich nur mehr um Schwangerschaften und Geburten und erste Geburtstagsfeiern. Ständig wurde ich gefragt – von meiner Mutter, von Freundinnen, Kolleginnen –, wann ich denn an der Reihe wäre. Irgendwann wurde unsere Kinderlosigkeit als Gesprächsthema fürs sonntägliche Mittagessen regelrecht salonfähig, nicht nur zwischen uns beiden, sondern ganz allgemein. Was immer wir gerade ausprobierten. Was wir noch ausprobieren sollten. Findest du wirklich, dass du noch ein Glas Wein trinken solltest? Ich war noch jung, ich hatte noch reichlich Zeit, aber mein Unvermögen hüllte mich ein wie ein Umhang, es erstickte mich, erdrückte mich, bis ich schließlich die Hoffnung aufgab. Was mir damals besonders übel aufstieß, war die Tatsache, dass es immer als mein Versagen angesehen wurde, als wollte ich uns beide enttäuschen. Allerdings gab es an Toms Zeugungskraft tatsächlich nicht das Geringste auszusetzen. Das zeigt letzten Endes auch die Geschwindigkeit, mit der er Anna geschwängert hat. Es war falsch von mir, von ihm zu verlangen, die Schuld mit mir gemeinsam zu tragen; es lag allein an mir.

Lara, meine beste Freundin seit dem Studium, bekam zwei Kinder in zwei Jahren: erst einen Jungen, dann ein Mädchen. Ich konnte die beiden nicht leiden. Ich wollte nichts von ihnen wissen. Ich wollte sie nicht in meiner Nähe haben. Nach einer Weile sprach Lara nicht mehr mit mir. Bei der Arbeit erzählte mir eine Kollegin – ganz beiläufig, so als würde sie über eine Blinddarm-OP oder einen gezogenen Weisheitszahn sprechen –, dass sie kürzlich per Pille abgetrieben habe und dass das viel weniger traumatisch gewesen sei als die Ausschabung, die sie während des Studiums hatte vornehmen lassen. Danach konnte ich nie wieder mit ihr reden, ich konnte sie kaum mehr ansehen – es belastete die Atmosphäre im Büro, und das wiederum fiel auch den anderen auf.

Tom hingegen erlebte es ganz anders. Zum einen empfand er es nicht als sein Versagen – er *brauchte* im Unterschied zu mir auch gar kein Kind. Er wollte gern Vater werden, ganz bestimmt – ich bin mir sicher, dass er sich hin und wieder vorstellte, mit seinem Sohn im Garten Fußball zu spielen oder seine Tochter auf den Schultern durch den Park zu tragen. Aber er war davon überzeugt, dass wir auch ohne Kind ein schönes Leben führen könnten. Wir sind doch glücklich, sagte er immer wieder, warum können wir nicht einfach weiter glücklich sein? Er begann, sich über mich zu ärgern. Es war ihm unverständlich, wie man etwas vermissen und um etwas trauern konnte, was man nie gehabt hatte.

Ich fühlte mich in meinem Elend alleingelassen. Ich wurde immer einsamer und begann, ein bisschen was zu trinken, und irgendwann trank ich ein bisschen mehr, und weil sich niemand gern mit einer Betrunkenen abgibt, versank ich umso tiefer in meiner Einsamkeit. Ich sank und trank, ich trank und sank. Ich mochte meinen Job, aber ich hatte dort ohnehin keine glänzende Karriere vor mir, und selbst wenn – seien wir mal ehrlich: Wertschätzung bekommen Frauen eigentlich nur für zwei Dinge – ihr Aussehen und ihre Mutterschaft. Was machte es mich also, wenn ich weder schön war noch Kinder bekommen konnte? Wertlos.

Dass ich trinke, kann ich trotzdem nicht darauf schieben – genauso wenig wie auf meine Eltern oder auf meine Kindheit, auf sexuelle Übergriffe durch irgendeinen Onkel oder auf eine schreckliche Tragödie. Es ist allein meine Schuld. Ich hatte schon früher eine Schwäche für Alkohol – ich habe immer gern getrunken. Aber trauriger wurde ich durch all das sehr wohl, und nach einer Weile wird Traurigkeit einfach langweilig. Für den Trauernden ebenso wie für seine Umgebung. Und dann wird aus der Trinkerin eine Säuferin, und das ist das Langweiligste überhaupt.

Inzwischen setzt mir diese Kindersache nicht mehr allzu sehr zu; seit ich allein bin, komme ich besser damit zurecht. Mir bleibt auch gar nichts anderes übrig. Ich habe Bücher und Artikel gelesen und begriffen, dass ich lernen muss, damit umzugehen. Es gibt Strategien, und es gibt Hoffnung. Wenn ich wieder auf die Beine käme und aufhören würde zu trinken, bestünde beispielsweise die Möglichkeit, ein Kind zu adoptieren. Außerdem bin ich noch nicht mal vierunddreißig – die Sache ist also noch nicht ganz vorbei. Ich komme damit besser zurecht als noch vor ein paar Jahren, als ich meinen Einkaufswagen stehen ließ und die Flucht ergriff, wenn ein Supermarkt mit Müttern und Kindern überlaufen war; ich hätte unmöglich in einen Park wie diesen gehen, am Spielplatz sitzen und dabei zusehen können, wie pummelige Kleinkinder die Rutsche hinunterkullern. An meinem Tiefpunkt, als der Hunger am größten war, gab es Zeiten, zu denen ich dachte, ich würde den Verstand verlieren.

Vielleicht habe ich ihn wirklich verloren, zumindest zeitweise. Vielleicht hatte ich ihn auch an jenem Tag verloren, nach dem ich auf dem Polizeirevier gefragt worden bin. Tom hatte irgendwas gesagt, was mir den entscheidenden Stoß versetzt und mich hatte abrutschen lassen. Genauer hatte er es geschrieben. Ich hatte es an einem Morgen auf Facebook gelesen. Es war nicht direkt ein Schock gewesen – ich hatte schließlich gewusst, dass sie ein Kind von ihm bekommen würde, das hatte er mir erzählt, und ich hatte sie gesehen, ich hatte die rosafarbene Jalousie am Kinderzimmerfenster gesehen. Ich hatte also gewusst, was auf mich zukommen würde. Aber bis dato hatte ich das Kind immer als *ihr* Baby betrachtet, nicht als seines. Bis zu dem Tag, als ich das Foto sah, auf dem er lächelnd auf das neugeborene Mädchen in seinem Arm hinabblickte, und den Text darunter las: »Deshalb machen also alle so einen Wirbel darum! So viel Liebe habe ich noch nie empfunden! Glücklichster Tag in meinem Leben!« Ich stellte mir vor, wie er das geschrieben hatte – wie er diese Worte getippt hatte, obwohl er genau wusste, dass ich sie würde sehen können, dass ich sie lesen würde und dass sie mich schier umbrächten. Ich war ihm egal. Eltern interessieren sich nur noch für ihre Kinder. Sie sind das Zentrum ihres Universums, sie sind alles, was zählt. Niemand sonst ist noch wichtig, und es tut nichts mehr zur Sache, ob jemand leidet oder sich freut, nichts davon ist noch real.

Ich war wütend. Ich war außer mir. Vielleicht wollte ich es ihnen heimzahlen. Vielleicht wollte ich ihnen zeigen, dass ich höllisch darunter litt. Ich weiß es nicht. Jedenfalls machte ich etwas Dummes.

Nach ein paar Stunden ging ich zum Polizeirevier zurück. Ich fragte, ob ich diesmal mit Gaskill allein sprechen könne, aber er sagte, er wolle Riley gern dabeihaben. Ab da war er mir nicht mehr ganz so sympathisch.

»Ich bin nicht in ihr Haus eingedrungen«, sagte ich. »Ja, ich war dort, weil ich mit Tom sprechen wollte. Aber es hat mir niemand aufgemacht …«

»Wie sind Sie dann ins Haus gekommen?«, fragte Riley.

»Die Tür stand offen.«

»Die Haustür stand offen?«

Ich seufzte. »Nein, natürlich nicht. Die Schiebetür zum Garten hinter dem Haus.«

»Und wie kamen Sie in den Garten?«

»Ich bin über den Zaun gestiegen. Ich wusste ja, wie man in den Garten kommt …«

»Sie sind also über den Zaun geklettert, um sich Zutritt zum Haus Ihres Exmanns zu verschaffen?«

»Ja. Das hatten wir auch früher immer gemacht … Hinter dem Haus lag ein Ersatzschlüssel. Wir hatten ihn dort in einem Versteck deponiert, falls einer von uns seinen Hausschlüssel verlieren oder vergessen würde oder so. Trotzdem bin ich nicht eingedrungen – das stimmt so nicht. Ich wollte bloß mit Tom sprechen. Ich dachte, vielleicht … vielleicht funktioniert die Klingel nicht oder so.«

»Das war am helllichten Tag und unter der Woche, nicht wahr? Wie kamen Sie darauf, dass Ihr Exmann zu Hause sein könnte? Hatten Sie ihn vorher angerufen, um sich zu vergewissern?«, fragte Riley.

»Jesus, würden Sie mich bitte ausreden lassen?«, schnauzte ich sie an, worauf sie den Kopf schüttelte und mich wieder so anlächelte, als würde sie mich kennen, als würde sie mich durchschauen. »Ich stieg über den Zaun«, fuhr ich mühsam beherrscht fort, »und klopfte an die Terrassentür, die halb offen stand. Niemand antwortete mir. Ich steckte den Kopf durch die Tür und rief nach Tom. Wieder antwortete niemand, dafür konnte ich ein Baby weinen hören. Also ging ich ins Haus, und da sah ich, dass Anna…«

»Mrs. Watson?«

»Ja. Mrs. Watson lag auf dem Sofa und schlief. Das Baby lag in der Babywippe und weinte, nein, es schrie, sein Gesicht war schon ganz rot, also weinte es offenbar schon seit einer ganzen Weile.« Noch während ich die Worte aussprach, wurde mir klar, dass ich ihnen hätte erzählen müssen, ich hätte das Baby schon von der Straße aus weinen gehört und wäre deshalb über den Gartenzaun gestiegen. Das hätte weniger verrückt geklungen.

»Das Baby schreit also direkt neben seiner Mutter, ohne dass sie davon aufwacht?«, fragte Riley.

»Genau.« Auch wenn ich ihr Gesicht nur zur Hälfte sehen kann, weil sie die Ellbogen auf den Tisch gestützt hat und sich die Hände vors Gesicht hält, weiß ich, dass sie mir nicht glaubt. »Also hab ich die Kleine aus der Wippe genommen, um sie zu trösten. Das ist alles. Ich hab sie hochgenommen, um sie zu beruhigen.«

»Aber das ist keineswegs alles, nicht wahr? Denn als Anna aufgewacht ist, waren Sie nicht mehr da, stimmt's? Sie waren hinten am Zaun bei den Gleisen.«

»Sie hörte einfach nicht auf zu weinen. Ich ließ sie ein bisschen auf und ab hüpfen, aber als sie dann immer noch schrie, ging ich mit ihr nach draußen.«

»Zu den Gleisen?«

»In den Garten.«

»Hatten Sie vor, dem Kind der Watsons etwas anzutun?«

Jetzt sprang ich auf. Melodramatisch, ich weiß, aber ich wollte ihnen vor Augen führen – ich wollte Gaskill vor Augen führen –, was für eine ungeheuerliche Unterstellung das war. »Das brauche ich mir nicht anzuhören! Ich bin hergekommen, um Ihnen von dem Mann zu erzählen! Ich bin hergekommen, weil ich Ihnen helfen wollte! Und jetzt ... Was genau werfen Sie mir eigentlich vor? Was werfen Sie mir vor?«

Gaskill blieb ungerührt und unbeeindruckt. Er bedeutete mir, mich wieder hinzusetzen. »Ms. Watson, die andere ... Äh, Mrs. Watson – Anna – hat Sie im Verlauf unserer Nachforschungen zu Megan Hipwell erwähnt. Sie meinte, Sie haben sich in der Vergangenheit unberechenbar und sprunghaft verhalten. Sie erwähnte den Vorfall mit dem Kind. Sie behauptete, Sie haben sie und auch ihren Mann belästigt und terrorisieren sie mit Anrufen.« Er warf einen Blick auf seine Notizen. »Genauer gesagt fast jede Nacht. Sie können sich nicht damit abfinden, dass Ihre Ehe zu Ende ist ...«

»Das ist doch gar nicht wahr!«, erwiderte ich. Und es war wirklich nicht wahr – natürlich, ich rief Tom hin und wieder an, aber bestimmt nicht jede Nacht, das war absolut übertrieben. Allmählich bekam ich das Gefühl, dass Gaskill doch nicht auf meiner Seite stand, und merkte, wie mir wieder die Tränen kamen.

»Warum haben Sie Ihren Namen nicht geändert?«, fragte Riley.

»Verzeihung?«

»Sie tragen immer noch den Namen Ihres Exmanns.

Warum? Wenn mich ein Mann wegen einer anderen verlassen würde, könnte ich es gar nicht erwarten, wieder meinen Mädchennamen anzunehmen. Auf gar keinen Fall würde ich den gleichen Namen haben wollen wie mein Ersatz …«

»Vielleicht bin ich nicht so kleinlich.«

Das bin ich sehr wohl. Ich finde es *unerträglich*, dass sie Watson heißt.

»Nun gut. Und der Ring – der an der Kette um Ihren Hals. Ist das Ihr Ehering?«

»Nein«, sagte ich. Wieder eine Lüge. »Das ist … Der gehörte meiner Großmutter.«

»Wirklich? Na schön. Wie dem auch sei, ich muss sagen, dass Sie auf mich so wirken, als hätten Sie – genau wie es Mrs. Watson angedeutet hat – sich noch nicht ganz mit Ihrer neuen Situation angefreundet. Als könnten Sie nicht hinnehmen, dass Ihr Ex eine neue Familie hat.«

»Ich wüsste nicht …«

»Was das alles mit Megan Hipwell zu tun haben soll?«, beendete Riley meinen Satz. »Nun ja, wir haben nun mal gehört, dass Sie – eine psychisch labile Person, die überdies schwer alkoholisiert war – in derselben Straße gesehen wurden, in der die Hipwells wohnen. Wenn man berücksichtigt, dass eine gewisse Ähnlichkeit zwischen Megan und Mrs. Watson besteht …«

»Die beiden sehen sich überhaupt nicht ähnlich!« Allein die Behauptung empfand ich als Frechheit. Jess sieht kein bisschen aus wie Anna. Jess ist kein bisschen wie Anna.

»Beide sind blond, schlank, zierlich, hellhäutig …«

»Dann soll ich Megan Hipwell also angegriffen haben, weil ich sie mit Anna verwechselt habe? Das ist ja wohl das Dämlichste, was ich je gehört habe«, sagte ich, doch gleichzeitig begann die Beule an meinem Kopf wieder zu pulsieren, und immer noch lagen die Geschehnisse vom Samstagabend in tiefstem Schwarz.

»Wussten Sie, dass Anna Watson Megan Hipwell kennt?«, fragte Gaskill, und ich merkte, wie mir die Kinnlade runterklappte.

»Ich … Wie bitte? Nein. Nein, die beiden kennen sich ganz sicher nicht.«

Riley lächelte still in sich hinein und setzte dann wieder ein ernstes Gesicht auf. »Oh doch. Megan hat eine Zeit lang das Kind der Watsons gehütet« – sie sah kurz auf ihre Notizen hinab –, »und zwar bis August vergangenen Jahres.«

Ich weiß nicht, was ich sagen soll. Das übersteigt meine Vorstellungskraft: Megan in *meinem* Heim, mit *ihr* und ihrem Kind.

»Haben Sie sich den Schnitt an Ihrer Lippe bei Ihrem Unfall zugezogen?«, fragte Gaskill.

»Ja. Ich glaube, ich habe mir auf die Lippe gebissen, als ich hinfiel.«

»Wo hatten Sie diesen Unfall?«

»In London, in der Theobalds Road. Bei Holborn.«

»Und was haben Sie dort gemacht?«

»Verzeihung?«

»Was haben Sie in London gemacht?«

Ich zuckte mit den Schultern. »Das habe ich Ihnen doch schon erzählt«, antwortete ich kühl. »Meine Mitbewohnerin weiß nicht, dass mir gekündigt wurde. Darum fahre ich wie früher jeden Tag nach London und setze mich dort in die Bücherei, um nach Jobs zu suchen und meinen Lebenslauf zu überarbeiten.«

Riley schüttelte den Kopf, ungläubig oder einfach nur verwundert. Wie kann man so tief sinken?

Ich schob den Stuhl zurück. Ich wollte gehen. Ich hatte es satt, so herablassend behandelt und wie eine Idiotin, wie eine Irre hingestellt zu werden. Zeit, meinen Trumpf auszuspielen. »Ich weiß ehrlich gesagt nicht, warum wir über all das reden«, sagte ich. »Ich dachte, Sie hätten Besseres zu tun – zum Beispiel nach der verschwundenen Megan Hipwell zu suchen. Mit ihrem Lover haben Sie bereits gesprochen, nehme ich an?« Keiner von beiden sagte ein Wort, sie starrten mich nur an. Damit hatten sie nicht gerechnet. Sie wussten nichts von ihm. »Vielleicht wussten Sie das aber auch nicht. Megan Hipwell hat eine Affäre«, sagte ich und ging zur Tür.

Gaskill hielt mich auf; leise und überraschend schnell hatte er sich vor mir aufgebaut, noch ehe ich die Hand an den Türgriff legen konnte. »Ich dachte, Sie kennen Megan Hipwell nicht?«, fragte er mich.

»Ich kenne sie auch nicht«, sagte ich und wollte an ihm vorbei.

»Setzen Sie sich wieder hin«, sagte er und versperrte mir weiter den Weg.

Dann erzählte ich ihnen, was ich vom Zug aus gesehen hatte, wie oft ich Megan auf ihrer Terrasse gesehen hatte, abends beim Sonnenbaden oder morgens beim Kaffeetrinken. Ich schilderte ihnen, wie ich sie in der vergangenen Woche mit jemandem zusammen gesehen hatte, der ganz eindeutig nicht ihr Mann gewesen war, und wie sich die beiden auf dem Rasen geküsst hatten.

»Wann war das?«, fuhr Gaskill mich an. Er schien wütend auf mich zu sein. Vielleicht hätte ich ihnen das von Anfang an erzählen sollen, statt den ganzen Tag damit zu vergeuden, nur von mir selbst zu sprechen.

»Freitag. Es war am Freitagmorgen.«

»Sie haben sie also nur einen Tag vor ihrem Verschwinden mit einem anderen Mann zusammen gesehen?«, fragte Riley, seufzte verärgert und klappte die vor ihr liegende Akte zu. Gaskill lehnte sich in seinem Stuhl zurück und studierte mein Gesicht. Sie glaubte eindeutig, dass ich mir das bloß ausgedacht hätte; er war nicht ganz so überzeugt.

»Können Sie ihn beschreiben?«, fragte er nach einer Weile.

»Groß, dunkel …«

»Gut aussehend?«, fiel Riley mir ins Wort.

Ich blies die Backen auf. »Größer als Scott Hipwell. Das weiß ich, weil ich die beiden oft zusammen gesehen habe – Jess und … Verzeihung. Megan und Scott Hipwell. Und dieser Mann war eindeutig nicht Scott. Er war schlanker, dünner, dunkelhäutiger. Möglicherweise asiatischer Abstammung«, sagte ich.

»Sie konnten vom Zug aus seine ethnische Zugehörigkeit erkennen?«, fragte Riley. »Und wer ist überhaupt Jess?«

»Wie bitte?«

»Sie haben eben von einer gewissen Jess gesprochen.«

Ich spürte, wie ich wieder rot anlief, und schüttelte den Kopf. »Nein.«

Gaskill stand auf und streckte mir die Hand entgegen. »Ich glaube, das genügt.« Ich verabschiedete mich von ihm, sah über Riley hinweg und wandte mich erneut zum Gehen. »Halten Sie sich von der Blenheim Road fern, Ms. Watson«, sagte Gaskill. »Nehmen Sie nur Verbindung mit Ihrem Exmann auf, wenn es unbedingt notwendig ist, und nähern Sie sich weder Anna Watson noch ihrem Kind.«

Auf der Zugfahrt nach Hause seziere ich, was heute alles schiefgelaufen ist, und stelle überrascht fest, dass ich mich nicht so elend fühle, wie ich gedacht hätte. Nach einer Weile begreife ich, warum: Ich habe gestern Abend nichts getrunken, und ich spüre auch jetzt nicht das Bedürfnis zu trinken. Zum ersten Mal seit Ewigkeiten interessiere ich mich für etwas anderes als für mein eigenes Elend. Ich habe ein Ziel. Oder zumindest eine Beschäftigung.

Donnerstag, 18. Juli 2013

Morgens

Bevor ich heute Morgen in den Zug stieg, kaufte ich mir drei Zeitungen. Megan wird inzwischen seit vier Tagen und fünf Nächten vermisst, und es wird überall ausführlich über den Fall berichtet. Wie nicht anders zu erwarten hat die *Daily Mail* Bilder von Megan im Bikini aufgetrieben, aber dafür bringen sie auch das ausführlichste Porträt von ihr, das mir bislang untergekommen ist.

Diesem Porträt zufolge wurde sie 1983 als Megan Mills in Rochester geboren und zog als Zehnjährige mit ihren Eltern nach King's Lynn in Norfolk. Sie war ein kluges Kind, sehr aufgeschlossen, künstlerisch begabt und eine begeisterte Sängerin. Laut einer Schulfreundin war sie »immer lustig, wahnsinnig hübsch und ziemlich wild«. Offenbar verstärkte sich diese Wildheit nach dem Tod ihres Bruders Ben, dem sie sehr nahegestanden hatte. Ben war bei einem Motorradunfall gestorben, als er neunzehn und sie fünfzehn gewesen war. Drei Tage nach seiner Beerdigung riss sie von zu Hause aus. Zweimal wurde sie verhaftet – einmal wegen Diebstahls und einmal wegen Prostitution. Die Beziehung zu ihren Eltern, so die *Mail,* sei daraufhin abgerissen. Vor ein paar Jahren starben beide Eltern, ohne dass es zu einer Aussöhnung mit ihrer Tochter gekommen wäre. (Als ich das lese, wird mir unglaublich schwer ums Herz, und mir wird klar, dass wir uns vielleicht gar nicht so sehr unterscheiden. Auch Megan ist von allem ausgeschlossen und einsam.)

Mit sechzehn zog sie zu einem Freund, der in einem Haus außerhalb eines Dorfes namens Holkham in Norfolk lebte. Ihre Schulfreundin meint dazu: »Er war deutlich älter als sie, Musiker oder so. Und er nahm Drogen. Nachdem Megan zu ihm gezogen war, bekamen wir sie kaum noch zu Gesicht.« Der Name des Freundes wird nicht genannt, sie haben ihn vermutlich noch nicht aufgespürt. Vielleicht gibt es ihn aber auch gar nicht. Vielleicht hat sich die Schulfreundin all das nur ausgedacht, um in die Zeitung zu kommen.

Danach überspringen sie mehrere Jahre: Auf einmal ist Megan vierundzwanzig, wohnt in London und arbeitet als Kellnerin in einem Restaurant im Norden der Stadt. Dort lernt sie Scott Hipwell kennen, einen selbstständigen IT-Berater, der mit dem Geschäftsführer des Restaurants befreundet ist. Die beiden verstehen sich ausgezeichnet. Als sie Scott »nach einer intensiven Datingphase« heiratet, ist Megan sechsundzwanzig und er dreißig.

Es gibt noch ein paar weitere Zitate, darunter eins von Tara Epstein, derselben Freundin, bei der Megan in der Nacht ihres Verschwindens angeblich übernachten wollte. Ihren Worten zufolge ist Megan »ein liebes, sorgloses Mädchen«, das ihr »überglücklich« vorgekommen sei. »Scott würde ihr niemals etwas antun«, meint Tara. »Er liebt sie abgöttisch.« Was Tara da von sich gibt, ist das reinste Klischee. Viel interessanter finde ich das Zitat eines gewissen

Rajesh Gujral – einer der Künstler, deren Werke in der von Megan geführten Galerie ausgestellt worden waren. Er beschreibt Megan als »wundervolle Frau, intelligent, witzig und bildschön, eine ungemein aufmerksame Person mit einem großen Herzen«. Für mich hört sich das fast so an, als könnte Rajesh in sie verknallt gewesen sein. Das einzige weitere Zitat stammt von einem Mann namens David Clark, einem »ehemaligen Kollegen« von Scott, der erklärt: »Megs und Scott sind ein tolles Paar. Sie sind sehr glücklich und bis über beide Ohren ineinander verliebt.«

Es gibt auch ein paar kürzere Artikel, die sich den Ermittlungen widmen, aber die Statements der Polizei sind samt und sonders absolut nichtssagend. Man habe »mit einer Reihe von Zeugen« gesprochen, und man ermittle »in unterschiedliche Richtungen«. Der einzige interessante Kommentar stammt von Detective Inspector Gaskill, der angibt, dass der Polizei bei den Ermittlungen zurzeit zwei Männer zur Seite stehen. So wie ich es verstehe, soll das wohl heißen, dass beide verdächtig sind. Der eine ist mit Sicherheit Scott. Könnte der andere L. sein? Könnte L. Rajesh sein?

Ich bin so vertieft in die Zeitungslektüre, dass ich im Gegensatz zu sonst kaum etwas von der Fahrt mitbekomme; es kommt mir sogar so vor, als hätte ich mich gerade erst auf meinen Platz gesetzt, als der Zug kreischend vor dem roten Signal zu seinem üblichen Halt kommt. In Scotts Garten sind Menschen – zwei uniformierte Polizisten stehen vor seiner Terrassentür. Meine Gedanken geraten regelrecht ins Trudeln. Haben sie etwas gefunden? Haben sie Megan gefunden? Wurde ein Leichnam dort im Garten vergraben oder unter den Dielen versteckt? Mir geht der Kleiderhaufen neben den Gleisen nicht aus dem

Sinn, was idiotisch ist, denn der hatte schon dort gelegen, bevor Megan verschwand. Und falls ihr tatsächlich etwas angetan wurde, dann keinesfalls von Scott. Ausgeschlossen. Er liebt sie über alles, das kann jeder bestätigen. Das Licht ist heute schlecht, das Wetter hat umgeschlagen, der Himmel ist bleiern, bedrohlich. Ich kann nicht ins Haus hineinsehen, ich kann nicht erkennen, was dort drinnen passiert. Ich bin schier am Verzweifeln. Ich ertrage es nicht, abseits zu stehen – egal, wie alles ausgeht, ich bin jetzt ein Teil davon. Ich muss wissen, was da los ist.

Zumindest habe ich einen Plan. Erst muss ich herausfinden, ob es irgendeine Möglichkeit gibt, mir wieder ins Gedächtnis zu rufen, was am Samstagabend passiert ist. Sobald ich in der Bücherei bin, werde ich ein bisschen recherchieren, ob eine Hypnotherapie meine Erinnerungen wachrufen könnte; ob es überhaupt möglich ist, eine verloren gegangene Zeitspanne wieder heraufzubeschwören. Zweitens – und das ist in meinen Augen genauso wichtig, weil ich davon ausgehe, dass mir die Polizei die Sache mit Megans Geliebtem gar nicht glaubt – muss ich Kontakt mit Scott Hipwell aufnehmen. Ich muss es ihm erzählen. Er hat verdient, es zu erfahren.

Abends

Der Zug ist voller regennasser Menschen, und der aus den Kleidern aufsteigende Dampf kondensiert an den Fenstern. Über den gesenkten, tropfenden Köpfen hängt ein erdrückender Mief aus Körpergeruch, Parfüm und Waschmittel. Die Wolken, die heute Morgen so bedrohlich am Himmel gehangen hatten, hielten sich den ganzen Tag und wurden immer schwerer und schwärzer, bis sie am

Abend, gerade als die Angestellten aus ihren Büros strömten und die Rushhour einsetzte, förmlich zu einem Monsun zerbarsten, der den Verkehr zum Erliegen brachte und die Eingänge zu den U-Bahnen unpassierbar machte, weil alle gleichzeitig ihre Schirme öffnen oder schließen wollten.

Ich habe keinen Schirm dabei und bin klatschnass, als hätte jemand einen Eimer Wasser über mir ausgekippt. Die Baumwollhose klebt an meinen Schenkeln, und meine verblichene blaue Bluse ist auf einmal fast peinlich transparent. Ich bin den ganzen Weg von der Bücherei zur U-Bahn gerannt und hatte mir dabei die Handtasche vor die Brust gepresst, um möglichst viel zu verbergen. Irgendwie fand ich das trotz allem witzig – es hat immer etwas Lächerliches, vom Regen überrascht zu werden –, und ich musste so lachen, dass ich kaum noch Luft bekam, als ich das Ende der Gray's Inn Road erreichte. Ich weiß ehrlich nicht, wann ich das letzte Mal so gelacht habe.

Jetzt lache ich allerdings nicht mehr. Sobald ich einen freien Platz gefunden hatte, checkte ich auf meinem Smartphone, ob es irgendwas Neues über Megan gab, und stolperte dabei über genau die Nachricht, vor der ich am meisten Angst gehabt hatte: »Im Fall der seit Samstagabend verschwundenen Megan Hipwell hat die Polizei von Witney einen 35-jährigen Mann einbestellt und vernommen.« Das ist Scott, davon bin ich überzeugt. Ich hoffe nur, dass er noch meine E-Mail lesen konnte, bevor sie ihn sich holten. Wenn er dort über seine Rechte aufgeklärt wurde, dann ist es ernst – dann heißt es, sie glauben, dass er es getan hat. Wobei *es* natürlich noch genauer definiert werden muss. Vielleicht ist *es* gar nicht passiert. Vielleicht geht es Megan ja ausgezeichnet. Ab und an kommt mir der Gedanke, dass sie womöglich noch am Leben ist, bei bester Gesundheit auf irgendeinem Hotelbalkon mit Meerblick sitzt und die Füße gegen das Geländer stemmt, einen kalten Drink neben dem Ellbogen.

Die Vorstellung begeistert und enttäuscht mich gleichermaßen, und im nächsten Moment wird mir ganz schlecht, weil ich derart enttäuscht bin. Ich wünsche Megan absolut nichts Böses, auch wenn ich wirklich wütend war, weil sie Scott betrogen und damit meinen Traum von einem perfekten Paar zerstört hat. Gleichzeitig habe ich das Gefühl, ein Teil dieses Mysteriums und irgendwie damit verbunden zu sein. Ich bin nicht mehr nur das Mädchen aus dem Zug, das sinn- und ziellos hin- und herfährt. Ich möchte, dass Megan wieder auftaucht, und zwar gesund und wohlbehalten. Ehrlich. Nur eben nicht ganz so schnell.

Heute Morgen habe ich Scott eine E-Mail geschickt. Seine Adresse war leicht ausfindig zu machen – ich brauchte ihn nur zu googeln und stieß sofort auf www.shipwellconsulting.co.uk, die Webseite, auf der er »ein breites Spektrum von Consultancy und Cloud- und Webbased Services für Firmen und Vereine« anbietet. Es gab keinen Zweifel daran, dass es seine Seite war, weil die dort verzeichnete Firmenadresse mit seiner Privatadresse übereinstimmte.

An die Kontaktadresse von der Webseite schickte ich eine kurze Nachricht:

Lieber Scott Hipwell,
ich heiße Rachel Watson. Sie kennen mich nicht, aber ich würde gern mit Ihnen über Ihre Frau sprechen. Ich habe keine Informationen über ihren gegenwärtigen Aufenthaltsort, und ich weiß auch nicht, was ihr zugestoßen sein mag, aber ich

glaube, ich verfüge über Hinweise, die eventuell hilfreich für Sie sein könnten.
Vielleicht möchten Sie lieber nicht mit mir sprechen, das würde ich verstehen, aber falls doch, dann antworten Sie bitte an diese E-Mail-Adresse.
Mit freundlichen Grüßen
Rachel Watson

Ich weiß nicht, ob er sich überhaupt mit mir in Verbindung gesetzt hätte – ich an seiner Stelle hätte es wohl nicht getan. Wahrscheinlich hätte er, genau wie die Polizei, geglaubt, ich wäre irgendeine Irre, eine Verrückte, die in der Zeitung von dem Fall gelesen hat. Jetzt werde ich es nie erfahren – falls er verhaftet wurde, wird er die Nachricht vielleicht niemals zu Gesicht bekommen. Falls er verhaftet wurde, wird allerdings eventuell die Polizei die Nachricht lesen, was wiederum nichts Gutes für mich verheißt. Trotzdem musste ich es zumindest versuchen.

Und jetzt fühle ich mich deprimiert, um meine Rolle gebracht. Ich kann durch das Gedränge im Abteil nicht auf ihre Seite der Strecke blicken – auf *meine* Seite –, und selbst wenn, würde ich bei dem strömenden Regen hinter dem Zaun rein gar nichts sehen können. Ich frage mich, ob der Wolkenbruch wohl Beweise wegspült, ob genau in diesem Augenblick wichtige Spuren für alle Zeiten getilgt werden: Blutspritzer, Fußabdrücke, Zigarettenkippen mit DNA-Spuren. Ich verzehre mich so sehr nach etwas zu trinken, dass ich den Wein auf meiner Zunge regelrecht zu schmecken glaube. Ich kann mir genau vorstellen, wie es sich anfühlen wird, wenn mir der Alkohol ins Blut schießt und mir dann sofort in den Kopf steigt.

Ich will etwas trinken und will es wieder nicht, weil

heute bereits der dritte Tag ist, an dem ich nichts getrunken habe, und weil ich nicht mehr weiß, wann ich das letzte Mal drei Tage in Folge trocken war. Außerdem schmecke ich auch noch irgendwas anderes auf meiner Zunge – nämlich eine altvertraute Sturheit. Früher einmal besaß ich Willenskraft, damals konnte ich noch vor dem Frühstück zehn Kilometer laufen und wochenlang von nur dreizehnhundert Kalorien täglich zehren. Tom hat immer behauptet, dass er unter anderem genau das an mir liebe: meine Sturheit, meine Stärke. Ich kann mich noch an einen Streit erinnern, ganz zum Schluss, als es kaum noch schlimmer kommen konnte; damals war er stinkwütend auf mich. »Was ist nur aus dir geworden, Rachel?«, hat er mich angefahren. »Wann bist du so schwach geworden?«

Ich weiß es nicht. Ich weiß nicht, wohin die Sturheit verschwand, ich kann mich nicht daran erinnern, sie verloren zu haben. Vermutlich hat sie sich im Lauf der Zeit ganz einfach abgenutzt – am Leben selbst und an der Anstrengung, es zu leben.

Der Zug kommt abrupt und mit besorgniserregend kreischenden Bremsen vor dem Signal am London zugewandten Ende Witneys zum Stehen. Halblaut werden Entschuldigungen gemurmelt, weil die Fahrgäste im Mittelgang ins Straucheln kommen, einander anrempeln und auf die Füße treten. Ich blicke auf und stelle fest, dass ich dem Mann von Samstagabend direkt ins Gesicht sehe – dem Rothaarigen, der mir aufgeholfen hat. Er starrt mich an, der Blick aus seinen verblüffend blauen Augen durchbohrt mich, und ich erschrecke derart, dass ich mein Handy fallen lasse. Während ich es vom Boden aufhebe, sehe ich noch mal zu ihm rüber, diesmal ganz zaghaft, ohne ihn direkt anzusehen. Ich suche mit dem Blick den Wagen ab, ich wische mit dem Ellbogen das beschlagene Fenster frei und starre hinaus, doch irgendwann wende ich mich ihm von Neuem zu und stelle fest, dass er den Kopf leicht zur Seite neigt und mich anlächelt.

Ich spüre, wie mein Gesicht heiß wird. Ich weiß nicht, wie ich auf sein Lächeln reagieren soll, weil ich nicht weiß, was es bedeutet. Heißt es: Ach, hallo, wir sind uns doch neulich schon mal begegnet? Oder heißt es: Sieh da, die besoffene Alte, die neulich abends die Treppe runtergekracht ist und mich blöd angeredet hat? Oder heißt es etwas ganz anderes? Ich weiß es nicht, aber in diesem Augenblick schießen mir Satzfetzen durch den Kopf, die zu dem Bild von mir nach dem Sturz auf der Treppe passen – wie er zu mir sagt: »Alles in Ordnung, Kleine?« Ich wende mich ab und sehe wieder aus dem Fenster, aber ich kann seinen Blick noch immer auf mir spüren. Ich will mich nur noch verkriechen, mich in Luft auflösen. Der Zug ruckt wieder an, und Sekunden später fahren wir in den Bahnhof von Witney ein, während die Fahrgäste sich zum Aussteigen bereit machen, sich aneinander vorbeidrängeln, Zeitungen zusammenfalten, Kindles und iPads einpacken. Ich sehe wieder auf und merke, wie mich Erleichterung überkommt – er hat mir den Rücken zugedreht. Er steigt hier aus.

Im selben Moment begreife ich, wie dämlich ich mich verhalte. Ich sollte aufspringen, ihm folgen, mit ihm sprechen. Er weiß möglicherweise, was passiert oder was nicht passiert ist; vielleicht kann er zumindest ein, zwei dunkle Flecken aufhellen. Ich stehe auf. Ich zögere – mir ist klar, dass es bereits zu spät ist, gleich gehen die Türen wieder zu, und ich bin immer noch in der Wagenmitte und werde mich nicht rechtzeitig durch die Menge zwängen können. Ich drehe mich wieder um und sehe aus dem Fenster, während der Zug anfährt. Der Mann steht im Regen an der Bahnsteigkante – der Mann von Samstagabend – und sieht mir nach.

Je näher ich meinem Zuhause komme, umso wütender werde ich auf mich selbst. Beinahe bin ich versucht, in Northcote auszusteigen, noch mal nach Witney zurückzufahren und nach ihm Ausschau zu halten. Natürlich ist das eine lächerliche Idee und obendrein fast schon idiotisch riskant, nachdem Gaskill mir gestern erst zu verstehen gegeben hat, dass ich mich dort nicht wieder blicken lassen soll. Aber inzwischen habe ich so gut wie keine Hoffnung mehr, dass ich mich irgendwann noch mal daran erinnern könnte, was am Samstag geschehen ist. Eine mehrstündige (wenn auch zugegeben kaum umfassende) Internetrecherche hat mir heute Nachmittag bestätigt, was ich bereits vermutet habe: Erinnerungen, die in einem Blackout verloren gehen, lassen sich im Allgemeinen nicht einmal mehr durch Hypnose wiederherstellen, weil man, wie auch schon meine damalige Lektüre ergeben hat, während des Blackouts absolut nichts abspeichert. Es gibt nichts zu erinnern. In meiner Zeitleiste klafft ein schwarzes Loch, und das wird wohl für immer so bleiben.

MEGAN

Donnerstag, 7. März 2013

Nachmittags

Das Zimmer ist dunkel, die Luft ist abgestanden und riecht süßlich nach unseren Körpern. Wir sind wieder im Swan, wieder im selben Zimmer unterm Dach. Trotzdem ist es diesmal anders, denn er ist immer noch da und sieht mich nachdenklich an.

»Wo würdest du gern hingehen?«, fragt er mich.

»In ein Haus am Strand an der Costa de la Luz«, antworte ich.

Er lächelt. »Und was machen wir dort?«

Ich muss lachen. »Abgesehen von dem hier, meinst du?«

Seine Finger wandern langsam über meinen Bauch. »Abgesehen von dem hier.«

»Wir eröffnen ein Café, stellen Kunst aus, lernen surfen.«

Er küsst mich auf die Stelle über meinem Beckenknochen. »Was hieltest du von Thailand?«

Ich rümpfe die Nase. »Zu viel Jungvolk. Sizilien«, schlage ich stattdessen vor. »Die Ägadischen Inseln. Wir eröffnen eine Strandbar, gehen fischen …«

Er lacht wieder, schiebt sich auf mich und gibt mir einen Kuss. »Unwiderstehlich«, murmelt er. »Du bist unwiderstehlich.«

Am liebsten würde ich laut lachen und ihm offen erklären: Siehst du? Ich hab gewonnen! Ich hab dir doch gesagt, es wäre nicht das letzte Mal. Es ist nie das letzte Mal.

Ich beiße mir auf die Lippe und schließe die Augen. Ich hatte recht, ich wusste es von Anfang an, aber es wäre fatal, das auszusprechen. Also freue ich mich im Stillen über meinen Sieg; ich genieße ihn fast so sehr wie seine Berührungen.

Hinterher spricht er mit mir, wie er es noch nie getan hat. Normalerweise rede immer nur ich, aber dieses Mal öffnet er sich mir gegenüber ebenfalls. Er erzählt mir, wie leer er sich fühle, er erzählt von der Familie, von der er sich entfernt habe, von der Frau vor mir und der Frau vor ihr, die ihn damals so fertiggemacht und ihn als leere Hülle zurückgelassen hat. Ich glaube nicht an Seelenverwandtschaft, aber uns verbindet ein wechselseitiges Verständnis, das ich noch nie so erlebt habe – oder zumindest nicht längerfristig. Es entspringt ähnlichen Erfahrungen, dem Wissen, was für ein Gefühl es ist, gebrochen zu werden.

Eine leere Hülle – das verstehe ich nur zu gut. Ich beginne allmählich zu glauben, dass sich daran einfach nichts ändern lässt. Denn das habe ich aus meinen Therapiesitzungen mitgenommen: Die Löcher in deinem Leben lassen sich nicht kitten. Man muss darum herumwachsen wie Bäume um Beton; man muss sich durch die Ritzen zwängen. All das weiß ich, aber ich spreche es nicht aus, nicht jetzt.

»Wann geht es los?«, frage ich ihn, aber er antwortet mir nicht, dann schlafe ich ein, und als ich wieder aufwache, ist er nicht mehr da.

Freitag, 8. März 2013

Morgens

Scott bringt mir Kaffee auf die Terrasse.

»Gestern Nacht hast du durchgeschlafen«, sagt er und beugt sich herunter, um mich auf den Scheitel zu küssen. Er steht hinter mir und hat mir seine warmen Hände fest auf die Schultern gelegt. Ich lehne mich zurück, schließe die Augen und lausche dem Zug, der über die Gleise rumpelt, bis er genau vor unserem Haus zum Stehen kommt. Als wir hier eingezogen sind, hat Scott den Fahrgästen oft zugewinkt und mich damit regelmäßig zum Lachen gebracht. Der Griff um meine Schultern verstärkt sich leicht; er beugt sich noch ein Stückchen weiter vor und küsst mich auf den Hals.

»Du hast durchgeschlafen«, wiederholt er. »Offenbar geht es dir besser.«

»Stimmt«, sage ich.

»Glaubst du, dass sie wirkt?«, fragt er. »Die Therapie?«

»Ob ich glaube, dass ich endlich wiederhergestellt bin, meinst du?«

»Nicht wiederhergestellt«, sagt er, und ich höre ihm an, dass ihn das getroffen hat. »So hab ich's nicht gemeint…«

»Ich weiß.« Ich hebe die Hand und drücke seine. »War doch nur Spaß. Ich glaube, es ist ein längerer Prozess. Es ist nicht so einfach, verstehst du? Ich weiß einfach nicht, ob irgendwann der Moment kommt, an dem ich sagen kann, dass sie gewirkt hat. Dass es mir wieder gut geht.«

Er bleibt eine Weile still stehen, dann drückt er etwas fester zu. »Du willst also weiter hingehen?«, fragt er, und ich sage Ja.

Früher einmal habe ich geglaubt, er könnte alles für mich sein, er allein könnte mir genügen. Über Jahre hinweg glaubte ich das. Ich liebte ihn mit Leib und Seele. Das tue ich immer noch. Trotzdem will ich das hier nicht mehr. Ich selbst bin ich inzwischen nur noch an den heimlichen, fiebrigen Nachmittagen – wie gestern –, wenn ich in schwüler Hitze und schummrigem Licht zum Leben erwache. Wer weiß schon, ob ich tatsächlich irgendwann zu dem Schluss komme, dass es mir nicht weiterhilft, immer nur abzuhauen. Wer weiß schon, ob ich mich am Ende nicht genauso fühlen werde wie jetzt – nicht sicher, sondern eingesperrt. Vielleicht werde ich dann wieder abhauen wollen und dann wieder, bis ich irgendwann dort oben bei den alten Gleisen lande, weil mir kein anderer Weg mehr offensteht. Kann sein, muss aber nicht. Gewisse Risiken muss man eben eingehen, oder nicht?

Ich gehe nach unten, um mich von ihm zu verabschieden, bevor er zur Arbeit fährt. Er schlingt die Arme um meine Taille und küsst mich noch mal auf den Scheitel.

»Ich liebe dich, Megs«, murmelt er, und in diesem Moment fühle ich mich grässlich, wie der fürchterlichste Mensch auf Erden. Ich kann es kaum erwarten, dass er die Tür hinter sich zuzieht, weil ich merke, dass ich gleich heulen muss.

RACHEL

Freitag, 19. Juli 2013

Morgens

Der Acht-Uhr-Vierer ist praktisch leer. Die Fenster sind auf, und die Luft nach dem gestrigen Gewitter ist angenehm kühl. Megan wird inzwischen seit 133 Stunden vermisst, und mir geht es so gut wie seit Monaten nicht mehr. Als ich mich heute Morgen im Spiegel ansah, konnte ich die Veränderungen in meinem Gesicht deutlich erkennen: Meine Haut ist reiner, meine Augen sind klarer. Ich fühle mich leichter. Mit Sicherheit habe ich kein einziges Gramm abgenommen, aber ich fühle mich irgendwie unbeschwert. Ich fühle mich wieder wie ich selbst – wie der Mensch, der ich früher war.

Von Scott habe ich immer noch nichts gehört. Ich hab das Internet durchforstet, aber nirgends etwas von einem Haftbefehl gelesen, darum gehe ich davon aus, dass er meine E-Mail einfach ignoriert. Ich bin enttäuscht, aber das war wohl nicht anders zu erwarten. Gerade als ich heute Morgen das Haus verlassen wollte, rief Gaskill an und fragte, ob ich heute noch mal vorbeikommen könne. Im ersten Moment bekam ich einen Riesenschreck, aber dann erklärte er mir mit ruhiger, sanfter Stimme, dass ich mir ein paar Bilder ansehen solle. Ich fragte ihn, ob Scott Hipwell verhaftet worden sei.

»Niemand wurde verhaftet, Ms. Watson.«

»Aber dieser Mann, der einbestellt wurde…«

»Dazu darf ich mich nicht äußern.«

Sein Tonfall ist so beruhigend, so zuversichtlich, dass ich ihn gleich wieder mag.

Den gestrigen Abend habe ich damit zugebracht, in Jogginghose und T-Shirt auf dem Sofa zu sitzen und Listen mit Aufgaben und möglichen Strategien zu erstellen. Zum Beispiel könnte ich während der Rushhour am Bahnhof von Witney rumhängen, bis ich den Rothaarigen von Samstagabend wiedersähe. Ich könnte ihn auf einen Drink einladen und dann sehen, wohin das führen würde. Ob er irgendwas beobachtet hätte und was er von jenem Abend noch wüsste. Dabei bestünde allerdings die Gefahr, dass ich Anna oder Tom begegnete und sie mich meldeten, wodurch ich Schwierigkeiten (noch mehr Schwierigkeiten) mit der Polizei bekäme. Zweitens könnte ich mich dadurch angreifbar machen. In meinem Kopf schwirrt immer noch die verschwommene Erinnerung an einen Streit herum – vielleicht habe ich ja auf meiner Schädeldecke und Lippe die körperlichen Folgen davongetragen. Und was, wenn der Rothaarige mir das angetan hat? Dass er mir zugelächelt und gewinkt hat, hat schließlich überhaupt nichts zu bedeuten. Deswegen könnte er trotzdem ein Psychopath sein. Allerdings kann ich ihn mir nicht als Psychopathen vorstellen. Er macht einen freundlichen Eindruck, ohne dass ich erklären könnte, warum.

Ich könnte Scott noch einmal kontaktieren. Ich müsste ihm irgendwie begreiflich machen, warum er mit mir sprechen muss, aber ich fürchte, dass alles, was ich vorbringen kann, mich nur noch verrückter aussehen lässt. Er könnte sogar annehmen, dass ich etwas mit Megans Verschwinden zu tun hätte, und mich der Polizei melden. Dann könnte ich richtig Probleme bekommen.

Ich könnte es auch mit Hypnose probieren. Selbst wenn ich mir ziemlich sicher bin, dass ich dadurch keine weiteren Erinnerungen wachrufen kann, bin ich doch neugierig. Und schaden kann es schließlich nicht, oder?

Noch während ich dasaß, mir Notizen machte und das Internet durchforstete, kam Cathy nach Hause. Sie war mit Damien im Kino gewesen. Ganz offensichtlich war sie positiv überrascht, dass ich nüchtern war, aber sie wirkte gleichzeitig ein bisschen argwöhnisch, weil wir praktisch nicht mehr miteinander gesprochen hatten, seit am Dienstag die Polizei vorbeigekommen war. Als ich ihr erzählte, dass ich drei Tage lang nicht mehr getrunken habe, nahm sie mich in die Arme.

»Ich bin so froh, dass du langsam wieder die Alte wirst«, zirpte sie, als wüsste sie genau, wie ich von Natur aus zu sein habe.

»Diese Sache mit der Polizei«, hob ich an, »war bloß ein Missverständnis. Es gibt keine Probleme zwischen mir und Tom, und über diese vermisste Frau weiß ich auch nichts. Du brauchst dir also keine Sorgen zu machen.«

Sie umarmte mich noch einmal und setzte für uns beide Tee auf. Ich überlegte kurz, ob ich das Wohlwollen, das ich mir erarbeitet hatte, ausnutzen und ihr von meiner Jobsituation erzählen sollte, wollte ihr aber den Abend nicht verderben.

Heute Morgen war sie mir immer noch gewogen. Als ich das Haus verlassen wollte, schloss sie mich nochmals in die Arme.

»Ich freue mich wirklich für dich, Rach«, sagte sie, »dass du wieder auf die Reihe gekommen bist. Ich hatte mir ehrlich Sorgen gemacht.« Dann erzählte sie mir, dass sie das Wochenende bei Damien verbringen wolle, und mein erster Gedanke war, dass ich heute Abend, sobald ich wieder zu Hause wäre, etwas trinken würde, ganz ohne dass mich jemand dafür verurteilt.

Abends

Den durchdringend bitteren Chinin-Beigeschmack liebe ich am meisten an einem kalten Gin Tonic. Am besten schmeckt das Tonic von Schweppes, und es sollte aus einer Glas-, nicht aus der Plastikflasche kommen. Diese fertig gemixten Dinger sind eine Katastrophe, aber manchmal müssen sie eben sein. Ich sollte das nicht tun, das ist mir klar, aber ich freue mich schon den ganzen Tag darauf, und es ist nicht nur die Vorfreude auf das Alleinsein, sondern auch Aufregung. Adrenalin. Ich bin wie aufgedreht. Meine Haut kribbelt. Es war ein guter Tag.

Heute Morgen habe ich eine Stunde allein mit Detective Inspector Gaskill verbracht. Sobald ich aufs Revier kam, wurde ich zu ihm gebracht. Diesmal saßen wir in seinem Büro und nicht im Vernehmungsraum. Er fragte mich, ob ich einen Kaffee wolle, und als ich Ja sagte, stand er zu meiner großen Verblüffung auf, um ihn persönlich zuzubereiten. Auf einem Kühlschrank in der Ecke des Büros standen ein Wasserkocher und eine Dose Nescafé. Er entschuldigte sich sogar dafür, dass er keinen Zucker dahatte.

Ich fühlte mich wohl in seiner Gesellschaft. Es gefiel mir, wie sich seine Hände bewegten – nicht, dass er besonders viel gestikulieren würde, aber er verschiebt andauernd irgendwelche Gegenstände. Im Vernehmungsraum war mir das gar nicht aufgefallen, weil es dort kaum etwas gegeben hatte, was er hätte verschieben können. Doch in seinem Büro änderte er fortwährend die Position des Kaffeebechers, des Hefters, des Stiftbehälters, oder er schob Papiere zu exakten Stapeln zusammen. Er hat große Hände und lange Finger mit gepflegten Nägeln. Und er trägt keinen Ring.

Auch die Atmosphäre zwischen uns war heute Morgen anders. Diesmal fühlte ich mich nicht wie eine Verdächtige, wie jemand, den er versucht zu überführen. Ich kam mir nützlich vor. Am nützlichsten kam ich mir vor, als er einen Ordner herauszog, ihn vor mir aufklappte und mir eine Reihe von Fotos zeigte. Von Scott Hipwell, drei Männern, die ich noch nie gesehen hatte, und von L.

Im ersten Moment war ich mir nicht ganz sicher. Ich starrte das Foto an und versuchte, das Bild des Mannes heraufzubeschwören, den ich damals mit ihr zusammen gesehen und der sich mit geneigtem Kopf vorgebeugt hatte, um sie in die Arme zu schließen.

»Das ist er«, sagte ich. »Ich glaube, das ist er.«

»Aber sicher sind Sie sich nicht?«

»Doch, ich glaube, das ist er.«

Er nahm das Bild heraus und betrachtete es kritisch. »Sie haben gesehen, wie sich die beiden küssten, haben Sie gesagt? Am vergangenen Freitag, richtig? Vor einer Woche?«

»Genau. Am Freitagmorgen. Sie waren draußen im Garten.«

»Und Sie sind sich ganz sicher, dass Sie die Situation richtig interpretiert haben? Es war nicht vielleicht eine Umarmung oder – sagen wir – ein platonischer Kuss?«

»Nein. Es war ein richtiger Kuss. Ein ... romantischer Kuss.«

Ich meinte zu sehen, wie seine Lippen zuckten, als hätte er gern gelächelt.

»Wer ist das?«, fragte ich Gaskill. »Ist er … Glauben Sie, dass sie jetzt bei ihm ist?«

Er schüttelte knapp den Kopf, ohne etwas zu sagen.

»Ist das … Habe ich Ihnen geholfen? Hilft Ihnen das irgendwie weiter?«

»Ja, Ms. Watson. Sie haben uns geholfen. Danke, dass Sie noch mal vorbeigekommen sind.«

Wir gaben uns die Hand, und als er dabei eine Sekunde lang ganz leicht seine Linke auf meine rechte Schulter legte, hätte ich am liebsten den Kopf gedreht und einen Kuss daraufgehaucht. Es ist schon eine Weile her, seit mich zuletzt jemand auch nur ansatzweise liebevoll berührt hat. Na ja, abgesehen von Cathy.

Gaskill führte mich aus seinem Zimmer hinaus ins offene Großraumbüro des Reviers. Dort arbeitet etwa ein Dutzend Polizistinnen und Polizisten. Ich fing ein, zwei Seitenblicke auf, möglicherweise halb interessiert oder geringschätzig, ich hätte es nicht sagen können. Wir gingen durch das Büro hinaus auf den Korridor, und da sah ich ihn auf mich zukommen, begleitet von Riley: Scott Hipwell. Er kam zum Haupteingang herein. Ich wusste sofort, dass er es war, obwohl er den Kopf gesenkt hatte. Er sah auf, nickte Gaskill knapp zu und sah dann mich an. Eine Sekunde trafen sich unsere Blicke, und ich hätte schwören können, dass er mich wiedererkannte. Ich musste wieder an den Morgen denken, als ich ihn auf der Terrasse gesehen und er in Richtung Gleise geschaut hatte, bis ich das Gefühl gehabt hatte, dass er mich direkt ansah. Noch im Korridor gingen wir aneinander vorbei. Er war mir so nahe, dass ich ihn hätte berühren können – aus der Nähe war er ein schöner Mann, ausgezehrt, angespannt wie eine Sprungfeder und voll nervöser Energie, die regelrecht von ihm abstrahlte. Als ich die Eingangshalle erreichte, war ich so überzeugt, seinen Blick immer noch auf mir zu spüren, dass ich mich umdrehte, doch dann begriff ich, dass mir stattdessen Riley nachgesehen hatte.

Ich nahm den Zug nach London und setzte mich in die Bücherei. Ich las alles über den Fall, was ich auftreiben konnte, erfuhr aber nichts Neues. Anschließend suchte ich nach Hypnotherapeuten in Ashbury, vertiefte die Suche aber nicht – die Therapie ist teuer, und es ist nun mal nach wie vor nicht nachgewiesen, dass man damit tatsächlich verschüttete Erinnerungen heraufbeschwören kann. Noch während ich die Schilderungen diverser Patienten las, die behaupteten, Erinnerungen unter Hypnose wachgerufen zu haben, begriff ich plötzlich, dass ich einen Erfolg noch mehr fürchtete als einen Fehlschlag. Mich schreckt nicht allein der Gedanke, was ich über den Samstagabend erfahren könnte, sondern viel mehr. Ich weiß nicht, ob ich es ertragen könnte, ein zweites Mal zu durchleben, was ich Dummes und Schreckliches getan, was ich in meinem Hass gesagt habe und wie Tom mich dabei angesehen hat. Ich habe zu große Angst, um mich in diese Dunkelheit zu wagen.

Ich dachte darüber nach, ob ich Scott noch eine E-Mail schreiben sollte, aber dazu gab es eigentlich keinen Grund. Das Treffen heute Morgen mit Detective Inspector Gaskill hat mir gezeigt, dass die Polizei mich ernst nimmt. Aber ab jetzt spiele ich keine Rolle mehr – damit muss ich mich wohl abfinden. Und ich kann mich zumindest in dem Gefühl sonnen, dass ich ihnen vielleicht geholfen habe, denn es war doch bestimmt kein Zufall, dass Megan am selben

Tag verschwand, nachdem ich sie mit diesem Mann gesehen hatte.

Unter einem erfrischenden Klicken und Zischen öffne ich die zweite Dose Gin Tonic und stelle beflügelt fest, dass ich den ganzen Tag noch nicht an Tom denken musste. Bis jetzt jedenfalls. Ich habe an Scott gedacht, an Gaskill, an L., an den Mann im Zug. Tom wurde auf den fünften Platz verdrängt. In dem guten Gefühl, endlich einen Grund zum Feiern zu haben, nehme ich einen großen Schluck. Ich weiß, dass ich es irgendwann überstanden habe, dass ich wieder glücklich werde. Und dass es nicht mehr lange dauert.

Samstag, 20. Juli 2013

Morgens

Ich werde es nie lernen. Beschämt und in der niederschmetternden Gewissheit, dass irgendwas nicht stimmt, dass ich etwas Dummes getan habe, wache ich auf. Wieder einmal durchlaufe ich das schreckliche, schmerzlich vertraute Ritual, mir ins Gedächtnis rufen zu müssen, was genau ich angerichtet habe. Ich habe eine E-Mail verschickt. Richtig.

Irgendwann gestern Abend schaffte es Tom wieder an die Spitze der Liste von Männern, die mir nicht mehr aus dem Kopf gehen wollten, und so habe ich ihm eine E-Mail geschickt. Der Laptop liegt neben meinem Bett am Boden wie ein stummer Vorwurf. Mit einem großen Schritt darüber hinweg verschwinde ich ins Bad. Ich trinke Wasser direkt aus dem Hahn und begutachte mich kurz im Spiegel.

Gut sehe ich nicht aus. Trotzdem sind drei Tage am Stück nicht schlecht, und heute fange ich wieder von vorn an. Ich stehe ewig unter der Dusche und drehe nur langsam die Temperatur zurück, das Wasser wird kühler und kühler, bis es richtig kalt ist. Kein Mensch kann sich direkt unter die kalte Dusche stellen, der Schock ist zu brutal, aber wenn man ganz behutsam vorgeht, merkt man es kaum; es ist wie bei dem kochenden Frosch, nur umgekehrt. Das kühle Wasser beruhigt meine Haut; es dämpft den brennenden Schmerz der Platzwunden an meinem Kopf und über meinem Auge.

Ich nehme den Laptop mit nach unten und mache mir einen Tee. Es besteht die Chance – die hauchdünne Chance –, dass ich die E-Mail an Tom zwar geschrieben, aber nicht abgeschickt habe. Ich hole tief Luft und öffne meinen Gmail-Account. Zu meiner Erleichterung sind keine Mails eingegangen. Aber als ich auf den Ordner mit den gesendeten Nachrichten klicke, springt sie mir entgegen. Natürlich habe ich ihm geschrieben, er hat nur nicht geantwortet. Noch nicht. Die Mail ging gestern Abend um kurz nach elf raus; da hatte ich schon ein paar Stunden lang getrunken. Das Adrenalin- und Alkoholhochgefühl vom frühen Abend war da bestimmt schon längst verflogen. Ich klicke die Nachricht an.

Könntest du bitte deiner Frau ausrichten, sie soll aufhören, der Polizei Lügen über mich zu erzählen? Ziemlich fies, mich derart in Schwierigkeiten bringen zu wollen, findest du nicht? Der Polizei zu erzählen, dass ich es auf sie und ihre hässliche Kröte abgesehen hätte? Sie soll sich mal einkriegen. Richte ihr aus, sie soll mich verflucht noch mal in Ruhe lassen.

Ich schließe die Augen und schlage den Laptop zu. Ich winde mich, im wahrsten Sinn des Wortes, mein Körper krümmt sich wie von selbst. Ich will mich möglichst klein machen; ich will nur noch verschwinden. Und ich habe Angst, denn wenn Tom beschließen sollte, diese E-Mail der Polizei zu zeigen, könnte ich ernsthafte Schwierigkeiten bekommen. Falls Anna Beweise dafür sammeln sollte, dass ich rachsüchtig und besessen bin, könnte dies hier das entscheidende Element in ihrem Dossier werden. Wieso musste ich das kleine Mädchen erwähnen? Was für ein Mensch tut so was? Was für ein Mensch denkt so was? Ich habe nichts gegen die Kleine – ich könnte gar nichts Schlechtes über ein Kind denken, ganz gleich, über welches, und schon gar nicht über Toms Kind. Ich verstehe mich selbst nicht mehr; ich verstehe nicht, was für ein Mensch ich geworden bin. Gott, er muss mich hassen. *Ich* hasse mich – jedenfalls diese Version meiner selbst, die Version, die gestern Abend diese E-Mail verfasst hat. Sie fühlt sich nicht einmal nach mir an, denn so bin ich nicht. Ich bin nicht so hasserfüllt.

Oder doch? Ich versuche, nicht an meine schlimmsten Zeiten zu denken, aber in solchen Augenblicken drängen sich mir die Erinnerungen unwillkürlich auf. Die Erinnerungen an einen anderen Streit, damals, kurz vor dem Ende: direkt nach dem Aufwachen, nach einer Party, nach einem Blackout, als Tom mir erzählt, was ich am Vorabend alles angestellt haben soll, wie peinlich ich ihm gewesen sei, wie ich die Frau seines Kollegen beschimpft und angekreischt habe, sie würde mit meinem Mann flirten. »Ich habe wirklich keine Lust mehr, mit dir auszugehen«, sagte er. »Du fragst doch immer, wieso ich nie Freunde einlade, wieso ich nicht mehr mit dir in den Pub gehen will. Willst du wirklich wissen, warum? Deinetwegen. Weil ich mich für dich schäme.«

Ich greife nach meiner Handtasche und dem Schlüssel. Ich werde zum Londis-Laden unten an der Straße gehen. Es ist mir egal, dass es noch nicht einmal neun Uhr ist, ich habe Angst, und ich will nicht nachdenken müssen. Wenn ich ein paar Schmerztabletten einwerfe und dann sofort was trinke, beruhige ich mich halbwegs wieder und verschlafe den restlichen Tag. Ich kann mich all dem später stellen. Doch als ich an der Haustür bin und meine Hand über der Klinke schwebt, halte ich inne. Ich könnte mich auch einfach entschuldigen. Wenn ich mich jetzt sofort entschuldige, kann ich vielleicht noch etwas retten. Vielleicht könnte ich ihn überreden, die E-Mail weder Anna noch der Polizei zu zeigen. Es wäre nicht das erste Mal, dass er mich vor ihr beschützt.

Ich habe der Polizei nicht die ganze Wahrheit über jenen Tag im vergangenen Sommer erzählt, an dem ich bei Tom und Anna war. Zum einen hab ich nicht geklingelt. Ich wusste nicht einmal, was ich dort eigentlich wollte – ich weiß bis heute nicht, was ich damals vorhatte. Jedenfalls ging ich direkt den schmalen Weg entlang und kletterte über den Zaun. Alles war still, es war nichts zu hören. Ich schlich zur Terrassentür und spähte ins Wohnzimmer. Dass Anna auf dem Sofa lag und schlief, stimmte. Aber ich rief weder nach ihr noch nach Tom. Ich wollte sie nicht aufwecken. Das Baby weinte nicht, es lag schlafend in der Wippe direkt neben seiner Mutter. Ich nahm es hoch und lief damit nach draußen, so schnell ich konnte. Das Baby wachte auf und begann zu greinen, während ich mit ihm zum Zaun hinüberrannte, daran erinnere ich mich noch. Ich weiß beim besten Willen nicht, was ich mir dabei dachte. Ich wollte dem Mädchen nichts tun. Das Baby fest an meine Brust gedrückt, erreichte ich den Zaun. Inzwischen weinte es richtig und begann irgendwann zu schreien. Ich ließ es auf und ab hüpfen und versuchte, es zu beruhigen, und dann, urplötzlich, hörte ich noch ein anderes Geräusch, einen herannahenden Zug, und als ich dem Zaun den Rücken zukehrte, sah ich sie – Anna – auf mich zurennen, den Mund verzerrt wie eine klaffende Wunde, die Lippen in Bewegung, ohne dass ich auch nur ein einziges Wort verstanden hätte.

Sie riss mir das Kind aus den Händen, und ich wollte schon weglaufen, doch dann stolperte ich und fiel der Länge nach hin. Sie stand über mir und schrie mich an, befahl mir, mich nicht vom Fleck zu rühren, sonst würde sie die Polizei rufen. Stattdessen rief sie Tom an, der sofort heimkam und sich mit ihr ins Wohnzimmer setzte. Sie war hysterisch und wollte trotz allem die Polizei anrufen, um mich verhaften zu lassen, weil ich ihr Kind hatte entführen wollen. Tom beruhigte sie halbwegs, er bettelte sie an, nichts zu unternehmen, mich einfach wieder laufen zu lassen. Er rettete mich vor ihr. Dann fuhr er mich nach Hause, und als er mich daheim absetzte, nahm er meine Hand. Im ersten Moment hielt ich es für eine freundliche, aufmunternde Geste, aber er drückte immer fester und fester zu, bis ich aufschrie, und dann erklärte er mir mit hochrotem Gesicht, dass er mich umbringen würde, falls ich seiner Tochter je etwas antun würde.

Ich weiß wirklich nicht, was mich damals getrieben hat. Ich weiß es immer noch nicht. An der Tür zögere ich kurz, meine Finger liegen schon auf der Klinke. Ich beiße mir fest auf die Lippe. Wenn ich jetzt anfange zu trinken, werde ich mich ein, zwei Stunden lang besser und danach sechs oder sieben Stunden lang so richtig elend fühlen, das ist mir klar. Ich lasse die Klinke wieder los, kehre ins Wohnzimmer zurück und klappe den Laptop auf. Ich muss mich entschuldigen, ich muss ihn um Verzeihung bitten. Also logge ich mich wieder in mein E-Mail-Konto ein und stelle fest, dass ich eine neue Nachricht habe.

Aber nicht von Tom. Sondern von Scott Hipwell.

Liebe Rachel Watson,
danke für Ihre Nachricht. Ich kann mich nicht erinnern, dass Megan Sie je erwähnt hat, aber sie hatte viele Stammkunden in der Galerie, und ich habe kein besonders gutes Namensgedächtnis. Ich würde gern von Ihnen hören, was Sie wissen. Bitte rufen Sie mich so bald wie möglich unter 05361/00035877 an.
Freundliche Grüße
Scott Hipwell

Im ersten Moment bin ich davon überzeugt, dass er die E-Mail an die falsche Adresse geschickt hat – diese Nachricht ist für jemand anderen bestimmt –, aber nur für einen winzigen Moment. Dann erinnere ich mich wieder. Ich erinnere mich wieder daran. Dass ich auf dem Sofa saß und bei der Hälfte der zweiten Flasche merkte, wie sehr ich mich darüber ärgerte, dass ich meine Rolle ausgespielt haben sollte. Ich wollte wieder dabei sein.

Also habe ich ihm noch einmal geschrieben.

Ich scrolle von seiner Mail weiter zu meiner.

Lieber Scott Hipwell,
bitte entschuldigen Sie, dass ich Ihnen noch einmal schreibe, aber ich habe das Gefühl, dass wir uns unbedingt unterhalten

sollten. Ich weiß nicht, ob Megan mich je erwähnt hat; ich kenne sie aus der Galerie, und auch ich habe früher in Witney gewohnt. Ich denke, ich verfüge über Informationen, die Sie interessieren könnten. Bitte antworten Sie mir unter dieser Adresse.
Rachel Watson

Ich merke, wie mir das Blut in den Kopf schießt und sich in meinem Magen die Säure staut. Erst gestern hatte ich beschlossen – vernünftig, mit klarem Kopf, bei Verstand –, mich damit abzufinden, dass meine Rolle in dieser Geschichte ausgespielt ist. Doch meine Schutzengel haben den Kampf wieder mal verloren, sie wurden besiegt vom Alkohol, von der Person, zu der ich werde, wenn ich trinke. Die betrunkene Rachel interessiert sich nicht für Konsequenzen, sie ist entweder übertrieben mitteilsam und optimistisch oder von Hass erfüllt. Sie kennt keine Vergangenheit und keine Zukunft. Sie existiert allein im Augenblick. Die betrunkene Rachel hat gelogen – weil sie ein Teil der Geschichte sein wollte, weil sie Scott irgendwie dazu verleiten musste, mit ihr zu reden.

Ich habe gelogen.

Am liebsten würde ich mir ein Messer über die Haut ziehen, nur um etwas anderes zu empfinden als nackte Scham, aber selbst dazu bin ich zu feige. Ich entwerfe eine E-Mail an Tom, formuliere und lösche, formuliere und lösche und ringe um die richtigen Worte, um ihn für das, was ich gestern Abend geschrieben habe, um Verzeihung zu bitten. Wenn ich alles aufschreiben würde, wofür ich Tom um Verzeihung bitten müsste, käme wahrscheinlich ein ganzes Buch zusammen.

Abends

Vor einer Woche, vor fast genau einer Woche trat Megan Hipwell aus dem Haus Nummer fünfzehn in der Blenheim Road und verschwand. Seither wurde sie nicht mehr gesehen. Weder ihr Handy noch ihre Bankkarten wurden seit Samstag verwendet. Als ich das heute in einem Artikel las, kamen mir die Tränen. Jetzt schäme ich mich für meine heimlichen Gedanken. Megan ist kein Krimirätsel, das es zu lösen gilt, sie ist keine wunderschöne, ätherische, geisterhafte Gestalt, die am Anfang eines Films durchs Bild schlendert. Sie ist kein Geheimcode. Sie ist ein Mensch.

Ich sitze im Zug und fahre zu ihrem Haus. Ich werde mich mit ihrem Mann treffen.

Ich musste ihn anrufen. Der Schaden war bereits angerichtet. Ich konnte seine E-Mail nicht mehr ignorieren – er hätte sie der Polizei gemeldet. Oder etwa nicht? Ich an seiner Stelle hätte der Polizei erzählt, wenn irgendein Fremder Kontakt mit mir aufgenommen und behauptet hätte, über Informationen zu verfügen, um danach sang- und klanglos abzutauchen. Vielleicht hat er die Polizei auch angerufen; vielleicht wartet sie in seinem Haus bereits auf mich.

Ich sitze auf meinem üblichen Platz, wenn auch an einem unüblichen Tag, und habe das Gefühl, über eine Klippe zu fahren. Das gleiche Gefühl hatte ich auch heute Morgen, als ich seine Nummer wählte: als würde ich durch die Dunkelheit stürzen, ohne zu wissen, wann der Aufprall kommt. Er sprach ganz leise, so als wäre noch jemand bei ihm im Zimmer, der das Gespräch nicht mit anhören sollte.

»Können wir uns persönlich unterhalten?«, fragte er.

»Ich ... Nein. Ich glaube nicht ...«

»Bitte?«

Ich zögerte nur kurz, dann stimmte ich zu.

»Könnten Sie zu mir nach Hause kommen? Nicht jetzt, meine ... Es sind Leute hier. Heute Abend vielleicht?« Er nannte mir die Adresse, und ich tat so, als würde ich sie aufschreiben. »Danke, dass Sie mir geschrieben haben«, sagte er noch und legte auf.

Noch während ich zusagte, war mir klar, dass das keine gute Idee war. Was ich aus der Zeitung über Scott weiß, ist nicht der Rede wert. Was ich aus meinen eigenen Beobachtungen weiß, weiß ich nicht wirklich. Ich weiß rein gar nichts über Scott. Ich weiß ein paar Sachen über Jason – der, wie ich mir immer wieder ins Gedächtnis rufen muss, nicht existiert. Mit Gewissheit – mit absoluter Gewissheit – weiß ich nur, dass Scotts Frau seit einer Woche vermisst wird. Ich vermute, dass er unter Verdacht steht. Und nachdem ich diesen Kuss gesehen habe, ahne ich, dass er auch ein Motiv hatte, sie umzubringen. Natürlich weiß er unter Umständen gar nicht, dass er ein Motiv hatte, andererseits ... Ich habe mich schon wieder in meinen eigenen Gedanken verheddert, aber wie könnte ich mir die Gelegenheit entgehen lassen, das Haus zu betreten, das ich hundertmal von den Gleisen und von der Straße aus beobachtet habe? An seiner Haustür zu klingeln, hineinzugehen, in seiner Küche, auf seiner Terrasse zu sitzen, wo die beiden immer gesessen haben? Wo ich die beiden beobachtet habe?

Die Versuchung war einfach zu groß. Jetzt sitze ich im Zug wie ein aufgeregtes Kind auf Abenteuersuche, habe die Arme um den Leib geschlungen und die Hände unter die Achseln geklemmt, damit man sie nicht zittern sieht. Ich war so froh, wieder etwas vorzuhaben, dass kein Gedanke mehr für die Realität übrig war. Und kein Gedanke an Megan.

Jetzt denke ich wieder über sie nach. Ich muss Scott davon überzeugen, dass wir uns kannten – flüchtig, nicht allzu gut. Auf diese Weise wird er mir glauben, wenn ich ihm erzähle, dass ich sie mit einem anderen Mann gesehen habe. Wenn ich sofort zugebe, dass ich gelogen habe, wird er mir sicher nicht vertrauen. Also versuche ich, mir auszumalen, wie es wohl gewesen wäre, in ihrer Galerie vorbeizugucken, bei einem Kaffee mit ihr zu plaudern. Trinkt sie überhaupt Kaffee? Vielleicht haben wir uns über Kunst unterhalten oder über Yoga oder unsere Ehemänner. Aber ich verstehe nichts von Kunst, und ich habe auch noch nie Yoga gemacht. Einen Mann habe ich auch nicht. Und sie betrügt ihren.

Ich muss daran denken, was ihre echten Freundinnen über sie gesagt haben. *Wunderbar, witzig, schön, warmherzig.* Sie hat einen Fehler gemacht. So was kommt vor. Keine von uns ist vollkommen.

ANNA

Samstag, 20. Juli 2013

Morgens

Um kurz vor sechs wacht Evie auf. Ich stehe auf, husche ins Kinderzimmer und hole sie aus ihrem Bettchen. Nach dem Füttern nehme ich sie mit zu uns ins Bett.

Als ich wieder aufwache, liegt Tom nicht mehr neben mir, aber ich kann seine Schritte auf der Treppe hören. Er singt leise, fast tonlos: *Happy birthday to you, happy birthday to you…* Vorhin habe ich nicht einen Gedanken daran verschwendet, es ist mir komplett entfallen; ich wollte bloß mein kleines Mädchen holen und wieder zurück ins Bett schlüpfen. Jetzt muss ich kichern, bevor ich überhaupt richtig wach bin. Ich schlage die Augen auf und sehe Evie lächeln, und als ich aufblicke, steht Tom mit einem Tablett an der Bettkante. Er trägt meine alte Orla-Kiely-Schürze und sonst gar nichts.

»Frühstück im Bett, Geburtstagskind«, verkündet er, stellt das Tablett auf dem Fußende ab und kommt an meine Seite, um mir einen Kuss zu geben.

Ich packe meine Geschenke aus. Von Evie bekomme ich ein hübsches Silberarmband mit Einlegearbeiten aus Onyx, von Tom ein schwarzes Seidenkorselett und das dazu passende Höschen, und ich muss in einem fort lächeln. Er klettert wieder ins Bett, und so bleiben wir liegen, mit Evie in unserer Mitte. Sie hat ihre Hand fest um seinen Zeigefinger geschlossen, während ich ihren perfekten, rosigen Fuß halte, und es ist, als würde in meiner Brust ein Feuerwerk gezündet. So viel Liebe kann es eigentlich gar nicht geben.

Als Evie nach einer Weile keine Lust mehr hat, zwischen uns zu liegen, nehme ich sie mit nach unten, damit Tom noch ein bisschen weiterschlafen kann. Das hat er sich verdient. Ich werkle vor mich hin und räume ein bisschen auf. Meinen Kaffee trinke ich draußen auf der Terrasse, wo ich die halb leeren Züge vorbeirumpeln sehe, und dabei plane ich das Mittagessen. Es ist heiß – zu heiß für einen Braten, trotzdem werde ich einen machen, weil Tom Roastbeef über alles liebt. Anschließend können wir ja zur Abkühlung ein Eis essen. Ich muss nur kurz einkaufen gehen, um den Merlot zu besorgen, den er so gern mag, also mache ich Evie fertig, setze sie in ihren Buggy, und wir ziehen los zum Supermarkt.

Alle haben mich für verrückt erklärt, als ich damals einwilligte, bei Tom einzuziehen. Andererseits haben mich auch alle für verrückt erklärt, als ich mich mit einem verheirateten Mann einließ, noch dazu einem verheirateten Mann mit einer extrem labilen Ehefrau, und in dieser Hinsicht konnte ich allen beweisen, dass sie sich irrten. Sie kann noch so viel Ärger machen – Tom und Evie sind mir das wert. Mit dem Haus hatten sie allerdings recht. An Tagen wie heute, wenn die Sonne scheint und man unsere kleine Straße entlangspaziert – eine gepflegte Allee, zwar keine echte Sackgasse, aber mit einem ganz ähnlichen Gemeinschaftssinn –, könnte es perfekt sein. Auf den Gehwegen trifft man lauter Mütter wie mich, mit angeleinten Hunden oder kleinen Kindern auf Tretrollern. Es könnte die perfekte Idylle sein. Das könnte es sein – wenn nicht immer wieder das Kreischen der Zugbremsen zu hören wäre. Es könnte perfekt sein, wenn da nicht Nummer fünfzehn wäre, sobald man sich zur Seite dreht.

Als ich zurückkomme, sitzt Tom am Esstisch vor seinem Laptop. Er trägt Shorts, aber kein Shirt; bei jeder Bewegung kann ich sehen, wie unter seiner Haut die Muskeln spielen. Ich habe immer noch Schmetterlinge im Bauch, wenn ich ihn nur ansehe. Ich begrüße ihn, aber er ist so mit sich selbst beschäftigt, dass er zusammenschreckt, als ich ihm mit den Fingerspitzen über die Schulter fahre. Der Laptop schlägt zu.

»He«, sagt er und steht auf. Er lächelt, aber er sieht müde aus – und besorgt. Er nimmt mir Evie ab, ohne mir dabei in die Augen zu sehen.

»Was ist?«, frage ich. »Was ist los?«

»Nichts«, sagt er, und dann dreht er sich zum Fenster und lässt Evie auf seiner Hüfte auf und ab wippen.

»Tom, was ist los?«

»Gar nichts.« Er dreht sich wieder um und sieht mich an, und noch ehe er ein einziges Wort gesagt hat, weiß ich, was gleich kommen wird. »Rachel. Schon wieder eine E-Mail.«

Er schüttelt den Kopf und sieht dabei so verletzt und aufgebracht aus, dass ich merke, wie ich wütend werde, weil ich es nicht länger aushalte. Manchmal könnte ich diese Frau umbringen.

»Was schreibt sie?«

Er schüttelt wieder nur den Kopf. »Ist doch egal. Bloß … das Übliche. Irgendwelchen Mist.«

»Das tut mir leid …« Ich frage nicht, was für ein Mist es

diesmal ist, weil ich genau weiß, dass er es mir nicht erzählen will. Er möchte mich nicht damit belasten.

»Schon okay, nichts weiter. Nur der übliche besoffene Quatsch.«

»Gott, wird sie uns jemals in Ruhe lassen? Wird sie uns jemals glücklich werden lassen?«

Er kommt zu mir, hält unsere Tochter zwischen uns und küsst mich. »Wir *sind* glücklich«, sagt er. »Das sind wir.«

Abends

Wir *sind* glücklich. Wir haben zusammen zu Mittag gegessen und uns dann auf den Rasen gelegt, und als es zu heiß wurde, sind wir wieder hineingegangen und haben Eis gegessen. Anschließend sah Tom sich irgendein Formel-1-Rennen an, während Evie und ich selbst Knete herstellten, von der sie einen ordentlichen Batzen vertilgte. Mir geht immer wieder durch den Kopf, was ein paar Häuser weiter in unserer Straße passiert ist, und mir wird wieder bewusst, wie glücklich ich mich schätzen kann und dass ich alles bekommen habe, was ich mir je gewünscht hatte. Wenn ich Tom ansehe, dann danke ich Gott, dass wir uns getroffen haben und dass ich da war, um ihn vor dieser Frau zu retten. Sie hätte ihn irgendwann in den Wahnsinn getrieben, davon bin ich absolut überzeugt – sie hätte ihn zermürbt, sie hätte ihn zu jemandem gemacht, der er überhaupt nicht ist.

Tom hat Evie mit nach oben genommen, um sie zu baden. Selbst hier unten kann ich ihr vergnügtes Quietschen hören und muss schon wieder lächeln – fast den ganzen Tag habe ich ein Lächeln auf den Lippen. Ich erledige den Abwasch, räume das Wohnzimmer auf und überlege mir, was wir zu Abend essen könnten. Irgendwas Leichtes. Komisch – vor ein paar Jahren hätte ich die Vorstellung ganz schrecklich gefunden, an meinem Geburtstag zu Hause zu bleiben und zu kochen, aber jetzt finde ich es einfach nur perfekt, genau so muss es sein. Nur wir drei.

Ich sammle Evies Spielsachen auf, die überall auf dem Wohnzimmerboden verstreut liegen, und werfe sie in die Spielzeugkiste. Ich freue mich schon darauf, sie heute Abend früh ins Bett zu stecken und dann in das Seidenkorselett zu schlüpfen, das Tom mir geschenkt hat. Obwohl es erst in ein paar Stunden dunkel wird, zünde ich die Kerzen auf dem Kaminsims an und mache die zweite Flasche Merlot auf, damit der Wein noch eine Weile atmen kann. Gerade als ich mich über das Sofa beuge, um die Vorhänge zuzuziehen, sehe ich auf der gegenüberliegenden Straßenseite eine Frau mit gesenktem Kopf über den Bürgersteig hasten. Sie sieht zwar nicht auf, aber ich bin mir hundertprozentig sicher, dass sie es ist. Mein Herz hämmert, trotzdem beuge ich mich noch ein Stück weiter vor, um sie besser sehen zu können, doch der Winkel stimmt nicht ganz, und im nächsten Moment ist sie auch schon verschwunden.

Ich drehe mich um und will aus der Haustür stürmen, um ihr nachzurennen, aber da steht Tom mit einer in ein Handtuch gewickelten Evie auf dem Arm vor mir.

»Alles in Ordnung?«, fragt er. »Was ist denn los?«

»Nichts«, sage ich und stopfe die Hände in die Taschen, damit er nicht sieht, wie sie zittern. »Nichts ist los. Gar nichts.«

RACHEL

Sonntag, 21. Juli 2013

Morgens

Schon beim Aufwachen muss ich an ihn denken. Es kommt mir unwirklich vor, all das kommt mir so unwirklich vor… Meine Haut kribbelt. Ich würde für mein Leben gern was trinken, aber das kommt nicht infrage. Ich muss einen klaren Kopf bewahren. Für Megan. Für Scott.

Gestern habe ich mich richtig ins Zeug gelegt. Ich habe mir die Haare gewaschen und Make-up aufgelegt und die einzige Jeans angezogen, die noch passt, dazu eine bedruckte Baumwollbluse und Sandalen mit niedrigem Absatz. Ich sah wirklich okay aus. Immer wieder sagte ich mir, dass es lächerlich sei, mir so viele Gedanken über mein Äußeres zu machen, denn wenn Scott sich für etwas nicht interessiert, dann für mein Aussehen, aber ich konnte einfach nicht anders. Es war unsere erste persönliche Begegnung, darum bedeutete sie mir viel. Mehr, als angebracht gewesen wäre.

Ich nahm den Zug um halb sieben und war um kurz nach sieben in Witney. Wieder marschierte ich durch die Roseberry Avenue und an der Unterführung vorbei. Diesmal blickte ich nicht hinein, das hätte ich nicht ertragen. Das Kinn auf die Brust gepresst und mit aufgesetzter Sonnenbrille eilte ich an Nummer dreiundzwanzig vorbei –

Toms und Annas Haus –, in der stillen Hoffnung, dass sie mich nicht entdeckten. Alles war still, kein Mensch war unterwegs, nur ein paar Autos fuhren langsam an den dicht geparkten Fahrzeugen entlang. Es ist eine verschlafene kleine Straße, aufgeräumt und wohlhabend, in der viele junge Familien wohnen; um sieben sitzen hier alle beim Abendessen oder auf dem Sofa, wo Mum und Dad sich mit den Kleinen in der Mitte *X-Faktor* ansehen.

Von Nummer dreiundzwanzig bis zu Nummer fünfzehn sind es höchstens fünfzig, sechzig Schritte, aber die schienen kein Ende zu nehmen. Ich hatte das Gefühl, eine Ewigkeit unterwegs zu sein; meine Beine waren bleiern, meine Schritte zittrig, als wäre ich betrunken, als könnte ich jeden Moment vom Gehweg rutschen.

Ich hatte noch nicht richtig angeklopft, und meine zitternde Hand hing noch in der Luft, da riss Scott auch schon die Tür auf und stand in seiner raumfüllenden Größe vor mir im Eingang.

»Rachel?«, fragte er und sah, ohne zu lächeln, auf mich herab. Ich nickte. Er gab mir die Hand. Dann winkte er mich ins Haus, aber ich rührte mich nicht vom Fleck. Ich fürchtete mich vor ihm. Aus der Nähe wirkt er einschüchternd, er ist groß und breitschultrig mit definierten Arm- und Brustmuskeln. Seine Hände sind riesig. Mir schoss durch den Kopf, dass er mich mühelos zerquetschen könnte – meinen Hals oder meinen Brustkorb.

Als ich an ihm vorbei in den Hausflur trat, streifte mein Arm seinen, und sofort schoss mir die Röte ins Gesicht. Er roch nach altem Schweiß, und die dunklen Haare klebten ihm am Kopf, als hätte er schon länger nicht mehr geduscht.

Im Wohnzimmer überkam mich ein so starkes Déjà-vu,

dass es beängstigend war. Ich erkannte den Kamin mit den beiden Mauernischen am anderen Ende des Raumes wieder, ich erkannte den Einfallswinkel der Sonnenstrahlen wieder, die sich von der Straße her durch die schräg stehenden Jalousien zwängten; ich wusste, dass ich auf Glasscheiben und Grün und auf die Zugstrecke dahinter schauen würde, sobald ich mich nach links wandte. Ich drehte mich um und sah den Küchentisch, die Terrassentüren und den üppigen Rasen dahinter. Ich kannte dieses Haus. Mir wurde schwindlig, ich wollte mich hinsetzen; meine Gedanken kreisten um das schwarze Loch vom vergangenen Samstagabend, um die vielen verlorenen Stunden.

Natürlich hatte das nichts zu bedeuten. Ich kenne dieses Haus, aber nicht, weil ich schon einmal dort gewesen wäre. Ich kenne es, weil es genauso geschnitten ist wie Nummer dreiundzwanzig: ein Flur, der zur Treppe führt, während sich rechts das Wohnzimmer befindet, das mit der offenen Küche verbunden ist. Terrasse und Garten sind mir vertraut, weil ich sie immer vom Zug aus sehe. Wir gingen nicht nach oben, aber wenn wir es getan hätten, hätte mich dort mit Sicherheit ein Treppenabsatz mit großem Schiebefenster erwartet, durch das man auf eine provisorische Dachterrasse klettern kann. Ich weiß, dass es oben zwei Zimmer gibt: ein großes Schlafzimmer mit zwei tiefen Fenstern zur Straße und ein kleineres nach hinten mit Blick auf den Garten. Nur weil ich das Haus in- und auswendig kenne, muss ich nicht schon mal dort gewesen sein.

Trotzdem zitterte ich am ganzen Körper, als Scott mich in die Küche führte. Er bot mir einen Tee an. Ich setzte mich an den Küchentisch, während er den Wasserkocher einschaltete, einen Teebeutel in einen Becher hängte und dann unter halblautem Gemurmel kochendes Wasser auf der Theke verspritzte. Während es im Raum scharf nach Putzmitteln roch, sah Scott selbst mit dem Schweißfleck hinten auf seinem T-Shirt und den an den Hüften hängenden, sichtlich zu großen Jeans bedauernswert ungepflegt aus. Ich fragte mich, wann er das letzte Mal etwas gegessen hatte.

Er stellte den Teebecher vor mir ab, setzte sich mir gegenüber an den Küchentisch und faltete die Hände. Die Stille dehnte sich förmlich aus, bis sie den Raum zwischen uns ausfüllte, nein, das ganze Zimmer; sie dröhnte mir in den Ohren, mir war heiß, ich fühlte mich unwohl, und schlagartig war mein Hirn wie leer gefegt. Ich wusste nicht mehr, was ich hier überhaupt wollte. Warum in aller Welt war ich hierhergekommen? In der Ferne hörte ich ein tiefes Grollen – der Zug kam näher. Das Geräusch war tröstlich in seiner Vertrautheit.

»Sie sind eine Freundin von Megan?«, fragte er schließlich.

Sowie ich ihren Namen aus seinem Mund hörte, hatte ich einen Kloß im Hals. Die Hände fest um meinen Becher gelegt, starrte ich auf den Tisch hinab.

»Ja«, antwortete ich. »Ich kenne sie … flüchtig. Aus der Galerie.«

Er betrachtete mich abwartend, erwartungsvoll. Ich sah, wie er die Zähne zusammenbiss und dabei die Kiefermuskeln anspannte. Ich rang nach Worten, ohne welche zu finden. Ich hätte mich besser vorbereiten müssen.

»Haben Sie etwas von ihr gehört?«, fragte ich. Unsere Blicke trafen sich, und kurz bekam ich Angst. Diese Frage hätte ich nicht stellen dürfen; es ging mich nichts an, ob er etwas von ihr gehört hatte. Bestimmt würde er jetzt wütend werden und mich rauswerfen.

»Nein«, sagte er. »Was wollten Sie mir erzählen?«

Der Zug rollte langsam vorbei, und ich blickte hinaus auf die Gleise. Mir wurde schwindlig, so als hätte ich mich aus meinem Körper gelöst, als würde ich mich selbst dort draußen sehen können.

»Sie haben in Ihrer Mail geschrieben, dass Sie mir etwas über Megan erzählen möchten.« Seine Stimme hob sich ein bisschen.

Ich holte tief Luft. Ich fühlte mich schrecklich. Mir war schmerzlich bewusst, dass ich mit dem, was ich gleich sagen würde, alles nur noch schlimmer machte; dass ich ihn damit verletzen würde.

»Ich habe sie mit jemandem zusammen gesehen«, sagte ich. Ich blökte es einfach heraus, unvermittelt und schrill, ohne Einleitung, ohne Kontext.

Er starrte mich an. »Wann? Am Samstagabend? Haben Sie das der Polizei erzählt?«

»Nein, am Freitagmorgen«, entgegnete ich, und seine Schultern sackten wieder herab.

»Aber … am Freitag war sie ja noch da. Warum sollte das wichtig sein?« Wieder begann es in seinem Kiefer zu zucken. Allmählich wurde er wütend. »Sie haben sie mit jemandem gesehen … mit wem? Mit einem Mann?«

»Ja, ich …«

»Wie hat er ausgesehen?« Er stand auf und stellte sich ins Licht. »Haben Sie das der Polizei erzählt?«, fragte er wieder.

»Ja, aber ich glaube nicht, dass man mich dort ernst genommen hat.«

»Warum?«

»Ich meine nur … Ich weiß nicht … Ich dachte, das sollten Sie wissen.«

Die geballten Fäuste auf die Tischplatte gestützt, beugte er sich vor. »Was wollen Sie mir überhaupt erzählen? Wo haben Sie sie gesehen? Was hat sie gemacht?«

Noch ein tiefer Atemzug. »Sie war … draußen auf Ihrem Rasen«, sagte ich. »Gleich da.« Ich deutete in den Garten. »Sie … Ich habe sie vom Zug aus gesehen.« Er sah mich sichtlich ungläubig an. »Ich fahre jeden Tag mit dem Zug von Ashbury nach London. Direkt hier an Ihrem Haus vorbei. Und da habe ich sie gesehen, mit einem Mann. Und … und das waren nicht Sie.«

»Woher wollen Sie das wissen? Am Freitagmorgen? Am Freitag – einen Tag, bevor sie verschwunden ist?«

»Genau.«

»Da war ich nicht hier«, sagte er. »Da war ich unterwegs. Auf einer Konferenz in Birmingham. Ich war erst am Freitagabend zurück.« Seine Skepsis schlug in etwas anderes um, und auf seinen Wangen bildeten sich rote Flecken. »Sie haben sie also mit jemandem auf dem Rasen gesehen. Und …«

»Sie hat ihn geküsst«, sagte ich. Irgendwann musste ich es ja aussprechen. Ich musste es ihm sagen. »Sie haben sich geküsst.«

Er richtete sich wieder auf und ließ die Arme hängen, die Fäuste immer noch geballt. Die Flecken auf seinen Wangen wurden dunkler, zorniger.

»Es tut mir leid«, sagte ich. »Es tut mir wirklich leid. Ich weiß, das muss schrecklich für Sie sein …«

Er brachte mich mit einer knappen Geste zum Schweigen. Verächtlich. Mein Mitleid interessierte ihn nicht.

Ich weiß, wie er sich fühlt. Als ich so dasaß, erinnerte

ich mich mit fast perfekter Klarheit daran, wie ich fünf Häuser weiter in meiner eigenen Küche gesessen hatte, gemeinsam mit Lara, meiner damals besten Freundin, die mir mit ihrem fetten, zappelnden Kleinkind auf dem Schoß gegenübersaß. Ich kann ihre Beteuerungen noch hören – wie leid es ihr tue, dass meine Ehe kaputtgegangen sei –, ich weiß noch, wie mir bei ihren Plattitüden irgendwann der Geduldsfaden riss. Sie hatte ja keine Ahnung, wie sehr ich litt. Ich sagte ihr, sie solle sich verpissen, sie fuhr mich an, so dürfe ich vor ihrem Kind nicht sprechen, und seither habe ich sie nicht mehr wiedergesehen.

»Wer war der Mann, den Sie mit ihr zusammen gesehen haben?«, fragte Scott. Er stand mit dem Rücken zu mir da und starrte hinaus auf den Rasen.

»Er war groß – möglicherweise größer als Sie. Dunkelhäutig. Wenn Sie mich fragen, könnte er Asiat gewesen sein. Inder – so was in dieser Richtung.«

»Und sie haben sich da draußen im Garten geküsst?«

»Ja.«

Er seufzte tief. »Himmel, ich brauche was zu trinken.« Dann drehte er sich zu mir um. »Möchten Sie vielleicht auch ein Bier?«

Und wie. Ich hätte für mein Leben gern etwas getrunken, aber ich lehnte ab. Ich sah zu, wie er eine Flasche aus dem Kühlschrank holte, sie öffnete und einen tiefen Zug nahm. Allein schon beim Zusehen konnte ich fast spüren, wie die kalte Flüssigkeit durch meine Kehle rann; meine Hand schmerzte, so sehr sehnte sie sich nach einem Glas. Scott lehnte sich gegen die Küchentheke und ließ den Kopf auf die Brust sinken.

Auf einmal fühlte ich mich miserabel. Ich war ihm überhaupt keine Hilfe, ich hatte sein Leiden nur vergrößert, seinen Schmerz verschlimmert. Ich hatte mich in seine Trauer eingeschlichen, und das war falsch. Ich hätte ihn nicht aufsuchen dürfen. Und ich hätte nicht lügen dürfen. Auf gar keinen Fall hätte ich lügen dürfen.

Gerade als ich aufstehen wollte, begann er zu reden. »Es könnte ... Keine Ahnung. Unter Umständen könnte das ein gutes Zeichen sein, oder? Es könnte bedeuten, dass ihr gar nichts passiert ist. Dass sie bloß ...« Er lachte kurz und freudlos. »Dass sie bloß mit jemandem durchgebrannt ist.« Er wischte sich mit dem Handrücken eine Träne von der Wange, und mein Herz krampfte sich zusammen. »Die Sache ist nur: Ich kann mir einfach nicht vorstellen, dass sie nicht einmal anrufen würde.« Er sah mich an, als könnte ich ihm eine Erklärung liefern, als wüsste ich alles. »Sie würde doch bestimmt anrufen, oder nicht? Sie würde wissen, welche Angst ich habe ... wie verzweifelt ich bin. So rachsüchtig ist sie doch nicht, oder?«

Er redete mit mir wie mit jemandem, dem er vertrauen konnte – wie mit Megans Freundin –, und das war ein gutes Gefühl, auch wenn ich wusste, dass es auf einer Täuschung beruhte. Er nahm noch einen Schluck Bier und wandte sich wieder zum Garten. Ich folgte seinem Blick zu einem kleinen Steinhaufen hinten am Zaun, einem vor langer Zeit begonnenen Steingarten, der nie fertig geworden war. Er hob die Flasche halb an die Lippen, hielt dann plötzlich inne und drehte sich wieder zu mir um.

»Sie haben Megan vom Zug aus gesehen?«, fragte er. »Sie sind also ... Sie haben einfach aus dem Fenster geguckt und sie hier stehen sehen – eine Frau, die Sie zufällig kannten?« Die Atmosphäre im Raum war jäh umgeschlagen. Plötzlich war er sich nicht mehr sicher, ob ich eine Verbündete war, ob er mir trauen konnte. Der Zweifel huschte wie ein Schatten über sein Gesicht.

»Ja, ich … Ich weiß, dass sie hier wohnt«, sagte ich und bereute es, sowie ich es aussprach. »Dass Sie beide hier wohnen, meine ich. Ich war schon einmal hier. Vor ewigen Zeiten. Darum halte ich manchmal nach ihr Ausschau, wenn ich vorbeifahre.« Er starrte mich an; ich spürte, wie mein Gesicht heiß wurde. »Sie war oft draußen.«

Er stellte die leere Flasche auf der Theke ab, kam ein paar Schritte auf mich zu und setzte sich dann auf den Stuhl neben meinem. »Also kannten Sie Megan näher? Ich meine, immerhin so gut, dass Sie sie hier besucht haben?«

Ich spürte, wie das Blut durch meinem Hals pulsierte, wie mein unterer Rücken zu schwitzen begann, wie mir unter dem Adrenalinschub übel wurde. Das hätte ich nicht sagen dürfen. Ich hätte meine Lüge nicht noch verkomplizieren dürfen.

»Es war nur ein einziges Mal, aber ich … Ich wusste, wo das Haus war, weil ich früher ganz in der Nähe gewohnt habe.« Er sah mich mit hochgezogenen Augenbrauen an. »In dieser Straße. In Nummer dreiundzwanzig.«

Er nickte langsam. »Watson«, sagte er. »Sie sind also Toms Exfrau?«

»Ja. Ich bin vor ein paar Jahren weggezogen.«

»Und Sie waren in Megans Galerie?«

»Manchmal.«

»Und haben Sie da mit ihr … Hat sie über persönliche Dinge mit Ihnen gesprochen, über mich vielleicht?« Seine Stimme wurde rau. »Oder über jemand anderen?«

Ich schüttelte den Kopf. »Nein, nein. Normalerweise habe ich dort … nur Zeit totgeschlagen.«

Es blieb lange still. Plötzlich schien sich die Hitze im

Raum zu stauen und ein antiseptischer Geruch von sämtlichen Oberflächen aufzusteigen. Mir war ganz flau im Magen. Rechts von mir stand ein Beistelltischchen mit mehreren gerahmten Fotos. Megan lächelte mich fröhlich anklagend an.

»Ich sollte jetzt gehen«, sagte ich. »Ich habe Ihre Zeit schon zu lange in Anspruch genommen.« Ich wollte aufstehen, aber er streckte den Arm aus und legte, den Blick unbeirrt auf mich gerichtet, die Hand auf mein Handgelenk.

»Gehen Sie noch nicht«, sagte er leise. Ich blieb sitzen, aber ich zog meine Hand unter seiner hervor; die Berührung war unangenehm, fast wie eine Fessel gewesen. »Dieser Mann«, sagte er, »dieser Mann, den Sie mit ihr zusammen gesehen haben – glauben Sie, Sie würden ihn wiedererkennen? Wenn Sie ihn noch mal sehen würden?«

Ich konnte ihm schlecht erklären, dass ich den Mann bereits identifiziert *hatte*. Vor mir selbst hatte ich den Besuch bei ihm damit gerechtfertigt, dass die Polizei meine Geschichte nicht ernst genommen hatte. Wenn ich ihm jetzt die Wahrheit sagte, würde sein Vertrauen vollends verpuffen. Also log ich erneut.

»Ich bin mir nicht sicher«, sagte ich. »Möglicherweise schon.« Ich wartete kurz ab und sagte dann: »In der Zeitung wurde ein Freund von Megan zitiert. Er hieß Rajesh. Ich habe mich gefragt, ob er …«

Doch Scott schüttelte bereits den Kopf. »Rajesh Gujral? Das kann ich mir nicht vorstellen. Er gehört zu den Künstlern, die öfter in der Galerie ausgestellt haben. Er ist ein wirklich netter Kerl, aber … Er ist verheiratet, er hat Kinder.« Als hätte das etwas zu bedeuten. »Einen Moment«, sagte er und stand auf. »Ich glaube, ich könnte irgendwo ein Foto von ihm haben.«

Er verschwand nach oben. Ich merkte, wie sich die Spannung in meinen Schultern löste, und begriff, wie verkrampft ich seit meiner Ankunft dagesessen hatte. Mein Blick wanderte zurück zu den gerahmten Fotos: Megan im Badeanzug an einem Strand; eine Porträtaufnahme, ihre erstaunlich blauen Augen. Überall nur Megan. Kein Bild von beiden zusammen.

Dann tauchte Scott wieder auf und reichte mir eine kleine Broschüre, ein Faltblatt für eine Ausstellung in der Galerie. Er drehte es um. »Hier«, sagte er. »Das ist Rajesh.«

Der Mann stand neben einem bunten abstrakten Gemälde: Er war älter, bärtig, klein, gedrungen. Das war nicht der Mann, den ich gesehen hatte, der Mann, den ich auf dem Polizeirevier identifiziert hatte. »Das ist er nicht«, sagte ich. Scott stand neben mir und starrte auf das Faltblatt, dann machte er unvermittelt kehrt, marschierte aus dem Raum und wieder die Stufen hinauf. Kurz darauf kam er mit einem Laptop zurück und setzte sich damit an den Küchentisch.

»Ich glaube«, sagte er, während er den Computer aufklappte und einschaltete, »ich glaube, es könnte vielleicht...« Er verstummte, und ich betrachtete ihn aufmerksam. Das hoch konzentrierte Gesicht, die angespannten Kinnmuskeln. »Megan war in Therapie«, erklärte er mir. »Bei einem gewissen... Abdic. Kamal Abdic. Er stammt zwar nicht aus Asien, sondern aus Serbien oder Bosnien, irgend so was in der Richtung, aber er ist verhältnismäßig dunkelhäutig. Er könnte aus der Ferne als Inder durchgehen.« Er tippte kurz auf die Tastatur ein. »Ich glaube, er hat eine Webseite. Nein, ich bin mir sicher. Und vielleicht ist da ein Bild...«

Er drehte den Laptop herum, sodass ich den Bildschirm

sehen konnte. Ich beugte mich vor, um mehr zu erkennen. »Das ist er«, sagte ich dann. »Ganz eindeutig.«

Scott klappte den Computer wieder zu. Lange sagte er kein Wort. Er saß einfach nur da, mit zitternden Armen, die Ellbogen auf die Tischplatte gestützt und die Stirn gegen die Fingerspitzen gepresst.

»Sie litt unter Panikattacken«, sagte er schließlich. »Unter Schlaflosigkeit und so weiter. Das hat letztes Jahr angefangen. Wann genau, weiß ich nicht mehr.« Er redete, ohne mich anzusehen, wie mit sich selbst, so als hätte er ganz vergessen, dass ich auch noch da war. »Ich habe ihr selbst vorgeschlagen, mit jemandem zu sprechen. Ich habe sie ermutigt, in Therapie zu gehen, weil ich ihr anscheinend nicht helfen konnte.« Seine Stimme brach leicht. »Ich konnte ihr nicht helfen. Sie meinte, dass sie auch schon früher ähnliche Probleme gehabt hätte und dass sie irgendwann von selbst verschwinden würden, aber ich wollte … Ich habe sie *überredet*, zum Arzt zu gehen. Und ihr Arzt hat ihr diesen Kerl empfohlen.« Er hustete kurz, um den Hals freizubekommen. »Die Therapie schien ihr zu helfen. Sie kam mir wirklich glücklicher vor.« Er lachte kurz und traurig. »Jetzt ist mir klar, warum.«

Ich streckte die Hand aus, um ihm zum Trost den Arm zu tätscheln, doch er zog ihn abrupt zurück und stand auf. »Sie sollten jetzt gehen«, sagte er barsch. »Meine Mutter kommt gleich – sie lässt mich nicht länger als ein, zwei Stunden allein.« Doch an der Tür, gerade als ich gehen wollte, hielt er mich noch einmal zurück. »Habe ich Sie vielleicht irgendwo schon mal gesehen?«, fragte er.

Einen Moment lag mir auf der Zunge: *Gut möglich. Auf dem Polizeirevier vielleicht oder hier auf der Straße. Ich war am Samstagabend hier.* Aber ich schüttelte den Kopf. »Nein, ich glaube nicht.«

So schnell ich konnte, marschierte ich los in Richtung Bahnhof. Etwa auf halbem Weg zur Kreuzung drehte ich mich noch mal um. Er stand immer noch an der Tür und sah mir nach.

Abends

Ich habe immer wieder meinen E-Mail-Account aufgerufen, aber immer noch nichts von Tom. Wie leicht hatten es die eifersüchtigen Trinkerinnen doch vor der Erfindung der E-Mail, der SMS und des Handys, vor all den elektronischen Gerätschaften, die überall Spuren hinterlassen.

Heute stand fast nichts über Megan in den Zeitungen. Inzwischen wenden sie sich wieder anderen Themen zu, die Titelseiten gehören jetzt der politischen Krise in der Türkei, der Vierjährigen aus Wigan, die von mehreren Hunden angefallen wurde, der demütigenden Niederlage der englischen Fußballnationalmannschaft gegen Montenegro. Nach nur einer Woche gerät Megan allmählich in Vergessenheit.

Cathy lud mich zum Mittagessen ein. Sie wusste wohl nicht, wohin mit sich, weil Damien gerade seine Mutter in Birmingham besucht. Cathy wurde nicht mit eingeladen. Inzwischen sind die beiden seit fast zwei Jahren ein Paar, und sie hat seine Mutter immer noch nicht kennengelernt. Wir gingen ins Giraffe in der High Street, einen Laden, den ich nicht ausstehen kann. Inmitten eines Raumes voller kreischender Vierjähriger begann Cathy, mich zu löchern, was ich denn so getrieben habe. Sie wollte zu gern wissen, wo ich gestern Abend gewesen bin.

»Hast du dich mit jemandem getroffen?«, fragte sie mit einem hoffnungsvollen Leuchten in den Augen. Eigentlich war es beinahe schon rührend.

Fast hätte ich Ja gesagt, schließlich hatte ich mich mit jemandem getroffen, aber zu lügen war einfacher. Ich erzählte ihr, dass ich auf einem AA-Treffen in Witney gewesen wäre.

»Ach«, sagte sie verlegen und senkte den Blick auf ihren schlaffen griechischen Salat. »Ich hatte schon den Verdacht, dass es zu einem kleinen Ausrutscher gekommen wäre. Am Freitag.«

»Stimmt. Das ist eben kein Spaziergang, Cathy«, sagte ich und fühlte mich schrecklich dabei, denn ich glaube, ihr liegt wirklich was daran, dass ich trocken werde. »Aber ich gebe mein Bestes.«

»Wenn es dir hilft, könnte ich, du weißt schon, mitkommen ...«

»Nicht im derzeitigen Stadium«, sagte ich. »Aber danke.«

»Na gut, aber vielleicht könnten wir ja mal was anderes zusammen machen, ins Fitnessstudio gehen zum Beispiel?«, fragte sie.

Erst lachte ich, doch dann wurde mir klar, dass sie es ernst meinte, und ich erwiderte, dass ich darüber nachdenken würde.

Sie ist gerade gegangen – Damien hat angerufen, um Bescheid zu sagen, dass er wieder zurück ist. Sie ist jetzt auf dem Weg zu ihm. Ich war kurz davor, eine Bemerkung zu machen – *warum rennst du immer sofort los, wenn er anruft?* Aber ich bin wohl kaum in der Position, Beziehungsratschläge zu erteilen – oder überhaupt Ratschläge –, außerdem ist mir nach einem Drink. (Meine Gedanken kreisten um einen Drink, seit wir uns im Giraffe niedergelassen hatten und Cathy auf die Frage des pickligen Kellners, ob wir ein Glas Wein wollten, mit fester Stimme antwortete: »Nein danke.«) Also winkte ich ihr zum Abschied zu und schob, während mich ein vorfreudiges Kribbeln überlief, all meine guten Vorsätze beiseite. *(Tu das nicht, du schlägst dich wirklich gut.)* Aber gerade als ich die Schuhe anziehen will, um zum Laden an der Ecke zu gehen, klingelt mein Telefon. Tom. Bestimmt ist es Tom. Ich wühle das Handy aus der Tasche, werfe einen Blick aufs Display, und mein Herz schlägt wie eine Trommel.

»Hi.« Am anderen Ende bleibt es still, darum frage ich: »Alles in Ordnung?«

Nach kurzem Zögern sagt Scott: »Ja, schon. Es geht mir gut. Ich wollte mich nur bedanken – für gestern. Dass Sie sich die Zeit genommen haben, mir das zu sagen …«

»Ach, keine Ursache. Sie hätten deswegen nicht extra …«

»Störe ich gerade?«

»Nein, wirklich nicht.« Weil es am anderen Ende still bleibt, wiederhole ich: »Gar nicht. Haben Sie … Gibt es Neuigkeiten? Haben Sie mit der Polizei gesprochen?«

»Heute Nachmittag war die Kontaktbeamtin hier«, sagt er. Mein Puls beschleunigt. »Detective Sergeant Riley. Ich habe ihr von Kamal Abdic erzählt. Ihr erklärt, dass sie sich vielleicht mal mit ihm unterhalten sollten.«

»Haben Sie gesagt … Haben Sie ihr erzählt, dass Sie mit mir gesprochen haben?« Mein Mund ist schlagartig trocken.

»Nein. Ich dachte, vielleicht … Keine Ahnung. Ich dachte, es würde vielleicht besser aussehen, wenn ich selbst auf den Namen gekommen wäre. Ich hab ihr … Das ist gelogen, ich weiß, aber ich habe ihr erzählt, dass ich mir den Kopf zermartert hätte, ob mir noch irgendwas Wichtiges einfallen würde, und dass ich glaube, es könnte sich vielleicht lohnen, mal mit ihrem Therapeuten zu sprechen. Ich habe behauptet, ihre Beziehung zu ihm hätte mir auch früher schon mal zu denken gegeben.«

Endlich kann ich wieder atmen. »Und was hat sie gesagt?«

»Sie sagte, sie hätten bereits mit ihm gesprochen, würden es aber gern noch mal tun. Sie stellte mir tausend Fragen – warum ich ihn nicht schon früher erwähnt hätte. Sie ist... Ich weiß auch nicht. Ich traue ihr nicht über den Weg. Eigentlich sollte sie auf meiner Seite sein, aber ich werde einfach das Gefühl nicht los, dass sie versucht, mich auszuhorchen, und dass sie mich aufs Glatteis führen will.«

Es bereitet mir eine schier idiotische Freude, dass auch er sie nicht leiden kann; noch etwas, was wir gemeinsam haben, noch ein Faden, der uns verbindet.

»Ich wollte mich eigentlich nur bedanken. Dass Sie sich bei mir gemeldet haben. Es war tatsächlich... Das klingt jetzt merkwürdig, aber es war schön, mit jemandem zu reden, der... der mir nicht nahesteht. Ich hatte plötzlich das Gefühl, klarer sehen zu können. Nachdem Sie gegangen waren, musste ich ständig daran denken, wie Megan damals zu ihrer ersten Sitzung ging – bei Abdic – und wie sie war, als sie zurückkam. Sie strahlte so etwas aus... eine Art Leichtigkeit.« Er atmet laut aus. »Keine Ahnung. Vielleicht bilde ich mir das aber auch nur ein.«

Ich habe wieder das gleiche Gefühl wie gestern – er redet nicht mehr mit mir, er redet nur noch. Ich bin nur mehr Resonanzkörper, und ich bin froh darüber. Ich bin froh, dass er mich braucht.

»Ich habe den ganzen Tag damit verbracht, noch einmal Megans Sachen durchzugehen«, sagt er. »Ein halbes Dutzend Mal hab ich schon unser Zimmer, ach was, das ganze Haus auf den Kopf gestellt und nach irgendwas gesucht, was mir einen Hinweis darauf liefern könnte, wo sie ist. Vielleicht etwas von ihm. Aber da ist nichts. Keine E-Mails, keine Briefe – rein gar nichts. Ich habe mir schon überlegt, ob ich ihn vielleicht anrufen sollte, aber die Praxis ist heute geschlossen, und eine Handynummer kann ich nirgends finden.«

»Halten Sie das wirklich für eine gute Idee?«, frage ich. »Ich meine, glauben Sie nicht, Sie sollten das lieber der Polizei überlassen?« Ich will es nicht laut aussprechen, aber bestimmt denken wir beide das Gleiche: Er ist gefährlich. Oder zumindest könnte er gefährlich sein.

»Ich weiß nicht, ich weiß es einfach nicht.« Seine Stimme hat etwas Verzweifeltes, das mich trifft, aber ich kann ihm keinen Trost spenden. Ich höre ihn am anderen Ende der Leitung atmen: kurz, schnell, als hätte er Angst. Ich würde ihn gern fragen, ob jemand bei ihm ist, aber das geht nicht; das klänge falsch, aufdringlich.

»Ich habe heute Ihren Ex gesehen«, sagt er, und die Härchen an meinen Armen stellen sich auf.

»Ach?«

»Ja, ich war auf dem Weg zum Zeitungsladen und hab ihn auf der Straße gesehen. Er wollte wissen, wie es mir geht und ob es Neuigkeiten gibt.«

»Ach«, wiederhole ich, weil ich nichts anderes sagen kann, weil sich keine Worte formen wollen. Ich will nicht, dass er mit Tom spricht. Tom weiß ganz sicher, dass ich Megan Hipwell nicht kenne. Tom weiß, dass ich in der Nacht, in der sie verschwunden ist, in der Blenheim Road war.

»Ich habe Sie nicht erwähnt, keine Sorge. Ich wollte nicht … Sie wissen schon. Ich war mir nicht sicher, ob ich ihm erzählen sollte, dass wir uns begegnet sind.«

»Nein, das war schon gut so. Keine Ahnung. Vielleicht wäre es ein bisschen peinlich gewesen.«

»Na schön«, sagt er. Danach bleibt es lange still. Ich warte darauf, dass sich mein Puls beruhigt. Gerade als ich annehme, dass Scott sich gleich verabschieden wird, sagt er: »Und sie hat wirklich nie über mich gesprochen?«

»Aber natürlich – natürlich hat sie das«, sage ich. »Ich meine, wir haben uns nicht oft unterhalten, aber …«

»Aber Sie waren bei uns zu Hause. Megan lädt praktisch nie jemanden ein. Sie ist wirklich menschenscheu und lässt kaum jemanden an sich heran.«

Ich suche nach einem Grund. Ich wollte, ich hätte ihm nie erzählt, dass ich bei ihm zu Hause war.

»Ich kam nur kurz vorbei, um mir ein Buch auszuleihen.«

»Wirklich?« Er glaubt mir nicht. Sie liest nicht. Ich sehe das Haus vor mir – in den Regalen stehen keine Bücher. »Was hat sie denn so erzählt? Über mich?«

»Na ja … dass sie sehr glücklich ist«, sage ich. »Mit Ihnen, meine ich. Ihrer Beziehung.« Noch während ich das sage, merke ich, wie merkwürdig das klingt, aber ich kann nicht weiter ins Detail gehen, und so versuche ich, meinen Kopf aus der Schlinge zu ziehen. »Ehrlich gesagt habe ich damals in meiner Ehe eine ziemlich schwere Zeit durchgemacht, darum haben wir unsere Beziehungen wohl eher verglichen oder gegenübergestellt. Sie strahlte richtig, wenn sie über Sie sprach.« Was für ein schreckliches Klischee.

»Wirklich?« Er scheint es nicht zu merken. Seine

Stimme hat etwas Sehnsüchtiges. »Es tut wirklich gut, das zu hören.« Er verstummt kurz, und ich kann ihn am anderen Ende der Leitung kurz und flach atmen hören. »Wir hatten ... Wir hatten uns schrecklich gestritten«, gesteht er. »An dem Abend, bevor sie verschwand. Ich finde die Vorstellung ganz grässlich, dass sie so wütend auf mich war, als ...« Er bringt den Satz nicht zu Ende.

»Bestimmt war sie nicht lange wütend auf Sie«, sage ich. »Paare streiten sich. Paare streiten sich ständig.«

»Aber es war ein schlimmer Streit, ein ganz schrecklicher Streit, und ich kann nicht ... Ich habe das Gefühl, mit niemandem darüber sprechen zu können, weil mich jeder gleich ansieht, als wäre ich schuld.« Jetzt klingt seine Stimme anders: gehetzt, mit Schuld gesättigt. »Ich weiß nicht einmal mehr, wie es dazu gekommen ist«, sagt er, und mit einem Mal glaube ich ihm nicht mehr, aber dann denke ich an all die Auseinandersetzungen, die ich vergessen habe, und verkneife mir einen Kommentar. »Es ging richtig zur Sache. Ich war wirklich ... Ich war gemein zu ihr. Ich war ein Schwein. Ein absolutes Schwein. Sie regte sich furchtbar auf. Sie ging nach oben und stopfte ein paar Sachen in eine Tasche. Ich weiß nicht genau, was, aber später fiel mir auf, dass ihre Zahnbürste nicht mehr da war, und daraus schloss ich dann, dass sie nicht vorhatte, wieder heimzukommen. Ich nahm an ... Ich dachte, dass sie bestimmt bei Tara übernachten würde. Das hatte sie schon mal gemacht. Bei einer anderen Gelegenheit. Es ist nicht so, dass so was dauernd vorgekommen wäre. Ich bin ihr nicht mal nachgelaufen«, sagt er, und wieder wird mir bewusst, dass er eigentlich weniger mit mir spricht, als vielmehr eine Beichte ablegt. Er sitzt auf der einen Seite des Beichtstuhls, ich auf der anderen, gesichtslos und im Dunklen. »Ich hab sie einfach gehen lassen.«

»Das war am Samstagabend?«

»Genau. Seither hab ich sie nicht mehr gesehen.«

Es gab eine Zeugin, die sie – oder »eine Frau, die ihrer Beschreibung entspricht« – gegen Viertel nach sieben auf dem Weg zum Bahnhof Witney gesehen haben will, das weiß ich aus der Zeitung. Seither ist sie verschwunden. Auf dem Bahnsteig oder im Zug scheint niemand sie wiedererkannt haben. Am Bahnhof selbst gibt es keine Überwachungskameras, und in Corly wurde sie von keiner der Kameras erfasst, wobei das den Zeitungen zufolge nicht beweist, dass sie nicht dort gewesen ist, weil es an diesem Bahnhof »beträchtliche tote Winkel« gibt.

»Wann haben Sie versucht, sie anzurufen?«, frage ich ihn. Wieder bleibt es lange still.

»Ich … Erst war ich im Pub. The Rose – Sie wissen schon, gleich um die Ecke in der Kingly Road? Ich musste wieder runterkommen, wieder ruhig werden. Nach ein paar Gläsern Bier bin ich wieder heim. Da war es kurz vor zehn. Ich glaube, ich habe gehofft, dass sie sich bis dahin beruhigt hätte und wieder zu Hause wäre. Aber das war sie nicht.«

»Sie haben sie also gegen zehn angerufen?«

»Nein.« Inzwischen ist seine Stimme nur noch ein Flüstern. »Zu Hause hab ich erst noch ein paar Bier getrunken und eine Weile ferngesehen. Dann bin ich ins Bett gegangen.«

Ich muss daran denken, wie oft ich mich mit Tom gestritten habe, wie oft ich ihm die schrecklichsten Dinge an den Kopf geworfen habe, wenn ich zu viel getrunken hatte, wie oft ich auf die Straße rannte, ihn anbrüllte und ihm erklärte, dass ich ihn nie wiedersehen wollte. Jedes Mal rief er mich hinterher an, jedes Mal redete er mir gut zu und überzeugte mich davon, wieder nach Hause zu kommen.

»Ich dachte, sie würde in Taras Küche sitzen, verstehen Sie, und sich darüber auslassen, was für ein Arschloch ich doch wäre. Darum hab ich es bleiben lassen.«

Er hat es bleiben lassen. Das klingt kaltschnäuzig und lieblos, und darum überrascht es mich kein bisschen, dass er noch niemandem davon erzählt hat. Es überrascht mich, dass er es überhaupt jemandem erzählt. Das ist nicht der Scott aus meiner Fantasie, der Scott, den ich kannte, der hinter Megan auf der Terrasse stand, die großen Hände auf ihre zierlichen Schultern gestützt, bereit, sie jederzeit und vor allem zu beschützen.

Ich bin schon kurz davor, einfach aufzulegen, aber Scott redet weiter: »Am nächsten Morgen wachte ich früh auf. Auf meinem Handy waren keine Nachrichten. Ich geriet nicht sofort in Panik – ich ging schließlich immer noch davon aus, dass sie bei Tara und offensichtlich immer noch wütend auf mich wäre. Ich geriet nicht mal in Panik, als ich auf ihrem Handy anrief und auf der Mailbox landete. Ich dachte, wahrscheinlich schläft sie noch oder ignoriert mich einfach. Ich hatte Taras Nummer nicht, aber ihre Adresse – Megan hatte sie auf einem Zettel auf ihrem Schreibtisch notiert. Also zog ich mich an und fuhr dorthin.«

Ich frage mich, warum er das Bedürfnis hatte, zu Tara zu fahren, wenn er sich doch keine Sorgen um Megan machte, aber ich hake nicht nach. Ich lasse ihn weiterreden.

»Um kurz nach neun war ich bei Tara. Sie brauchte

eine Weile, um an die Tür zu kommen, aber als sie aufmachte, war sie total verblüfft, mich zu sehen. Ganz eindeutig war ich der letzte Mensch, den sie so früh am Morgen vor ihrer Tür erwartete, und in diesem Moment wurde mir klar ... Da wurde mir klar, dass Megan nicht bei ihr war. Und ich begann zu überlegen ... Ich begann ...«

Er stockt, und ich fühle mich schrecklich, weil ich an ihm gezweifelt habe.

»Tara sagte nur, sie hätte Megan das letzte Mal im Pilateskurs am Freitagabend gesehen. Und da geriet ich in Panik.«

Nachdem er aufgelegt hat, geht mir nicht mehr aus dem Kopf, dass vieles von dem, was er gesagt hat, geschönt klingen dürfte, wenn man ihn nicht kennt – wenn man nicht, wie ich, gesehen hat, wie er sich in ihrer Gegenwart verhält.

Montag, 22. Juli 2013

Morgens

Ich fühle mich wie benebelt. Ich habe tief geschlafen, aber viel geträumt, und am Morgen hatte ich Mühe, richtig wach zu werden. Die Sommerhitze ist zurückgekehrt, und im Abteil ist es stickig, obwohl es nur halb voll ist. Weil ich heute früh so schlecht aus dem Bett gekommen bin und keine Zeit mehr hatte, eine Zeitung zu kaufen oder Internetnachrichten zu lesen, bevor ich das Haus verließ, versuche ich jetzt, die Webseite der *BBC* auf meinem Handy aufzurufen, aber aus irgendeinem Grund braucht sie zum Laden eine Ewigkeit. In Northcote steigt ein Mann mit einem iPad zu und setzt sich neben mich. Er hat kein Problem, die Nachrichten abzurufen, er klickt sich direkt auf die Seite des *Telegraph*, und dort steht es, in großen, fetten Lettern über dem dritten Artikel: ERSTE FESTNAHME IM FALL MEGAN HIPWELL.

Ich schrecke derart zusammen, dass ich mich schier vergesse und zur Seite lehne, um besser lesen zu können. Er sieht verdattert und ein wenig empört zu mir auf.

»Bitte entschuldigen Sie«, sage ich. »Ich kenne sie – die Vermisste. Ich kenne sie.«

»Wie furchtbar«, sagt er. Er ist ein gut gekleideter Mann mittleren Alters und klingt vornehm. »Möchten Sie den Artikel vielleicht lesen?«

»Bitte. Irgendwie streikt mein Handy …«

Er lächelt freundlich und überlässt mir das Tablet. Sowie ich auf die Schlagzeile tippe, erscheint der ganze Artikel.

Im Zusammenhang mit dem Verschwinden der 29-jährigen Megan Hipwell aus Witney, die seit Samstag, den 13. Juli, vermisst wird, ist es zu einer ersten Festnahme gekommen. Die Polizei hat sich nicht dazu geäußert, ob es sich bei dem Inhaftierten, offenbar einem Mann von Mitte dreißig, um Megan Hipwells Ehemann Scott handelt, der bereits am Freitag vernommen wurde. Heute Morgen erklärte der Polizeisprecher bei einer Pressekonferenz lediglich: »Wir können bestätigen, dass es in Verbindung mit Megan Hipwells Verschwinden zu einer Festnahme kam. Es wurde indes keine Anklage erhoben. Die Suche nach der vermissten Frau wird fortgesetzt; zurzeit durchsuchen wir eine Örtlichkeit, an der sich möglicherweise ein Verbrechen ereignet hat.

Im selben Moment fahren wir an ihrem Haus vorüber; ausnahmsweise muss der Zug nicht an dem Signal halten.

Mein Kopf zuckt zur Seite – zu spät. Wir sind schon dran vorbei. Mit zitternden Händen reiche ich das iPad an den Besitzer zurück. Er schüttelt traurig den Kopf. »Mein aufrichtiges Beileid«, sagt er.

»Sie ist nicht tot«, entgegne ich. Ich krächze nur noch, und nicht einmal ich selber glaube mir. Tränen brennen in meinen Augen. Ich war in seinem Haus. Ich war dort. Ich habe ihm gegenüber am Tisch gesessen, ich habe ihm in die Augen gesehen, ich habe etwas empfunden. Ich denke an die riesigen Hände, die, wenn sie schon mich zerquetschen könnten, das Gleiche erst recht mit Megan tun könnten, so winzig und zerbrechlich, wie sie ist.

Die Bremsen quietschen, als wir in den Bahnhof von Witney einfahren, und ich springe auf.

»Ich muss hier raus«, erkläre ich meinem Sitznachbarn, der zwar leicht überrascht aussieht, aber nickt. »Viel Glück«, sagt er.

Ich laufe über den Bahnsteig und die Treppe hinunter. Ich kämpfe gegen den Strom der Menschen an und bin schon fast am Fuß der Treppe angekommen, als ich ins Straucheln gerate und ein Mann ruft: »Achtung!« Ich kann ihn nicht ansehen, weil ich im selben Moment die Kante der Betonstufe fixiere – die vorletzte Stufe. Darauf ist Blut. Ich frage mich, wie lang der Fleck schon da ist. Könnte er eine Woche alt sein? Könnte es mein Blut sein? Oder ihres? Haben sie in ihrem Haus Blut von ihr gefunden, frage ich mich, und ihn deshalb verhaftet? Ich versuche, mir die Küche, das Wohnzimmer vor Augen zu rufen. Der Geruch: extrem sauber, antiseptisch. War das Bleiche? Ich weiß es nicht, ich kann mich nicht erinnern, halbwegs deutlich erinnere ich mich nur noch an seinen verschwitzten Rücken und an das Bier in seinem Atem.

Ich renne an der Unterführung vorbei und komme an der Ecke Blenheim Road erneut ins Straucheln. Zu verängstigt, um aufzusehen, renne ich mit angehaltenem Atem und gesenktem Kopf über den Bürgersteig, und als ich schließlich hochsehe, ist da nichts. Vor Scotts Haus parken keine Polizeiautos, keine Streifenwagen. Sind sie etwa schon fertig mit der Hausdurchsuchung? Wenn sie etwas gefunden hätten, wären sie doch bestimmt noch hier; bestimmt dauert es Stunden, alles durchzugehen und sämtliche Beweismittel zu sichern. Ich gehe ein wenig schneller. Vor seinem Haus bleibe ich stehen und hole tief Luft. Die Vorhänge sind oben wie unten zugezogen. Dafür bewegen sich die Vorhänge im Fenster des Nachbarhauses. Man beobachtet mich. Ich trete an die Tür und hebe die Hand. Eigentlich habe ich hier nichts zu suchen. Ich weiß auch nicht, was ich hier will. Ich wollte mich nur überzeugen. Ich wollte *Gewissheit.* Einen Moment lang hadere ich mit mir, ob ich mein Bauchgefühl ignorieren und anklopfen oder ob ich besser wieder loslaufen soll. Ich drehe mich um und will schon gehen, als die Tür aufgeht.

Noch ehe ich mich rühren kann, schießt seine Hand vor, er packt mich am Unterarm und zieht mich hinein. Sein Mund sieht aus wie ein grimmiger Strich, sein Blick wild. Er ist verzweifelt. Angst und Adrenalin überschwemmen mich, und mir wird schwarz vor Augen. Ich will laut schreien, aber dazu ist es zu spät, er hat mich bereits ins Haus gezerrt und die Tür hinter mir zugeschlagen.

MEGAN

Donnerstag, 21. März 2013

Morgens

Ich werde nicht verlieren. So gut sollte er mich kennen. Derlei Spiele verliere ich nicht.

Das Display meines Smartphones ist leer. Eigensinnig, trotzig leer. Keine Nachrichten, keine entgangenen Anrufe. Jedes Mal, wenn ich einen Blick darauf werfe, fühlt es sich an wie eine Ohrfeige, und jedes Mal werde ich wütender. Was war in diesem Hotelzimmer mit mir los? Was habe ich mir nur dabei gedacht? Dass uns inzwischen etwas verbinden würde, dass das zwischen uns was Echtes wäre? Er hat eindeutig nicht vor, zusammen mit mir durchzubrennen. Trotzdem habe ich ihm eine Sekunde lang geglaubt – nein, länger –, und das stinkt mir gewaltig. Ich bin einfach lächerlich gutgläubig. Er hat mich die ganze Zeit verarscht.

Wenn er jetzt glaubt, dass ich ihm nachweine, dann hat er sich getäuscht. Ich kann ohne ihn leben, ich brauche ihn nicht – aber ich verliere nicht gern. Das ist wirklich nicht mein Ding. Das alles ist nicht mein Ding. Ich lasse mich nicht abservieren. Wenn jemand von sich aus geht, dann bin das ich.

Ich mache mich verrückt, aber ich komme nicht dagegen an. Ständig muss ich an jenen Nachmittag im Hotel denken, immer wieder gehe ich durch, was er gesagt hat, Wort für Wort, und was er damit bei mir ausgelöst hat.

Arschloch.

Wenn er glaubt, dass ich still und heimlich verschwinde, dann hat er sich geschnitten. Wenn er nicht bald ans Telefon geht, werde ich ihn nicht mehr auf dem Handy anrufen, sondern bei ihm zu Hause. Mich kann man nicht so einfach ignorieren.

Beim Frühstück bittet Scott mich, die heutige Therapiesitzung abzusagen. Ich sage nichts. Ich tue so, als hätte ich ihn nicht gehört.

»Dave hat uns zum Essen eingeladen«, sagte er. »Wir waren schon ewig nicht mehr drüben. Kannst du deine Sitzung nicht verschieben?«

Er klingt locker, so als wäre das keine große Sache, aber ich spüre, wie er mich dabei beobachtet, ich spüre seinen Blick auf meinem Gesicht. Wir steuern auf einen Streit zu, deshalb muss ich aufpassen.

»Das geht nicht, Scott, dazu ist es zu spät«, sage ich. »Warum fragst du Dave und Karen nicht, ob sie stattdessen am Samstag zu uns kommen wollen?« Mir graut allein bei dem Gedanken, Dave und Karen am Wochenende bekochen zu müssen, aber ich muss wohl oder übel Kompromisse schließen.

»Es ist doch nicht zu spät«, sagt er und stellt seine Kaffeetasse vor mir auf dem Tisch ab. Er legt kurz seine Hand auf meine Schulter, sagt: »Verschieb sie einfach, okay?«, und geht.

Sowie die Haustür ins Schloss fällt, nehme ich seine Kaffeetasse und schleudere sie gegen die Wand.

Abends

Ich könnte mir weismachen, dass es keine richtige Abfuhr war. Ich könnte versuchen, mir einzureden, dass er sich nur anständig verhalten will, moralisch ebenso wie professionell. Aber ich weiß, dass das nicht wahr ist. Oder dass es zumindest nicht die ganze Wahrheit ist, weil die Moral (und erst recht das Berufsethos) keinerlei Rolle spielt, wenn man jemanden unbedingt will. Dann tut man einfach alles, um ihn zu erobern. Er begehrt mich einfach nicht genug.

Ich habe heute Nachmittag keinen von Scotts Anrufen angenommen, ich kam zu spät zu meinem Termin und marschierte direkt ins Sprechzimmer, ohne auch nur ein Wort mit der Arzthelferin zu wechseln. Er saß an seinem Schreibtisch und notierte sich etwas. Als ich ins Zimmer kam, blickte er bloß kurz auf und sah dann gleich wieder in seine Papiere. Ich blieb vor seinem Schreibtisch stehen und wartete ab, bis er mich wieder ansah. Ich hatte das Gefühl, ewig warten zu müssen.

»Ist alles okay?«, fragte er schließlich. Dann lächelte er mich endlich an. »Du bist spät dran.«

Mir stockte der Atem, ich brachte kein Wort heraus. Ich ging um den Schreibtisch herum und lehnte mich dagegen, sodass mein Bein seinen Schenkel streifte. Er wich ein Stück zurück.

»Megan«, sagte er, »ist alles in Ordnung?«

Ich schüttelte den Kopf. Ich streckte meine Hand nach ihm aus, und er nahm sie.

»Megan«, sagte er wieder und schüttelte den Kopf.

Ich sagte gar nichts.

»Du kannst nicht … Du solltest dich hinsetzen«, sagte er. »Lass uns darüber reden.«

Ich schüttelte den Kopf.

»Megan …«

Jedes Mal, wenn er meinen Namen aussprach, machte er es nur noch schlimmer.

Er stand auf, ging um den Schreibtisch herum und von mir weg. Mitten im Zimmer blieb er stehen. »Na komm«, sagte er dann kühl – fast schon barsch. »Setz dich hin.«

Ich folgte ihm in die Mitte des Raumes, legte eine Hand an seine Taille und die andere auf seine Brust. Er nahm meine Handgelenke und trat einen Schritt zurück. »Nicht, Megan. Du darfst nicht … Wir können nicht …« Er wandte sich ab.

»Kamal«, sagte ich mit stockender Stimme. Es hörte sich grauenvoll an. »Bitte …«

»Das … hier. Das darf nicht passieren. Es ist normal, glaub mir, aber …«

Ich tat noch einmal kund, dass ich ihn begehrte.

»Das ist die Übertragung, Megan«, sagte er. »So was kommt hin und wieder vor. Mir passiert das auch. Ich hätte dieses Thema beim letzten Mal ansprechen müssen. Es tut mir leid.«

Am liebsten hätte ich laut aufgeschrien. Aus seinem Mund klang es so banal, so blutlos, so gewöhnlich. »Willst du mir damit etwa sagen, dass du nichts empfindest?«, fragte ich ihn. »Willst du allen Ernstes behaupten, ich würde mir das nur einbilden?«

Er schüttelte den Kopf. »Du musst das verstehen, Megan, ich hätte es gar nicht erst so weit kommen lassen dürfen.«

Ich machte wieder einen Schritt auf ihn zu, legte die Hände auf seine Hüften und drehte ihn zu mir um. Wieder griff er nach meinen Armen und schloss die langen Finger um meine Handgelenke. »Ich könnte meinen Job verlieren«, sagte er, und in diesem Moment ging es mit mir durch.

Wütend und brutal riss ich mich von ihm los. Er versuchte, mich festzuhalten, schaffte es aber nicht. Ich schrie ihn an, dass ich auf seinen Job *scheißen* würde. Er versuchte, mich zu beruhigen – wahrscheinlich aus Sorge, was die Arzthelferin am Empfang denken könnte, was die anderen Patienten denken könnten. Er packte mich an den Schultern, bohrte die Daumen in meine Oberarme und forderte mich auf, mich zu beruhigen, mich nicht so kindisch aufzuführen. Er schüttelte mich, und zwar heftig; kurz glaubte ich sogar, er würde mir gleich eine Ohrfeige geben.

Ich küsste ihn auf den Mund, biss ihm mit aller Kraft in die Unterlippe; ich konnte sein Blut in meinem Mund schmecken. Er schubste mich von sich weg.

Auf dem Heimweg schmiedete ich Rachepläne. Ich überlegte, was ich ihm alles antun könnte. Ich könnte dafür sorgen, dass er gefeuert würde – oder Schlimmeres. Aber das würde ich nie tun, dazu mag ich ihn zu sehr. Ich will ihn ja nicht verletzen. Eigentlich stört mich seine Abfuhr auch gar nicht mehr so sehr. Am meisten macht mir zu schaffen, dass ich diese Geschichte nicht zu Ende gebracht habe und dass ich nicht einfach mit jemand anderem von vorn anfangen kann. Das würde ich im Moment nicht schaffen.

Aber ich will auch nicht heimgehen, weil ich nicht weiß, wie ich die blauen Flecke an meinen Armen erklären soll.

RACHEL

Montag, 22. Juli 2013

Abends

Jetzt kann ich nur noch warten. Die Ungewissheit, die Zähigkeit, mit der sich jetzt alles entwickeln wird, ist die reine Folter. Aber mir bleibt nichts anderes übrig.

Mein ungutes Gefühl von heute Morgen hat mich nicht getäuscht. Ich wusste nur nicht, wovor ich Angst haben musste.

Nicht vor Scott. Offenbar hat er die Todesangst in meinem Blick gesehen, denn er ließ sofort wieder los, sowie er mich ins Haus gezerrt hatte. Mit wildem Blick und völlig zerzaust schien er vor dem Licht zurückzuschrecken und schlug eilig die Tür hinter uns zu.

»Was machen Sie hier? Da draußen wimmelt es von Fotografen und Reportern! Die warten nur darauf, dass mich jemand besucht. Oder vor meiner Tür herumlungert. Sie werden behaupten … Sie werden versuchen … Sie werden alles versuchen, Fotos schießen oder …«

»Da draußen ist niemand«, sagte ich, obwohl ich ehrlich gestanden nicht weiter darauf geachtet hatte. Vielleicht hatten die Paparazzi ja in irgendwelchen Autos gesessen und nur darauf gewartet, dass etwas passierte.

»Was machen Sie hier?«, fragte er noch einmal.

»Ich hab es gerade erfahren … Es stand in der Zeitung.

Ich wollte nur … Geht es um ihn? Haben sie ihn verhaftet?«

Er nickte. »Ja, heute Morgen. Die Kontaktbeamtin war hier. Sie wollte es mir persönlich sagen. Aber sie durfte nicht … Sie verraten mir nicht, warum. Irgendwas müssen sie gefunden haben, aber sie verraten mir nicht, was es ist. Megan haben sie jedenfalls nicht gefunden. Ich weiß, dass sie sie immer noch nicht gefunden haben.«

Er setzte sich auf die Treppe und schlang die Arme um sich. Er bebte am ganzen Körper.

»Ich ertrage das nicht mehr. Ich ertrage es nicht, Tag und Nacht darauf zu warten, dass das Telefon klingelt. Und was erwartet mich, wenn das Telefon irgendwann wirklich klingelt? Die Nachricht, vor der ich solche Angst habe? Wird es …« Er brachte den Satz nicht zu Ende und sah auf, als würde er mich erst jetzt richtig zur Kenntnis nehmen. »Warum sind Sie hierhergekommen?«

»Ich wollte … Ich dachte, dass Sie vielleicht nicht allein sein wollen.«

Er sah mich an, als hätte ich den Verstand verloren. »Ich bin nicht allein«, sagte er. Dann stand er auf und schob sich an mir vorbei ins Wohnzimmer. Ein paar Sekunden blieb ich einfach stehen. Ich wusste nicht, ob ich ihm folgen oder wieder gehen sollte, aber dann rief er: »Möchten Sie einen Kaffee?«

Draußen auf der Terrasse marschierte eine Frau ein wenig ziellos auf und ab und rauchte. Groß, grau meliertes Haar und elegant gekleidet, in schwarzer Hose und weißer, hochgeknöpfter Bluse. Als sie mich bemerkte, blieb sie kurz stehen, schnippte die Zigarette aufs Pflaster und drückte sie mit dem Fußballen aus.

»Polizei?«, fragte sie, als sie in die Küche trat.

»Nein, ich bin …«

»Das ist Rachel Watson, Mum«, sagte Scott. »Die Frau, die mir das von Abdic erzählt hat.«

Sie nickte langsam, als würde Scotts Erklärung ihr nur wenig weiterhelfen; sie musterte mich und ließ dabei ihren Blick von meinem Kopf bis zu den Füßen und wieder nach oben wandern. »Ach so.«

»Ich wollte nur, äh …« Mir fiel kein plausibler Grund für meine Anwesenheit ein. Ich konnte schließlich schlecht sagen: *Ich wollte Bescheid wissen. Ich wollte ihn sehen.*

»Also, Scott ist Ihnen sehr dankbar, dass Sie sich bei ihm gemeldet haben. Natürlich hoffen wir, möglichst bald zu erfahren, was genau passiert ist.« Sie machte einen Schritt auf mich zu, nahm mich am Ellbogen und drehte mich sanft in Richtung Haustür. Ich warf Scott einen Blick zu, aber er sah nicht zu mir her; er starrte aus dem Fenster und über die Gleise hinweg ins Leere.

»Danke, dass Sie vorbeigekommen sind, Ms. Watson. Wir sind Ihnen wirklich dankbar.«

Unversehens fand ich mich auf der Türschwelle wieder, vor der energisch ins Schloss gedrückten Haustür, und als ich aufblickte, sah ich sie: Tom, der den Kinderwagen schob, und Anna an seiner Seite. Beide erstarrten förmlich, als sie mich erkannten. Anna schlug die Hand vor den Mund und bückte sich hastig, um ihr Kind aus dem Wagen zu heben. Die Löwin, die ihr Junges beschützt. Ich hätte sie am liebsten ausgelacht und ihr zugerufen: Ich bin nicht deinetwegen hier, deine Tochter interessiert mich einen Dreck.

Ich habe hier nichts verloren. Das hat Scotts Mutter klargestellt. Ich habe hier nichts verloren und bin enttäuscht, aber das sollte eigentlich nichts zur Sache tun, denn dafür haben sie Kamal Abdic. Sie haben ihn gefasst, und ich habe dazu beigetragen. Ich habe das Richtige getan. Sie haben ihn gefasst, und jetzt dauert es bestimmt nicht mehr lange, bis sie Megan finden und wieder nach Hause bringen.

ANNA

Montag, 22. Juli 2013

Morgens

Tom weckte mich heute früh mit einem Kuss und einem frechen Grinsen. Er hat nur einen einzigen Termin am späten Vormittag und schlug vor, bei uns um die Ecke in einem Café frühstücken zu gehen. Früher, in unserer Anfangszeit, haben wir uns häufig dort getroffen. Wir saßen immer am Fenster – sie arbeitete damals noch in London, also bestand keine Gefahr, dass sie vorbeikommen und uns sehen konnte. Trotzdem gab das Risiko unseren Treffen immer einen zusätzlichen Reiz – vielleicht würde sie ja ausnahmsweise früher heimkommen: weil sie sich nicht gut fühlte oder irgendwelche wichtigen Papiere daheim liegen gelassen hatte. Ich träumte davon. Ich wünschte mir kaum irgendetwas sehnlicher, als dass sie eines Tages vorbeispazieren, ihn mit mir zusammen sehen und begreifen würde, dass er nicht länger ihr gehörte. Schwer zu glauben, dass es mal eine Zeit gegeben hat, in der ich mir wünschte, sie würde in meiner Nähe auftauchen.

Seit Megan verschwunden ist, habe ich diese Strecke so weit wie möglich gemieden – ich bekomme immer eine Gänsehaut, wenn ich an ihrem Haus vorbeimuss –, aber zum Café führt nun mal kein anderer Weg. Tom schiebt den Kinderwagen und geht ein kleines Stück vor mir, singt Evie etwas vor und bringt sie damit zum Lachen. Ich liebe es, wenn wir so unterwegs sind, wir drei. Die Leute sehen uns an, und ich kann sehen, wie sie denken: *Was für eine nette Familie.* Das macht mich stolz – stolzer, als ich je in meinem Leben gewesen bin.

So segle ich in meiner Blase der Glückseligkeit dahin, bis wir auf einer Höhe mit Nummer fünfzehn sind und plötzlich die Tür aufgeht. Im ersten Moment glaube ich, ich halluziniere, denn *sie* kommt herausspaziert. Rachel. Sie tritt aus der Haustür, bleibt eine Sekunde lang stehen, sieht uns und erstarrt. Es ist grauenhaft. Sie hat ein absolut merkwürdiges Lächeln im Gesicht, fast eine Grimasse, und ehe ich michs versehe, habe ich einen Satz nach vorn gemacht, reiße Evie aus dem Kinderwagen und erschrecke sie so sehr, dass sie anfängt zu weinen.

Rachel eilt von uns weg in Richtung Bahnhof.

»Rachel!«, ruft Tom ihr nach. »Was machst du hier? Rachel!« Aber sie geht einfach weiter, immer schneller, bis sie fast rennt, während wir fassungslos stehen bleiben, bis Tom sich mir zuwendet und nach einem einzigen Blick in mein Gesicht erklärt: »Komm. Gehen wir wieder nach Hause.«

Abends

Zu Hause fanden wir heraus, dass sie in dem Vermisstenfall jemanden verhaftet haben. Irgendeinen Typen, von dem ich noch nie gehört habe – ein Therapeut, zu dem sie offenbar gegangen ist. Es ist für alle eine Erlösung, schätze ich; ich hatte mir schon alle möglichen schrecklichen Dinge vorgestellt.

»Ich hab doch gleich gesagt, dass es kein Fremder war«, sagte Tom. »Das kommt einfach viel zu selten vor. Außerdem wissen wir immer noch nicht, was wirklich passiert ist. Wahrscheinlich geht es ihr gut. Vielleicht ist sie mit einem anderen durchgebrannt.«

»Aber warum haben sie diesen Mann dann verhaftet?«

Er zuckte mit den Schultern und warf sich zerstreut sein Jackett über, rückte seine Krawatte gerade und machte sich fertig, um zu seinem Kundentermin zu fahren.

»Was sollen wir denn jetzt tun?«, fragte ich ihn.

»Tun?« Er sah mich verständnislos an.

»Ihretwegen – wegen Rachel. Warum war sie hier? Was wollte sie bei den Hipwells? Glaubst du … Glaubst du, sie wollte von dort aus in unseren Garten – du weißt schon, über die Nachbargärten?«

Tom schnaubte grimmig. »Das glaube ich kaum. Im Ernst, wir sprechen hier von Rachel. Die könnte ihren fetten Arsch im Leben nicht über all diese Zäune wuchten. Ich habe keinen Schimmer, was sie dort wollte. Vielleicht war sie besoffen und hat sich in der Tür geirrt?«

»Mit anderen Worten, sie wollte eigentlich zu uns?«

Er schüttelte den Kopf. »Was weiß ich. Hör zu, mach dir deswegen keine Sorgen, okay? Schließ einfach die Türen ab. Ich rufe sie an und frage sie, was sie vorhatte.«

»Ich finde, wir sollten die Polizei rufen.«

»Und was sagen? Sie hat nichts angestellt …«

»Sie hat *in letzter Zeit* nichts angestellt – wenn man mal davon absieht, dass sie am selben Abend hier war, als Megan Hipwell verschwunden ist«, erwiderte ich. »Wir hätten der Polizei längst von ihr erzählen müssen.«

»Komm schon, Anna.« Er schob die Hände um meine Taille. »Ich kann mir nicht vorstellen, dass Rachel irgendwas mit Megan Hipwells Verschwinden zu tun hat. Aber ich spreche mit ihr, okay?«

»Nach dem letzten Mal hast du aber gesagt…«

»Ich weiß«, sagte er leise. »Ich weiß, was ich gesagt habe.« Er gab mir einen Kuss und schob seine Hand in meinen Hosenbund. »Wir sollten die Polizei nur alarmieren, wenn es wirklich sein muss.«

Ich finde ja, dass es sehr wohl sein muss. Immerzu sehe ich vor mir, wie sie uns zugelächelt, wie sie gegrinst hat. Fast triumphierend. Wir müssen endlich weg von hier. Wir müssen endlich weg von *ihr*.

RACHEL

Dienstag, 23. Juli 2013

Morgens

Als ich aufwache, brauche ich eine Weile, bis ich mir wieder klar darüber werde, was ich eigentlich empfinde. Ein rauschhaftes Hochgefühl, gedämpft durch etwas anderes: eine namenlose Angst. Ich weiß, dass wir kurz davor stehen, die Wahrheit zu erfahren. Bloß komme ich nicht gegen das Gefühl an, dass diese Wahrheit schrecklich sein wird.

Ich setze mich auf, ziehe meinen Laptop aufs Bett, schalte ihn ein und warte ungeduldig darauf, dass er hochfährt und ich ins Internet gehen kann. Die Prozedur scheint kein Ende nehmen zu wollen. Ich höre, wie Cathy im Haus umherwandert, wie sie ihr Frühstücksgeschirr spült, nach oben läuft, um Zähne zu putzen. Ein paar Sekunden lang verharrt sie vor meiner Zimmertür. Ich sehe fast vor mir, wie sie mit erhobener Hand darüber nachdenkt anzuklopfen. Dann überlegt sie es sich anders und rennt wieder die Treppe hinunter zur Haustür.

Die Nachrichtenseite der *BBC* baut sich auf. Die Hauptschlagzeile handelt von Sozialleistungskürzungen, der zweite Artikel von einem weiteren Fernsehstar aus den Siebzigern, der sexuelle Übergriffe begangen haben soll. Über Megan kann ich nichts finden – genauso wenig wie über Kamal. Ich bin enttäuscht. Ich weiß, dass die Polizei vierundzwanzig Stunden Zeit hat, um einen Verdächtigen unter Anklage zu stellen, doch die sind inzwischen um. Allerdings kann unter gewissen Umständen ein Verdächtiger weitere zwölf Stunden in Gewahrsam bleiben.

Das alles weiß ich, weil ich den gestrigen Tag mit Recherchen verbracht habe. Nachdem ich bei Scott vor die Tür gesetzt worden war, fuhr ich hierher zurück, schaltete den Fernseher ein und brachte fast den ganzen Tag damit zu, Nachrichten zu sehen und im Internet Artikel zu lesen. Und zu warten.

Gegen Mittag hatte die Polizei den Verdächtigen benannt. In den Nachrichten war die Rede von »belastenden Hinweisen, die in Dr. Abdics Haus und in seinem Auto gefunden worden seien«, ohne dass genauer ausgeführt wurde, welcher Art Hinweise das waren. Blutspuren vielleicht? Ihr immer noch unentdecktes Handy? Kleider, eine Reisetasche, ihre Zahnbürste? Immer wieder wurden Bilder von Kamal gezeigt, Nahaufnahmen seines dunklen, attraktiven Gesichts. Das Porträtfoto, das sie dabei verwendeten, war kein Polizeifoto, sondern eine private Aufnahme: Er ist irgendwo im Urlaub und hat den Hauch eines Lächelns auf den Lippen. Er sieht zu weich, zu schön aus, um ein Killer zu sein, aber das Äußere kann täuschen – angeblich soll Ted Bundy ausgesehen haben wie Cary Grant.

Ich wartete den ganzen Tag auf weitere Nachrichten, auf die Anklageerhebung: wegen Freiheitsberaubung, Körperverletzung oder Schlimmerem. Ich wartete auf eine Erklärung, wo sie jetzt ist, wo er sie versteckt hält. Sie zeigten Bilder der Blenheim Road, vom Bahnhof, von Scotts Haustür. Die Kommentatoren stellten Hypothesen auf, was es wohl bedeuten könnte, dass Megan seit über einer Woche weder ihr Handy noch ihre Bankkarten benutzt hat.

Tom rief mehrmals an. Ich ging nicht ans Telefon. Ich weiß, was er will. Er will wissen, was ich gestern Vormittag bei Scott Hipwell verloren hatte. Soll er doch rätseln. Es hat nichts mit ihm zu tun. Nicht alles dreht sich um ihn. Außerdem kann ich mir gut vorstellen, dass er auf ihr Geheiß hin anruft. Und ihr schulde ich erst recht keine Erklärung.

Ich wartete und wartete, aber es wurde keine Anklage erhoben. Stattdessen erfuhren wir immer mehr über Kamal, den vertrauenswürdigen professionellen Seelenheiler, der sich interessiert Megans Geheimnisse und Probleme angehört hatte, der ihr Vertrauen gewonnen und dann missbraucht hatte, der sie verführt hatte und dann – wer weiß?

Er ist Moslem und Bosnier, wie ich inzwischen weiß, ein Überlebender des Balkankriegs, und kam mit fünfzehn als Flüchtling nach Großbritannien. Gewalt ist ihm nicht fremd: Er verlor seinen Vater und zwei ältere Brüder in Srebrenica. Er wurde einmal wegen häuslicher Gewalt verurteilt. Je mehr ich über Kamal erfuhr, umso sicherer war ich mir, dass ich richtig gehandelt hatte: Es war richtig gewesen, der Polizei von ihm zu erzählen, und genauso richtig, Kontakt mit Scott aufzunehmen.

Ich stehe auf, ziehe den Morgenmantel enger, eile nach unten und schalte den Fernseher ein. Heute werde ich das Haus nicht verlassen. Falls Cathy unerwartet heimkommt, kann ich ihr ja erzählen, ich wäre krank. Ich mache mir eine Tasse Kaffee, setze mich damit vor den Fernseher und warte.

Abends

Gegen drei Uhr nachmittags wurde mir langweilig. Es langweilte mich, immer nur von Sozialleistungen und pädophilen Fernsehstars aus den Siebzigern zu hören, es frustrierte mich, nicht mehr über Megan zu erfahren und nichts über Kamal, und so ging ich zum Laden an der Ecke und kaufte mir zwei Flaschen Wein.

Als ich die erste Flasche bis auf einen kleinen Rest geleert habe, passiert es. Inzwischen bringen sie andere Nachrichten, wacklige Aufnahmen, die aus irgendeinem (vermutlich halb zerstörten) Verschlag heraus gemacht wurden und Explosionen in der Ferne zeigen. Syrien oder Ägypten, vielleicht auch der Sudan? Ich habe den Ton abgedreht und achte nicht wirklich darauf. Doch plötzlich sehe ich es: Der Ticker unten am Bildschirmrand meldet, dass die Regierung bei den Kürzungen für die Rechtsberatung mit heftigem Gegenwind rechnen muss, dass Fernando Torres mit einer Kniesehnenzerrung bis zu vier Wochen ausfällt und dass der Verdächtige im Fall der verschwundenen Megan Hipwell wieder auf freien Fuß gesetzt wurde.

Ich setze das Weinglas ab, greife nach der Fernbedienung und drücke, drücke, drücke auf die Lautstärketaste. Das kann doch nicht wahr sein. Der Kriegsbericht läuft immer noch, er läuft und läuft, und mein Blutdruck steigt unaufhörlich, doch schließlich ist der Beitrag zu Ende, und nach der Rückschalte ins Studio sagt die Nachrichtensprecherin: »Der gestern im Fall der verschwundenen Megan Hipwell festgenommene Dr. Kamal Abdic wurde wieder auf freien Fuß gesetzt. Abdic, der Psychotherapeut der Vermissten, war gestern verhaftet worden, wurde heute Vormittag aber wieder entlassen, weil Polizeiangaben zufolge die vorliegenden Indizien nicht für die Anklageerhebung ausreichen.«

Was sie danach sagt, höre ich nicht mehr. Ich sitze bloß da, mein Blick verschwimmt, das Rauschen in meinen Ohren übertönt alle Geräusche, und ich denke nur: *Sie hatten ihn. Sie hatten ihn, und jetzt lassen sie ihn wieder laufen.*

Oben, später. Ich habe zu viel getrunken, ich kann kaum noch den Bildschirm erkennen, alles verdoppelt, verdreifacht sich. Lesen kann ich nur noch, wenn ich mir ein Auge zuhalte. Davon bekomme ich Kopfschmerzen. Cathy ist wieder zu Hause, sie hat nach mir gerufen, und ich habe zurückgerufen, dass ich mich hingelegt hätte, weil es mir nicht gut geht. Sie weiß, dass ich wieder getrunken habe.

In meinem Bauch schwappt der Alkohol. Mir ist schlecht. Ich kann nicht mehr klar denken. Hätte nicht so früh mit dem Trinken anfangen dürfen. Hätte gar nicht mit dem Trinken anfangen dürfen. Vor einer guten Stunde habe ich Scotts Nummer angerufen und vor ein paar Minuten noch einmal. Das hätte ich ebenfalls bleiben lassen sollen. Mich interessiert nur: Was für Lügen hat Kamal ihnen erzählt? Welche Lügen haben diese Idioten ihm abgekauft? Die Polizei hat alles vermasselt. Idioten. Diese Riley ist an allem schuld. Ganz bestimmt.

Die Zeitungen setzen noch eins drauf. Jetzt behaupten sie, es habe nie eine Verurteilung wegen häuslicher Gewalt gegeben. Das sei ein Fehler gewesen. Plötzlich sieht *er* aus wie das Opfer.

Will nicht mehr trinken. Ich weiß, dass ich den Rest in den Ausguss schütten sollte, weil er sonst morgen früh noch da ist und weil ich ihn dann gleich nach dem Aufstehen niedermachen werde und weil ich danach bestimmt weitertrinken will. Ich sollte ihn in den Ausguss schütten, aber ich weiß, dass ich das nicht tun werde. Immerhin etwas, worauf ich mich morgen freuen kann.

Es ist dunkel, und ich höre, wie jemand ihren Namen ruft. Erst leise, aber dann wird die Stimme lauter. Wütend, verzweifelt ruft die Stimme nach Megan. Es ist Scott – er ist sauer auf sie. Immer wieder ruft er nach ihr. Bestimmt ist das bloß ein Traum. Ich versuche, ihn zu fassen zu kriegen, ihn festzuhalten, aber je mehr ich mich bemühe, desto schwächer wird er und desto weiter zieht er sich zurück.

Mittwoch, 24. Juli 2013

Morgens

Ich werde von einem leisen Klopfen an der Tür geweckt. Regen trommelt gegen das Fenster; es ist bereits nach acht, aber draußen scheint es noch dunkel zu sein. Cathy drückt sachte die Tür auf und steckt den Kopf in mein Zimmer.

»Rachel? Alles in Ordnung?« Ihr Blick fällt auf die Flasche neben meinem Bett, und ihre Schultern sacken nach unten. »Oh, Rachel.« Sie kommt an mein Bett und hebt die Flasche auf. Ich bringe vor Verlegenheit keinen Ton heraus. »Gehst du heute nicht zur Arbeit?«, fragt sie mich. »Warst du gestern arbeiten?« Sie wartet meine Antwort gar nicht erst ab, sondern dreht sich nur um und ruft mir über die Schulter zu: »Wenn du so weitermachst, schmeißen sie dich noch raus.«

Eigentlich sollte ich es ihr jetzt sagen, sie ist ohnehin

schon wütend auf mich. Ich sollte ihr nachlaufen und ihr erklären: Ich wurde bereits vor Monaten rausgeschmissen, weil ich nach einem dreistündigen Mittagessen mit einem Kunden stockbesoffen ins Büro zurückkam und weil ich mich bei diesem Essen so unhöflich und unprofessionell aufgeführt hatte, dass der Auftrag flöten ging. Wenn ich die Augen schließe, kann ich mich immer noch an das demütigende Ende dieses Essens erinnern, an den Blick der Kellnerin, als sie mir den Mantel reichte, den schwankenden Gang durchs Büro, die Blicke der Kollegen. Wie Martin Miles mich zur Seite nahm. *Du solltest vielleicht lieber heimgehen, Rachel.*

Ein Blitz zuckt, Donner kracht. Ich schieße hoch. Woran habe ich gestern Abend noch mal gedacht? Ich schlage in meinem kleinen schwarzen Buch nach, aber ich habe seit gestern Mittag nichts mehr hineingeschrieben. Notizen über Kamal – Alter, Abstammung, Verurteilung wegen häuslicher Gewalt. Ich nehme meinen Stift und streiche den letzten Punkt durch.

Unten mache ich mir eine Tasse Kaffee und schalte den Fernseher ein. Die Polizei hat gestern Abend eine Pressekonferenz gegeben, auf *Sky News* zeigen sie Ausschnitte. Detective Inspector Gaskill sitzt auf dem Podium, bleich und hager und niedergedrückt. Wie ein geprügelter Hund. Er erwähnt Kamal kein einziges Mal namentlich, sondern erklärt nur, dass ein Verdächtiger verhaftet und vernommen, später aber wieder entlassen worden sei, ohne dass man Anklage erhoben hätte, und dass die Ermittlungen weiterlaufen. Die Kamera schwenkt von ihm auf Scott, der zusammengesackt und irgendwie betreten danebensitzt und mit kummervoll verzogener Miene in die Scheinwerfer blinzelt. Es versetzt mir einen Stich, ihn so zu sehen.

Er spricht leise und mit niedergeschlagenem Blick. Er sagt, er habe die Hoffnung noch nicht aufgegeben, er klammere sich immer noch an den Gedanken, dass Megan zu ihm zurückkehrt, ganz gleich, was die Polizei behauptet.

Die Worte kommen wie leere Hülsen aus seinem Mund, sie klingen unaufrichtig, aber weil ich ihm nicht in die Augen sehen kann, kann ich auch nicht feststellen, warum. Ich kann nicht erkennen, ob er womöglich gar nicht wirklich glaubt, dass sie wieder heimkommen wird, weil sein Glaube daran von den Ereignissen der letzten Tage unterspült worden ist oder weil er tatsächlich *weiß*, dass sie nicht mehr heimkommen kann.

Genau in diesem Moment ist die Erinnerung wieder da: dass ich gestern seine Nummer gewählt habe. Einmal, zweimal? Ich renne nach oben, um mein Handy zu holen, und finde es unter der Bettdecke. Drei entgangene Anrufe werden angezeigt: einer von Tom, zwei von Scott. Keine Nachrichten. Der Anruf von Tom ging gestern Abend ein, Scotts erster Anruf ebenfalls, allerdings erst später, kurz vor Mitternacht. Der zweite Anruf kam heute Morgen, vor wenigen Minuten.

Mein Herz beginnt zu rasen. Das ist ein gutes Zeichen. Trotz der Reaktion seiner Mutter, trotz ihrer unmissverständlichen Signale *(Danke für Ihre Hilfe, und jetzt verziehen Sie sich)* will Scott immer noch mit mir reden. Er braucht mich. Kurz überschwemmt mich eine innige Zuneigung zu Cathy, ich bin ihr zutiefst dankbar, weil sie den restlichen Wein weggekippt hat. Ich muss für Scott einen klaren Kopf bewahren. Um seinetwillen muss ich klar denken können.

Ich dusche, ziehe mich an und mache mir noch einen Kaffee, dann setze ich mich, mit meinem kleinen schwarzen Buch bewaffnet, ins Wohnzimmer und rufe Scott an.

»Sie hätten mir erzählen müssen«, sagt er im selben Augenblick, als er den Anruf entgegennimmt, »was Sie sind.« Seine Stimme klingt flach, kalt. Mein Magen zieht sich zusammen. Er weiß Bescheid. »Ich habe mich mit Detective Sergeant Riley unterhalten, nachdem sie ihn laufen lassen mussten. Er hat abgestritten, etwas mit ihr gehabt zu haben. Und die Zeugin, die angedeutet hat, dass zwischen den beiden etwas gewesen sein soll, sei *unzuverlässig*, meinte sie. Eine Alkoholikerin. Möglicherweise psychisch labil. Den Namen der Zeugin hat sie mir nicht verraten, aber ich nehme an, dass sie von Ihnen gesprochen hat.«

»Aber … nein«, sage ich. »Nein. Ich bin keine … Ich hatte nichts getrunken, als ich die beiden gesehen habe. Es war morgens um halb neun.« Als hätte das irgendetwas zu bedeuten. »Und in den Nachrichten haben sie gesagt, man hätte Spuren gefunden, es gäbe …«

»Keine ausreichenden Indizien.«

Die Leitung ist tot.

Freitag, 26. Juli 2013

Morgens

Ich fahre nicht mehr in mein imaginäres Büro. Ich habe es aufgegeben, irgendwem etwas vormachen zu wollen. Ich mache mir kaum noch die Mühe aufzustehen. Die Zähne habe ich mir das letzte Mal am Mittwoch geputzt, glaube ich. Ich stelle mich immer noch krank, obwohl ich mir ziemlich sicher bin, dass mir das niemand mehr abnimmt.

Ich ertrage es nicht aufzustehen, mich anzuziehen, in den Zug zu steigen, nach London zu fahren, durch die Straßen zu wandern. Das ist schon anstrengend genug, wenn die Sonne scheint, aber bei diesem Regen ist es schier unmöglich. Inzwischen hält die eisige, peitschende, gnadenlose Sturzflut schon den dritten Tag an.

Ich habe Schlafstörungen und inzwischen nicht mehr nur wegen des Alkohols, sondern wegen meiner Albträume. Ich sitze irgendwo in der Falle, und ich weiß, dass jemand mich gleich holen kommt. Es gibt einen Weg nach draußen, das weiß ich genau, ich weiß, dass ich ihn schon mal gesehen habe, aber ich kann ihn nicht finden, und wenn er mich tatsächlich holen kommt, werde ich auch nicht mehr schreien können. Ich versuche es – ich pumpe Luft in meine Lunge und zwänge sie wieder heraus –, aber ich bringe keinen Laut heraus, nur ein Röcheln, wie von einer Sterbenden, die um Atem ringt.

Manchmal finde ich mich in meinen Albträumen in der Unterführung an der Blenheim Road wieder. Der Rückweg ist mir abgeschnitten, und vorwärts kann ich auch nicht, weil dort irgendetwas ist, weil dort irgendjemand auf mich wartet, und dann wache ich auf und habe nackte Angst.

Sie werden sie nie finden. Davon bin ich mit jedem Tag, jeder verstreichenden Stunde überzeugter. Sie wird zu einem dieser Namen werden, zu einer dieser Geschichten: verschwunden, vermisst, ohne dass je ein Leichnam gefunden wird. Und Scott wird niemals Gerechtigkeit oder Frieden finden. Er wird nie ein Grab haben, an dem er trauern kann; er wird nie erfahren, was ihr zugestoßen ist. Es wird für ihn keinen Abschluss geben, keine Lösung. Der Gedanke daran hält mich nachts wach und bricht mir schier das Herz. Es kann wirklich keine schlimmere Qual geben – nichts kann mehr wehtun als die Unwissenheit, die niemals endet.

Ich habe ihm geschrieben. Ich habe mein Problem zugegeben und dann gleich wieder gelogen und behauptet, ich hätte es unter Kontrolle und würde Hilfe in Anspruch nehmen. Ich versicherte ihm, dass ich psychisch durchaus stabil sei. Ob das stimmt oder nicht, weiß ich inzwischen selbst nicht mehr. Ich erklärte ihm, dass ich absolut sicher weiß, was ich gesehen habe, und dass ich nicht getrunken hatte, als ich es sah. Wenigstens das ist wahr.

Er hat nicht geantwortet. Ich habe auch nicht damit gerechnet. Er hat mich abgeschnitten, ausgeschlossen. Was ich ihm eigentlich sagen will, werde ich ihm ohnehin nie sagen können. Und ich kann es auch nicht schreiben, weil es falsch klingen würde. Ich würde ihm gern erklären, wie leid es mir tut, dass es nicht ausgereicht hat, auf Kamal zu zeigen und zu sagen: *Da, das ist er.* Ich hätte etwas sehen müssen. An jenem Samstagabend. Ich hätte die Augen offen halten müssen.

Abends

Ich bin durchnässt und durchgefroren, meine Fingerspitzen sind ganz weiß und verschrumpelt, und mein Schädel dröhnt unter einem Kater, der gegen halb sechs eingesetzt hat. Was kein Wunder ist, nachdem ich schon am Vormittag angefangen habe zu trinken. Ich bin losgezogen, um mir noch eine Flasche Wein zu holen, doch der Geldautomat vereitelte meinen Plan mit der lang befürchteten Mitteilung: *Ihr Guthaben reicht für eine Abhebung nicht aus.*

Danach ging ich einfach weiter. Über eine Stunde wanderte ich ziellos durch den peitschenden Regen. Die Fußgängerzone von Ashbury gehörte mir allein. Irgendwann auf meinem Weg kam ich zu dem Schluss, dass ich etwas unternehmen muss. Ich muss Buße tun für meine Unzulänglichkeiten.

Jetzt, durchnässt und beinahe wieder nüchtern, werde ich Tom anrufen. Eigentlich will ich überhaupt nicht wissen, was ich an jenem Samstagabend getan und gesagt habe, aber ich muss es herausfinden. Vielleicht könnte das ja eine Erinnerung losrütteln. Aus einem unerklärlichen Grund bin ich davon überzeugt, dass mir ein entscheidendes Stück fehlt. Vielleicht ist das auch nur eine Selbsttäuschung, ein weiterer Versuch, mir zu beweisen, dass ich nicht völlig wertlos bin. Vielleicht ist es aber auch real.

»Ich versuche schon seit Montag, dich zu erreichen«, sagt Tom, als er das Gespräch entgegennimmt. »Ich hab sogar bei dir im Büro angerufen«, fährt er fort und lässt die Worte ihre Wirkung entfalten.

Sofort bin ich in der Defensive, bloßgestellt, beschämt. »Ich muss mit dir reden«, sage ich. »Über Samstagabend. Diesen einen Samstagabend.«

»Was redest du denn da? *Ich* muss mit *dir* über den Montag reden, Rachel. Was wolltest du verflucht noch mal in Scott Hipwells Haus?«

»Das ist nicht wichtig, Tom …«

»Scheiße, doch, das ist es! Was hattest du dort zu suchen? Dir ist schon klar, dass er womöglich … Ich meine, wir können es schließlich nicht wissen, oder? Er könnte ihr etwas angetan haben. Oder vielleicht nicht? Seiner Frau.«

»Er hat seiner Frau nichts getan«, entgegne ich zuversichtlich. »Das könnte er gar nicht.«

»Woher zum Teufel weißt du das? Was für ein Spiel treibst du da, Rachel?«

»Ich will nur … Du musst mir glauben. Deswegen habe ich dich nicht angerufen. Ich muss mit dir über diesen Samstag reden. Über die Nachricht, die du mir auf die Mailbox gesprochen hast. Du warst so wütend – du meintest, ich hätte Anna Angst gemacht.«

»Das hast du auch. Sie hat dich über die Straße taumeln sehen, und du hast sie lauthals beschimpft. Sie war mit den Nerven am Ende, auch wegen all dem, was beim letzten Mal passiert ist – mit Evie.«

»Hat sie … Hat sie irgendwie reagiert?«

»Reagiert?«

»Mich angegriffen?«

»*Was?*«

»Ich hatte eine Platzwunde, Tom. Am Kopf. Ich habe geblutet.«

»Beschuldigst du etwa Anna, dich angegriffen zu haben?« Jetzt brüllt er, er ist außer sich. »Ernsthaft, Rachel, jetzt reicht's! Ich habe Anna – bei mehr als einer Gelegenheit – überreden müssen, dich nicht anzuzeigen, aber wenn du so weitermachst, uns belästigst, Geschichten erfindest …«

»Ich beschuldige sie doch gar nicht, Tom. Ich will bloß wissen, was passiert ist. Ich kann mich nicht …«

»Du kannst dich nicht erinnern? Natürlich nicht. Rachel kann sich nicht erinnern.« Er seufzt erschöpft. »Pass auf. Anna hat dich gesehen – du warst betrunken und bist ausfallend geworden. Sie kam heim, um es mir zu erzählen, und regte sich dabei so auf, dass ich hinausging und nach dir suchte. Du warst draußen auf der Straße. Gut möglich, dass du gestürzt warst. Du warst jedenfalls aufgeregt. Du hattest dir die Hand aufgeschnitten.«

»Ich hatte mir bestimmt nicht…«

»Also, jedenfalls hattest du Blut an der Hand. Keine Ahnung, wie es dort hingekommen war. Ich hab dir angeboten, dich heimzufahren, aber du wolltest nicht, du warst völlig aufgelöst, hast wirres Zeug geredet. Dann bist du einfach losgegangen, ich lief den Wagen holen, aber als ich zurückkam, warst du schon nicht mehr da. Ich fuhr am Bahnhof vorbei, konnte dich aber nirgends sehen. Also fuhr ich noch ein bisschen herum – Anna hatte schreckliche Angst, dass du irgendwo lauern und dann umkehren und in unser Haus eindringen könntest. Ich hatte eher Angst, dass du was tun oder dir Ärger einhandeln würdest… Jedenfalls fuhr ich bis nach Ashbury. Ich klingelte, aber du warst nicht zu Hause. Ich rief ein paarmal auf deinem Handy an. Ich hinterließ eine Nachricht. Und ja, ich war wütend. Bis zu diesem Zeitpunkt war ich wirklich stinksauer.«

»Es tut mir leid, Tom«, sage ich. »Es tut mir so leid.«

»Ich weiß«, sagt er. »Es tut dir jedes Mal leid.«

»Du hast gesagt, ich hätte Anna angeschrien…« Ich verziehe allein bei dem Gedanken das Gesicht. »Was habe ich denn zu ihr gesagt?«

»Das weiß ich doch nicht«, fährt er mich an. »Soll ich sie vielleicht ans Telefon holen? Vielleicht würdest du gern mit ihr darüber plaudern?«

»Tom…«

»Ganz ehrlich – was tut das noch zur Sache?«

»Ist dir an dem Abend vielleicht Megan Hipwell begegnet?«

»Nein.« Jetzt klingt er besorgt. »Wieso? Dir etwa? Du hast doch nichts verbrochen, oder?«

»Nein, natürlich nicht.«

Er bleibt kurz still. »Warum fragst du dann nach ihr? Rachel, wenn du irgendetwas weißt…«

»Ich weiß nichts«, sage ich. »Ich habe nichts gesehen.«

»Warum warst du am Montag bei den Hipwells? Bitte sag es mir – damit ich Anna beruhigen kann. Es macht ihr wirklich schwer zu schaffen.«

»Ich musste ihm etwas mitteilen. Etwas, wovon ich dachte, dass es wichtig sein könnte.«

»Du hast sie nicht gesehen, aber du musstest ihm etwas Wichtiges mitteilen?«

Ich zögere kurz. Ich weiß nicht recht, wie viel ich ihm erzählen soll oder ob das nur Scott etwas angeht. »Es ging um Megan«, sage ich. »Sie hatte eine Affäre.«

»Warte mal – du hast sie gekannt?«

»Flüchtig«, sage ich.

»Woher?«

»Aus ihrer Galerie.«

»Ach«, sagt er. »Und wer war der Kerl?«

»Ihr Therapeut«, verrate ich ihm. »Kamal Abdic. Ich habe sie zusammen gesehen.«

»Wirklich? Der Typ, den sie verhaftet haben? Ich dachte, den hätten sie wieder laufen lassen?«

»Haben sie auch. Und das ist meine Schuld, weil ich eine unzuverlässige Zeugin bin.«

Tom lacht. Es ist ein leises, gutmütiges Lachen, kein hämisches. »Rachel, jetzt komm. Es war richtig von dir, das zu melden. Bestimmt haben sie ihn nicht nur deinetwegen freigelassen.« Im Hintergrund höre ich Kindergeplapper, dann redet Tom am Hörer vorbei und sagt etwas, was ich nicht verstehe. »Ich muss jetzt Schluss machen«, verkündet er schließlich. Ich sehe vor mir, wie er das Telefon beiseitelegt, sein kleines Mädchen hochhebt, ihm einen Kuss gibt und seine Frau in die Arme schließt. Das Messer in meinem Herzen dreht sich weiter und weiter und weiter.

Montag, 29. Juli 2013

Morgens

Es ist 8:07 Uhr, und ich sitze im Zug. Auf dem Weg in mein imaginäres Büro. Cathy war das ganze Wochenende bei Damien, und als sie gestern Abend heimkam, ließ ich ihr gar keine Gelegenheit, mir eine Predigt zu halten. Ich entschuldigte mich sofort für mein Verhalten und versicherte ihr, ich hätte mich wirklich mies gefühlt, doch ab sofort würde ich mich zusammenreißen und neue Saiten aufziehen. Sie nahm meine Entschuldigung an oder tat zumindest so. Dann schloss sie mich in die Arme. Nettigkeit in Großbuchstaben.

Von Megan liest oder hört man kaum noch etwas. In der *Sunday Times* stand ein Kommentar über die Inkompetenz der Polizei, dabei wurde der Fall ganz kurz erwähnt; eine ungenannte Quelle bei der Generalstaatsanwaltschaft bezeichnete ihn als »einen in einer Reihe von Fällen, bei denen die Polizei auf der Grundlage fadenscheinigen oder fehlerhaften Beweismaterials übereilte Festnahmen vorgenommen« habe.

Wir nähern uns dem Signal. Ich spüre das vertraute Rumpeln und Ruckeln, der Zug wird langsamer, und ich sehe auf, weil ich muss, weil es unerträglich wäre, es nicht zu tun, aber es gibt nichts mehr zu sehen. Die Türen sind verriegelt, die Vorhänge zugezogen. Es gibt nichts zu sehen als Regenschleier und am unteren Ende des Gartens ein paar schlammige Wasserpfützen.

Aus einem plötzlichen Sinneswandel heraus steige ich in Witney aus. Tom konnte mir nicht helfen, aber womöglich könnte es dieser andere Mann – der Rothaarige. Ich warte, bis die aussteigenden Fahrgäste die Treppe hinunter verschwunden sind, und setze mich dann auf die einzige überdachte Bank am Bahnsteig. Vielleicht habe ich ja Glück. Vielleicht sehe ich ihn in den Zug steigen. Dann könnte ich ihm folgen. Ich könnte mit ihm reden. Das ist meine letzte Chance, der letzte Versuch. Wenn das nichts bringt, dann muss ich loslassen. Dann muss ich endgültig loslassen.

Eine halbe Stunde vergeht. Jedes Mal, wenn ich Schritte auf der Treppe höre, schlägt mein Herz schneller. Jedes Mal, wenn ich High Heels klackern höre, bekomme ich Beklemmungen. Wenn Anna mich hier sieht, kriege ich Ärger. Tom hat mich gewarnt. Er hat sie davon abgehalten, die Polizei zu rufen, aber wenn ich so weitermache …

Viertel nach neun. Falls er nicht sehr spät zu arbeiten beginnt, habe ich ihn verpasst. Inzwischen regnet es noch stärker, und ich kann den Gedanken an einen weiteren ziellosen Tag in London nicht ertragen. Ich habe nur noch einen Zehner bei mir, den ich mir von Cathy geliehen habe, und mit dem muss ich nun auskommen, bis ich den Mut aufgebracht habe, meine Mutter um einen kleinen Kredit anzubetteln. Ich gehe die Treppe hinunter und steuere den Bahnsteig gegenüber an, wo der Zug nach Ashbury fährt, als ich unvermutet sehe, wie Scott, den Mantelkragen vors Gesicht geschlagen, aus dem Zeitungskiosk gegenüber vom Bahnhofseingang eilt.

Ich laufe ihm nach und hole ihn an der Ecke hinter der Fußgängerunterführung ein. Als ich ihn am Ärmel packe, fährt er erschrocken herum.

»Bitte«, sage ich. »Kann ich mit Ihnen sprechen?«

»Himmel«, knurrt er mich an. »Was wollen Sie, verfluchte Scheiße?«

Ich weiche einen Schritt zurück und hebe die Hände. »Es tut mir leid«, sage ich. »Ehrlich. Ich wollte mich nur entschuldigen und Ihnen erklären …«

Der Regenguss ist mittlerweile zu einer Sturzflut geworden. Außer uns ist niemand auf der Straße, und wir sind beide bis auf die Knochen nass. Und plötzlich fängt Scott an zu lachen – er reißt die Hände hoch und brüllt vor Lachen. »Gehen wir zu mir nach Hause«, sagt er schließlich, »bevor wir hier draußen noch ertrinken.«

Scott geht nach oben und holt Handtücher, während unten Wasser kocht. Das Haus ist längst nicht mehr so aufgeräumt wie noch vor einer Woche, der Geruch nach Desinfektionsmitteln wird von etwas Erdigerem überlagert. In der Wohnzimmerecke stapeln sich Zeitungen; auf dem Couchtisch und dem Kaminsims stehen schmutzige Kaffeebecher.

Dann steht Scott wieder neben mir und reicht mir ein Handtuch. »Es ist eine Müllkippe, ich weiß. Meine Mutter hat mich zum Wahnsinn getrieben, ständig hat sie geputzt oder hinter mir hergeräumt. Wir haben uns gestritten. Sie war schon ein paar Tage nicht mehr hier.« Sein Handy klingelt, er wirft einen Blick aufs Display und steckt es wieder in die Tasche. »Wenn man vom Teufel spricht. Sie gibt einfach keine Ruhe.«

Ich folge ihm in die Küche. »Es tut mir so leid, was passiert ist …«

Er zuckt nur mit den Schultern. »Ich weiß. Aber Sie können ja nichts dafür. Ich meine, es wäre vielleicht besser gewesen, wenn Sie nicht …«

»Wenn ich nicht so viel trinken würde?«

Er hat mir den Rücken zugedreht und gießt Kaffee auf. »Na schön – ja. Aber sie hatten sowieso nicht genug gegen ihn in der Hand, um Anklage zu erheben.« Er reicht mir den Becher, und wir setzen uns an den Tisch. Mir fällt auf, dass eines der gerahmten Fotos auf dem Beistelltischchen mit dem Glas nach unten liegt. Scott redet immer noch. »Sie haben bei ihm zu Hause Spuren von ihr gefunden – Haare, Hautzellen –, aber er streitet überhaupt nicht ab, dass sie dort war. Na gut, anfangs hat er es noch geleugnet, aber später hat er zugegeben, dass sie ihn besucht hat.«

»Warum hat er gelogen?«

»Genau … Er hat zugegeben, dass sie zweimal bei ihm zu Hause war, aber nur, um mit ihm zu reden. Worüber, will er nicht verraten – angeblich fällt es unter die ärztliche Schweigepflicht. Die Haare und Hautzellen wurden im Erdgeschoss gefunden. Oben im Schlafzimmer war nichts. Er schwört bei allem, was ihm heilig ist, dass sie keine Affäre haben, aber er ist ein Lügner, und deshalb …« Er legt die Hand über die Augen. Sein Gesicht sieht aus, als würde es in sich zusammensinken, seine Schultern sacken nach unten. Er scheint zu schrumpfen. »An seinem Wagen war eine Blutspur.«

»O Gott …«

»Genau. Mit ihrer Blutgruppe. Sie wissen nicht, ob sie einen Gentest damit machen können, weil die Spur so winzig ist. Vielleicht hat sie auch gar keine Bedeutung, das betonen sie immer wieder. Aber wie könnte es keine Bedeutung haben, dass ihr Blut an seinem Wagen klebt?« Er schüttelt den Kopf. »Sie hatten recht. Je mehr ich über diesen Typen erfahre, umso sicherer bin ich mir.« Er sieht mich an, zum ersten Mal, seit wir hier sind, sieht er mich richtig an. »Er hat sie gefickt, und sie wollte Schluss machen, und da hat er ... Er hat ihr etwas getan. So war's. Da bin ich mir ganz sicher.«

Er hat jede Hoffnung verloren, und ich kann es ihm nachfühlen. Inzwischen sind bereits mehr als zwei Wochen vergangen, ohne dass sie ihr Handy eingeschaltet, ihre Bankkarten verwendet oder irgendwo Geld abgehoben hätte. Niemand hat sie seither gesehen. Sie ist verschwunden.

»Er hat der Polizei erzählt, dass sie abgehauen sein könnte«, fährt Scott fort.

»Dr. Abdic?«

Scott nickt. »Er hat der Polizei erzählt, sie sei nicht mehr glücklich mit mir gewesen und deshalb möglicherweise einfach abgehauen.«

»Er versucht, den Verdacht von sich abzulenken, er will ihnen weismachen, dass Sie ihr was angetan haben.«

»Das ist mir klar. Aber sie scheinen diesem Bastard einfach alles abzukaufen. Jedes Mal merke ich das dieser Riley an – wenn sie über ihn spricht. Sie mag ihn. Den armen geknechteten Flüchtling.« Er lässt trübselig den Kopf hängen. »Aber vielleicht hat er ja recht. Wir haben uns wirklich furchtbar gestritten. Ich kann trotzdem nicht glauben ... Sie war nicht unglücklich. Das war sie nicht. Ganz sicher nicht.« Bei der dritten Wiederholung frage ich mich, ob er sich vielleicht nur selbst überzeugen will. »Aber wenn sie eine Affäre hatte, muss sie doch unglücklich gewesen sein, oder nicht?«

»Nicht unbedingt«, sage ich. »Vielleicht war es eine dieser – wie heißt das noch? – Übertragungsdinger. So nennen die das doch, oder? Wenn ein Patient Gefühle für seinen Therapeuten entwickelt – oder zumindest glaubt, dass er Gefühle für ihn entwickelt. Nur sollte der Therapeut diesen Gefühlen widerstehen und dem Patienten klarmachen, dass sie nicht echt sind.«

Seine Augen sind direkt auf mein Gesicht gerichtet, aber ich habe das Gefühl, dass er nicht hört, was ich zu ihm sage.

»Wie ist es damals dazu gekommen?«, fragt er dann. »Bei Ihnen. Sie haben Ihren Mann verlassen. Gab es einen anderen?«

Ich schüttle den Kopf. »Es war andersherum. Es gab Anna…«

»Tut mir leid.« Er verstummt.

Ich weiß, was er gleich fragen wird, und sage, noch ehe er zu Wort kommen kann: »Es fing schon vorher an. Als wir noch verheiratet waren. Das Trinken. Das wollten Sie doch wissen, oder?«

Er nickt wieder.

»Wir haben damals versucht, ein Baby zu bekommen«, sage ich, und meine Stimme bricht. Selbst jetzt, nach all den Jahren, schießen mir jedes Mal, wenn ich darüber spreche, Tränen in die Augen. »Entschuldigung.«

»Schon gut.« Er steht auf und geht zur Spüle, schenkt mir ein Glas Wasser ein und stellt es vor mir auf den Tisch.

Ich räuspere mich und will so abgeklärt wie möglich klingen. »Wir haben versucht, ein Baby zu bekommen. Ohne Erfolg. Ich wurde depressiv und fing an zu trinken. Mit mir zu leben war wohl extrem anstrengend, also suchte Tom woanders Trost. Und sie hat ihn nur allzu gern getröstet.«

»Das ist ja furchtbar – mein aufrichtiges Mitgefühl. Ich weiß… Ich wollte auch ein Kind. Megan hat immer behauptet, sie wäre noch nicht bereit.« Jetzt ist er an der

Reihe, sich die Tränen abzuwischen. »Das war einer der Punkte … über die wir manchmal aneinandergerieten.«

»Haben Sie sich auch an dem Tag, an dem sie verschwand, deswegen gestritten?«

Er schiebt seufzend den Stuhl zurück und steht auf. »Nein«, sagt er und wendet sich von mir ab. »Da ging es um was anderes.«

Abends

Als ich heimkomme, wartet Cathy schon auf mich. Sie steht in der Küche und trinkt demonstrativ zornig ein Glas Wasser. »War's schön im Büro?«, fragt sie und kneift die Lippen zusammen. Sie weiß Bescheid.

»Cathy …«

»Damien hatte heute einen Termin in der Nähe von Euston Station. Auf dem Rückweg lief ihm Martin Miles über den Weg. Die beiden kennen sich flüchtig aus Damiens Zeit bei Laing Fund Management, wie du bestimmt noch weißt. Martin hat dort früher die PR gemacht.«

»Cathy …«

Sie hebt die Hand und nimmt noch einen Schluck Wasser. »Du arbeitest seit Monaten nicht mehr dort! *Seit Monaten!* Hast du eine Vorstellung, wie dämlich ich mir vorkomme? Wie dämlich Damien sich vorgekommen ist? Bitte, *bitte* sag mir, dass du einen neuen Job hast und mir nur noch nichts davon erzählt hast. Bitte sag mir, dass du mir nicht vorgespielt hast, du würdest arbeiten gehen. Dass du mich nicht die ganze Zeit – tagein, tagaus – belogen hast.«

»Ich wusste nicht, wie ich es dir sagen sollte …«

»Du wusstest nicht, wie du es mir sagen solltest? Wie

wär's mit: *Cathy, ich wurde gefeuert, weil ich besoffen zur Arbeit gekommen bin?* Wie wär's damit?« Ich zucke zusammen, und ihre Miene wird ein bisschen weicher. »Bitte entschuldige – aber mal ganz im Ernst, Rachel.« Sie ist wirklich zu nett. »Was hast du denn die ganze Zeit gemacht? Wo hast du gesteckt? Was tust du den ganzen Tag?«

»Ich gehe spazieren. Oder in die Bücherei. Manchmal …«

»Auch in den Pub?«

»Manchmal. Aber …«

»Warum hast du mir denn nichts erzählt?« Sie tritt auf mich zu und legt die Hände auf meine Schultern. »Du hättest es mir sagen müssen.«

»Es war mir peinlich«, sage ich und fange an zu weinen. Es ist grässlich – ich könnte im Boden versinken –, aber ich fange wirklich an zu heulen. Ich schluchze und schluchze, während die arme Cathy mich festhält, mir übers Haar streichelt, mir versichert, dass ich es schon schaffen werde, dass alles wieder gut wird. Ich fühle mich jämmerlich. Ich verabscheue mich fast mehr denn je zuvor.

Später sitze ich mit Cathy auf dem Sofa, wir trinken Tee, und sie erklärt mir, was passieren wird. Ich werde aufhören zu trinken, ich werde meinen Lebenslauf auf Vordermann bringen, ich werde Martin Miles anrufen und ihn um ein Zeugnis bitten. Ich werde mein Geld nicht länger für sinnlose Zugfahrten nach London und zurück zum Fenster hinauswerfen.

»Ganz ehrlich, Rachel, es ist mir unbegreiflich, wie du das so lange durchhalten konntest.«

Ich zucke mit den Achseln. »Morgens nehme ich immer

den Acht-Uhr-Vierer, und abends komme ich mit dem Zug um vier vor sechs zurück. Das ist mein Zug. Den nehme ich. So läuft das eben.«

Donnerstag, 1. August 2013

Morgens

Irgendetwas liegt auf meinem Gesicht, ich kriege keine Luft mehr, ich ersticke. Endlich tauche ich – atemlos und mit Schmerzen in der Lunge – wieder ins Wachsein auf. Ich setze mich auf, die Augen weit aufgerissen, und sehe, wie sich in der Zimmerecke etwas bewegt, wie sich die Schwärze dort verdichtet und allmählich anwächst, und ich will schon aufschreien – doch dann bin ich endgültig wach und stelle fest, dass da nichts ist, aber dass ich *wirklich* aufrecht im Bett sitze und meine Wangen tränennass sind.

Der Morgen dämmert schon fast, draußen beginnt das Licht, sich gräulich zu verfärben, und immer noch trommelt Regen gegen das Fenster. Ich werde bestimmt nicht mehr einschlafen, nicht solange mein Herz hämmert, dass mir die Brust wehtut.

Sicher bin ich mir nicht, aber ich glaube, dass unten noch Wein ist. Ich kann mich nicht erinnern, die zweite Flasche ausgetrunken zu haben. Bestimmt ist er warm; ich stelle ihn nicht mehr in den Kühlschrank, sonst schüttet Cathy ihn weg. Sie wünscht sich so sehr, dass ich wieder auf die Beine komme, aber bisher läuft es für sie nicht ganz nach Plan. Im Flur gibt es eine Klappe vor dem Gaszähler. Falls noch Wein übrig war, hab ich ihn dahinter versteckt.

Im Dämmerlicht schleiche ich auf den Treppenabsatz und dann auf Zehenspitzen die Treppe hinunter. Ich öffne die Klappe und hole die Flasche heraus: Sie ist enttäuschend leicht, es ist höchstens noch ein gutes Glas übrig, aber das ist besser als gar nichts. Ich schütte den Wein in einen Becher (nur für den Fall, dass Cathy runterkommt – dann kann ich behaupten, es wäre Tee) und stopfe die Flasche in den Müll (wobei ich darauf achte, sie unter einem Milchkarton und einer Chipstüte zu verstecken). Im Wohnzimmer schalte ich den Fernseher ein, stelle den Ton ab und setze mich aufs Sofa.

Ich zappe durch die Kanäle – nichts als Kinderfernsehen und Dauerwerbesendungen, bis mein Gehirn fast im Vorbeiblitzen registriert, dass ich gerade den Corly Wood vor mir sehe, das Wäldchen ganz hier in der Nähe. Man kann es vom Zug aus erkennen. Bäume unter strömendem Regen und dazu die überschwemmten Felder bis zur Bahnstrecke.

Ich weiß nicht, wieso ich so lang brauche, um zu begreifen, was sich dort abspielt. Zehn, fünfzehn, zwanzig Sekunden lang starre ich auf Autos und blau-weiße Absperrbänder und ein weißes Zelt im Hintergrund, während meine Atemzüge gleichzeitig immer kürzer werden und ich schließlich die Luft anhalte und überhaupt nicht mehr atme.

Sie haben sie gefunden. Sie lag die ganze Zeit im Wald, von hier aus nur ein Stück die Gleise entlang. Tag für Tag bin ich vollkommen ahnungslos an diesen Feldern vorübergefahren, jeden Morgen, jeden Abend.

Im Wald. Ich stelle mir ein unter struppigem Gebüsch ausgehobenes und hastig wieder zugeschaufeltes Grab vor. Ich stelle mir noch schlimmere Sachen vor, unmögliche

Sachen – ihren am Seil baumelnden Leichnam irgendwo tief im Dickicht, wo kein Mensch je hinkommt.

Vielleicht ist sie es aber auch gar nicht. Vielleicht geht es um was ganz anderes. Doch mir ist klar, dass es um nichts anderes geht.

Jetzt ist ein Reporter auf dem Bildschirm zu sehen, das dunkle Haar glatt auf dem Schädel. Ich drehe den Fernseher ein bisschen lauter und kann hören, wie er mir bestätigt, was ich bereits weiß, was ich längst spüre – dass nicht ich keine Luft mehr bekam, sondern Megan.

»Ganz richtig«, sagt er zu jemandem im Studio und presst sich eine Hand ans Ohr. »Die Polizei hat inzwischen bestätigt, dass unter dem stehenden Wasser auf einem überschwemmten Feld am Rand des Corly Wood der Leichnam einer jungen Frau gefunden wurde – keine fünf Meilen von Megan Hipwells Wohnort entfernt. Wie Sie sich noch erinnern, verschwand Mrs. Hipwell Anfang Juli – am dreizehnten Juli, um genau zu sein – und wurde seither vermisst. Laut Polizei muss der Leichnam, der heute in aller Frühe von Hundebesitzern auf ihrer Morgenrunde entdeckt wurde, noch offiziell identifiziert werden; man geht inzwischen aber davon aus, dass es sich bei der Toten um Megan Hipwell handelt. Mrs. Hipwells Ehemann wurde bereits informiert.«

Er bleibt eine Weile still. Die Nachrichtensprecherin stellt ihm noch eine Frage, doch ich verstehe kein Wort, weil das Blut in meinen Ohren rauscht. Ich hebe den Becher an die Lippen und leere ihn bis auf den letzten Tropfen.

Dann spricht wieder der Reporter. »Ja, Kay, ganz recht, es sieht so aus, als wäre der Leichnam hier im Wald verscharrt worden, möglicherweise schon vor längerer Zeit, und als hätten ihn die schweren Regenfälle in den letzten Tagen freigespült.«

Es ist schlimmer, noch viel schlimmer, als ich es mir ausgemalt hatte. Ich sehe sie vor mir, das zerschundene Gesicht im Schlamm, die blassen Arme freigelegt und hoch erhoben, in die Luft gereckt, als wollte sie sich aus ihrem Grab wühlen. Ich schmecke ein heißes Gemisch aus Magensäure und saurem Wein in meinem Mund und renne nach oben, um mich zu übergeben.

Abends

Ich war fast den ganzen Tag im Bett. Ich versuchte, in meinem Kopf Ordnung zu schaffen. Ich versuchte, aus Erinnerungen und Flashbacks und Träumen zu rekonstruieren, was am Samstagabend wirklich geschah. In dem Bemühen, die Ereignisse zu erfassen, sie zu durchschauen, schrieb ich mir alles auf. Als der Stift über das Papier kratzte, war das fast, als würde jemand mir ins Ohr flüstern; es raubte mir den letzten Nerv, die ganze Zeit über hatte ich das Gefühl, es wäre noch jemand in der Wohnung, gleich hinter der Tür, und jedes Mal stand sie mir dabei vor Augen.

Ich brachte kaum den Mut auf, die Zimmertür aufzuziehen, doch als ich es endlich tat, stand natürlich niemand dahinter. Ich ging nach unten und schaltete den Fernseher wieder ein. Es waren die gleichen Bilder wie zuvor: der Wald im Regen, Polizeiautos, die über einen schlammigen Feldweg fuhren, dieses furchtbare weiße Zelt, alles in einem grauen Schleier, und dann plötzlich Megan, die – schön und unberührt – in die Kamera lächelt. Darauf folgt Scott, der mit gesenktem Kopf die Fotografen abwehrt und in Begleitung von Riley versucht, aus seiner Haustür zu kommen. Dann wird Kamals Praxis gezeigt. Von ihm selbst ist nichts zu sehen.

Eigentlich wollte ich gar nicht hören, was dazu gesagt wurde; trotzdem musste ich die Lautstärke hochdrehen, um die gellende Stille in meinem Kopf zu übertönen. Der Polizei zufolge starb die immer noch nicht offiziell identifizierte Frau schon vor längerer Zeit, möglicherweise vor mehreren Wochen. Die Todesursache müsse erst noch ermittelt werden, hieß es. Und dass es keine Hinweise auf ein sexuelles Tötungsmotiv gebe.

Ich halte das für eine selten dämliche Behauptung, aber ich weiß natürlich, wie es gemeint ist – damit ist gemeint, dass sie nicht vergewaltigt wurde, was zwar ein Segen ist. Aber das heißt noch lange nicht, dass es kein sexuelles Motiv gegeben hätte. Für mich sieht es vielmehr so aus, als hätte Kamal sie haben wollen, aber nicht haben können, als hätte sie versucht, ihre Beziehung zu beenden, was er nicht hinnehmen wollte. Ist das vielleicht kein sexuelles Motiv?

Weil ich die Nachrichten nicht mehr ertrage, gehe ich wieder nach oben und verkrieche mich unter der Bettdecke. Ich leere meine Handtasche aus, sehe die Zettelchen mit den gekritzelten Notizen durch, die mühsam zusammengekratzten Informationsfetzen, die schattenhaft taumelnden Erinnerungen, und frage mich: Wieso tue ich all das überhaupt? Wozu soll das gut sein?

MEGAN

Donnerstag, 13. Juni 2013

Morgens

Ich kann bei dieser Hitze nicht schlafen. Unsichtbare Käfer krabbeln über meine Haut, ich habe einen Ausschlag auf der Brust, ich finde keine bequeme Schlafposition. Scott ist wie ein Heizstrahler; neben ihm zu liegen ist wie am offenen Feuer zu schlafen. Ich rutsche immer weiter weg von ihm und merke irgendwann, dass ich neben der zurückgeschlagenen Decke auf der äußersten Bettkante liege. Es ist unerträglich. Ich habe schon überlegt, ob ich mich auf den Futon im kleinen Zimmer legen soll, aber er kann es nicht leiden, wenn ich nicht da bin, wenn er aufwacht. Das führt jedes Mal zu Streit. Gewöhnlich darüber, was wir mit dem kleinen Zimmer sonst anstellen könnten oder an wen ich diesmal gedacht habe, während ich allein dort lag. Manchmal würde ich ihn am liebsten anschreien: *Lass mich einfach in Ruhe. Lass mich. Lass mich atmen.* Ich kann also nicht schlafen, und ich bin wütend. Es ist, als würden wir schon jetzt streiten, obwohl wir den Streit im Augenblick bloß in meiner Einbildung austragen.

Und in meinem Kopf kreisen die Gedanken und kreisen und kreisen.

Ich habe das Gefühl, keine Luft mehr zu bekommen.

Wann wurde dieses Haus so verflucht klein? Wann

wurde mein Leben derart langweilig? Ist das hier wirklich, was ich immer wollte? Ich weiß es nicht mehr. Ich weiß nur noch, dass es mir vor ein paar Monaten besser ging und dass ich jetzt nicht einmal mehr denken und schlafen und zeichnen kann und dass ich nur noch wegwill. Wenn ich nachts wach liege, kann ich es hören, leise zwar, aber unbeirrbar, unüberhörbar, dieses Flüstern in meinem Kopf: *Hau ab.* Wenn ich die Augen schließe, schwirrt mir der Kopf von Bildern aus vergangenen und zukünftigen Leben, von Dingen, von denen ich immer zu träumen geglaubt habe, von Dingen, die ich einst hatte, aber weggeworfen habe. Ich kann nicht zur Ruhe kommen, denn wohin ich mich auch wende, laufe ich in eine Sackgasse: die geschlossene Galerie, die Häuser in dieser Straße, die ermüdende Aufmerksamkeit dieser nervtötenden Pilatesweiber, die Gleise am Ende des Gartens mit all den Zügen, die ununterbrochen andere Menschen anderswohin bringen und mir dadurch wieder und wieder und wieder vor Augen führen, dass ich hier feststecke.

Ich habe das Gefühl, verrückt zu werden.

Dabei ist es nur ein paar Monate her, dass ich mich besser fühlte, dass ich auf dem Weg der Besserung war. Ich kam zurecht. Ich konnte schlafen. Ich hatte keine Angst vor meinen Albträumen. Ich konnte atmen. Ja, ich wollte immer noch fliehen. Manchmal. Aber nicht jeden Tag.

Mit Kamal zu reden hat mir geholfen, das lässt sich nicht abstreiten. Es hat mir gefallen. Er hat mir gefallen. Er hat mich glücklicher gemacht. Und jetzt kommt mir all das so unfertig vor – weil wir nie bis an den entscheidenden Punkt gekommen sind. Natürlich ist das meine Schuld, ich habe mich idiotisch aufgeführt, geradezu kindisch, weil ich es einfach nicht ertragen konnte, zurückgewiesen zu werden. Ich muss lernen, mich geschlagen zu geben. Mittlerweile ist mir das alles peinlich, ich schäme mich dafür. Wenn ich nur daran denke, fängt mein Gesicht an zu glühen. Ich will nicht, dass das sein letzter Eindruck von mir war. Ich will, dass er sich weiter mit mir trifft, dass er mich besser versteht. Und ich habe das bestimmte Gefühl, dass er mir helfen würde, wenn ich zu ihm ginge. Er ist einfach so.

Ich muss zum Ende der Geschichte kommen. Ich muss es jemandem erzählen, wenigstens ein einziges Mal. Die Worte wirklich aussprechen. Wenn ich es mir nicht von der Seele reden kann, wird es mich auffressen. Das Loch, das es in mir zurückgelassen hat, wird immer größer werden, bis es mich ganz verschlingt.

Ich muss meinen Stolz und meine Scham hinunterschlucken und zu ihm gehen. Er muss mir einfach zuhören. Ich werde ihn dazu zwingen.

Abends

Scott glaubt, dass ich mit Tara im Kino bin. Seit einer Viertelstunde stehe ich draußen vor Kamals Wohnung und bereite mich darauf vor, bei ihm zu klingeln. Nach dem letzten Mal habe ich richtig Schiss davor, wie er mich ansehen wird. Ich muss ihm zeigen, dass es mir leidtut, und habe mich darum entsprechend angezogen: schlicht und unauffällig, in Jeans und T-Shirt, kaum geschminkt. Er muss mir ansehen, dass es mir nicht darum geht, ihn zu verführen.

Ich merke, wie mein Puls zu rasen beginnt, sobald ich an seine Haustür trete und auf die Klingel drücke. Aber es kommt niemand. Es brennt zwar Licht, aber es kommt niemand. Vielleicht hat er mich draußen stehen und warten sehen; vielleicht ist er oben und hofft, dass ich wieder gehe, wenn er mich ignoriert. Aber das werde ich ganz bestimmt nicht. Er weiß nicht, wie entschlossen ich sein kann. Wenn ich mir erst mal etwas in den Kopf gesetzt habe, dann bin ich eine Kraft, mit der man rechnen sollte.

Ich klingle noch mal und kurz darauf ein drittes Mal, und endlich höre ich Schritte auf der Treppe, und dann geht die Tür auf. Er hat eine Jogginghose und ein weißes T-Shirt an. Er ist barfuß, hat nasse Haare, und sein Gesicht ist gerötet.

»Megan.« Er wirkt überrascht, aber nicht wütend, was schon mal ein guter Anfang ist. »Bist du okay? Ist alles in Ordnung?«

»Bitte entschuldige«, sage ich, und er tritt zurück, um mich einzulassen. Mich überkommt eine so überwältigende Dankbarkeit, dass man sie fast schon für Liebe halten könnte.

Er führt mich in die Küche. Sie ist ein einziger Saustall: Auf der Küchentheke und in der Spüle stapelt sich schmutziges Geschirr, aus dem Mülleimer quellen leere Take-away-Behälter. Ob er an Depressionen leidet? Ich bleibe in der Tür stehen; er lehnt sich mir gegenüber an die Küchentheke und verschränkt die Arme.

»Was kann ich für dich tun?«, fragt er. Er hat eine absolut ausdruckslose Miene aufgelegt – sein Therapeutengesicht. Am liebsten würde ich ihn zwicken, nur um ihn zum Lächeln zu bringen.

»Ich muss dir was erzählen«, hebe ich an und verstumme sofort wieder, weil ich unmöglich direkt zur Sache kommen kann. Ich brauche eine Einleitung. Also setze ich neu an. »Ich wollte mich entschuldigen«, sage ich. »Für das, was letztes Mal passiert ist.«

»Kein Problem«, sagt er. »Mach dir deswegen keine Gedanken. Wenn du mit jemandem reden musst, kann ich dich an einen Kollegen überweisen, aber ich selbst kann nicht…«

»Bitte, Kamal.«

»Ich kann dich nicht länger behandeln, Megan.«

»Ich weiß. Das ist mir klar. Aber ich kann einfach nicht noch mal von vorn anfangen, das schaffe ich nicht. Wir sind so weit gekommen. Wir waren so dicht davor. Ich muss dir das einfach erzählen. Nur ein einziges Mal – danach bist du mich los, Ehrenwort. Danach siehst du mich nie wieder.«

Er legt den Kopf schief. Ich sehe ihm an, dass er mir nicht glaubt. Er befürchtet, dass er mich nie wieder loswird, wenn er jetzt nachgibt.

»Bitte, hör mir zu. Es ist keine lange Geschichte, ich brauche nur jemanden, dem ich sie erzählen kann.«

»Was ist mit deinem Mann?«, fragt er, und ich schüttle den Kopf.

»Das kann ich nicht… Das kann ich ihm nicht erzählen. Nicht nach all den Jahren. Er würde… Er könnte mich nie wieder so ansehen wie früher. Ich wäre jemand anderes für ihn. Er wüsste nicht, wie er mir vergeben sollte. Bitte, Kamal, ich habe das Gefühl, dass ich nie wieder schlafen kann, wenn ich dieses Gift nicht endlich ausspucke. Du musst mir zuhören – nicht als Therapeut, sondern als Freund.«

Ich denke schon, dass alles aus ist. Seine Schultern sacken ein Stück nach unten, und er dreht sich weg. Dann zieht er eine Schranktür auf und nimmt zwei Whiskygläser heraus.

»Na schön, dann als Freund. Willst du ein Glas Wein?«

Er führt mich ins Wohnzimmer. Es wird dürftig von Stehlampen erhellt und strahlt das gleiche vernachlässigte Flair aus wie die Küche. Wir setzen uns einander gegenüber an einen mit Zeitungen, Zeitschriften und Takeaway-Flyern überhäuften Glastisch. Ich habe die Hände fest um mein Glas gelegt. Ich nehme einen Schluck. Es ist Rotwein; er ist kalt und schmeckt irgendwie angestaubt. Ich schlucke ihn runter und nippe noch mal. Er wartet darauf, dass ich anfange, aber es fällt mir schwer; schwerer, als ich es mir vorgestellt habe. Ich habe dieses Geheimnis so lange gehütet – ein ganzes Jahrzehnt, mehr als ein Drittel meines Lebens. Es ist nicht leicht, es jemandem anzuvertrauen. Aber ich weiß genau, dass ich anfangen muss zu reden. Wenn ich es jetzt nicht tue, werde ich vielleicht nie wieder den Mut aufbringen, die Worte auszusprechen, und dann könnten sie mir endgültig verloren gehen, sie könnten mir in der Kehle stecken bleiben und mich im Schlaf ersticken.

»Als ich aus Ipswich wegging, zog ich zu Mac, in seine Hütte in der Nähe von Holkham, am Ende des Feldwegs. Das habe ich dir schon mal erzählt, oder? Die Hütte war echt abgelegen – bis zum nächsten Nachbarn waren es mehrere Meilen und zu den nächsten Läden noch viel weiter. Anfangs feierten wir dort dauernd Partys, immer pennten irgendwelche Leute bei uns im Wohnzimmer oder im Sommer draußen in der Hängematte. Irgendwann wurde uns das zu viel, und Mac zerstritt sich mit den anderen, und dann kam niemand mehr vorbei, und wir waren nur noch zu zweit. Manchmal vergingen mehrere Tage, ohne dass wir einen anderen Menschen zu Gesicht bekommen hätten. Essen kauften wir an der Tankstelle. Wenn ich jetzt daran zurückdenke, kommt es mir merkwürdig vor, aber damals brauchte ich das nach den ganzen Geschichten – nach Ipswich und den vielen Männern, nach allem, was ich getan hatte. Ich fühlte mich wohl allein mit Mac und der alten Eisenbahnstrecke und dem Gras und den Dünen und der rastlosen grauen See.«

Kamal legt den Kopf schief und schenkt mir ein zaghaftes Lächeln. Sofort schlägt mein Magen Purzelbäume. »Hört sich nett an. Aber verklärst du das nicht auch ein bisschen? ›Die rastlose graue See …‹«

»Vergiss es«, sage ich und fege den Einwand mit einer flüchtigen Geste beiseite. »Und nein, auf keinen Fall. Warst du schon mal in Nordnorfolk? Das ist nicht die Adria. Die See ist wirklich rastlos, und sie ist unerbittlich grau.«

Er hebt die Hände und lächelt. »Okay.«

Augenblicklich fühle ich mich besser. Die Anspannung sickert aus meinem Nacken und meinen Schultern. Ich nehme noch einen Schluck Wein; er schmeckt schon nicht mehr ganz so bitter.

»Ich war glücklich mit Mac. Ich weiß, man sollte nicht glauben, dass es mir an so einem Ort gefallen würde, dass mir so ein Leben gefallen würde, doch nach Bens Tod und nach allem, was danach kam, gefiel es mir wirklich. Mac hat mich gerettet. Er hat mich bei sich aufgenommen, er hat mich geliebt, er hat mich beschützt. Außerdem war er kein bisschen langweilig. Um ganz ehrlich zu sein: Wir nahmen haufenweise Drogen, und man langweilt sich einfach nicht, wenn man die ganze Zeit breit ist. Ich war glücklich. Ich war wirklich glücklich.«

Kamal nickt. »Ich verstehe, auch wenn ich mir nicht sicher bin, ob das nach echtem Glück klingt. Jedenfalls nicht nach einem Glück, das andauern, das einen länger tragen kann.«

Ich muss lachen. »Ich war siebzehn. Ich war mit einem aufregenden Mann zusammen, der mich vergötterte. Ich war weit weg von meinen Eltern, weit weg von dem Haus, in dem mich alles, *alles* an meinen toten Bruder erinnerte. Für mich brauchte es nicht anzudauern oder länger zu tragen. Ich brauchte es bloß in diesem Moment.«

»Und was ist dann passiert?«

Plötzlich habe ich den Eindruck, als würde es dunkler im Wohnzimmer. Wir sind bei der Geschichte angelangt, die ich noch nie erzählt habe.

»Ich wurde schwanger.«

Er nickt und wartet darauf, dass ich weiterspreche. Insgeheim hoffe ich, dass er mir Einhalt gebietet, dass er mir stattdessen Fragen stellt, aber das tut er nicht, er wartet einfach ab. Es wird noch dunkler.

»Als ich es merkte, war es schon zu spät, um … um es wieder loszuwerden. Sie. Genau das hätte ich tun sollen, wäre ich nicht so dämlich gewesen, so *blind*. Die Wahrheit ist, dass sie nicht gewollt war. Dass keiner von uns beiden sie gewollt hat.«

Kamal steht auf, geht in die Küche und kommt mit einem Blatt Küchenrolle zurück, damit ich mir die Tränen abwischen kann. Ich brauche eine Weile, bevor ich weitersprechen kann. Kamal sitzt, genau wie bei unseren Sitzungen, geduldig und reglos da, das Gesicht mir zugewandt, die Hände im Schoß gefaltet. Diese Ruhe, diese Passivität muss eine unglaubliche Selbstbeherrschung erfordern; bestimmt ist sie extrem anstrengend.

Meine Beine zittern so, dass mein Knie hüpft wie am Faden eines Marionettenspielers. Ich stehe auf, um das Zittern zu unterdrücken. Ich gehe zur Küchentür und wieder zurück und kratze dabei über meine Handflächen.

»Wir waren beide so unglaublich dumm«, fahre ich fort. »Wir wollten nicht wahrhaben, was passiert war. Wir machten einfach weiter wie zuvor. Ich ging nicht zum Arzt, ich achtete nicht auf meine Ernährung, ich nahm keine Vitamine, ich tat nichts von all dem, was Schwangeren empfohlen wird. Wir lebten einfach weiter unser Leben, wir taten so, als hätte sich überhaupt nichts verändert. Ich wurde zwar immer fetter und langsamer und schneller müde, wir waren beide immer gereizter und stritten ständig miteinander, aber im Großen und Ganzen änderte sich, bis sie kam, rein gar nichts.«

Er lässt mich weinen. Irgendwann setzt er sich in den Sessel neben meinen, dichter neben mich, sodass sein Knie beinahe meins berührt. Er beugt sich vor. Er fasst mich nicht an, aber unsere Körper sind einander nahe, ich kann ihn riechen, seinen sauberen Körper in diesem schmutzigen Zimmer, seine leicht beißende Schärfe.

Meine Stimme ist nur mehr ein Flüstern, es fühlt sich falsch an, diese Worte auszusprechen. »Ich habe sie daheim zur Welt gebracht«, sage ich. »Idiotisch – aber ich hatte damals etwas gegen Krankenhäuser, weil ich zuletzt in einem gewesen war, als Ben gestorben war. Außerdem war ich bei keiner Vorsorgeuntersuchung gewesen, ich hatte geraucht, Alkohol getrunken, und ich wollte mir keine Vorträge anhören. Das hätte ich echt nicht ertragen. Ich glaube … Ich konnte bis zum letzten Augenblick nicht glauben, dass es real war – dass es wirklich passieren würde. Mac hatte eine Freundin, die als Krankenschwester arbeitete oder eine Ausbildung als Krankenschwester gemacht hatte oder so. Sie kam vorbei, und es lief ganz okay. Es war nicht wahnsinnig schlimm. Ich meine, es war grauenvoll, versteht sich, schmerzhaft und beängstigend, aber ... Dann war sie da. Sie war winzig. Ich weiß nicht einmal mehr genau, wie viel sie wog. Das ist schrecklich, oder?«

Kamal sagt nichts, er bewegt sich nicht einmal.

»Sie war wunderschön. Sie hatte dunkle Augen und blonde Haare. Sie weinte nicht viel, sie schlief ganz gut, von Anfang an. Sie war wirklich brav. Ein braves Mädchen.« Ich muss eine kurze Pause machen. »Ich hatte mir das alles viel anstrengender vorgestellt, aber das war es am Ende gar nicht.«

Es ist noch dunkler geworden, davon bin ich überzeugt, aber dann sehe ich auf, und Kamal sitzt neben mir und sieht mich zärtlich an. Er hört mir zu. Er will, dass ich es ihm erzähle. Mein Mund ist ausgetrocknet, und ich nehme noch einen Schluck Wein. Es tut weh zu schlucken.

»Wir nannten sie Elizabeth. Libby.« Es ist ein befremdliches Gefühl, ihren Namen nach so langer Zeit erstmals wieder auszusprechen. »Libby«, sage ich noch einmal, weil sich ihr Name in meinem Mund gut anfühlt. Am liebsten würde ich ihn immer wieder aussprechen.

Endlich streckt Kamal die Hand aus, nimmt meine und legt seinen Daumen auf mein Handgelenk, auf meinen Puls.

»Eines Tages stritten wir uns mal wieder, Mac und ich. Ich weiß nicht mehr, worüber. Das gab es hin und wieder – kleinere Meinungsverschiedenheiten, die sich zu größeren aufbliesen, ohne dass wir handgreiflich geworden wären, so schlimm war es nie, aber es gab dann immer viel Geschrei und Gebrüll, und oft drohte ich damit zu gehen, oder er verschwand und ließ sich tagelang nicht blicken. Es war unser erster großer Streit, seit sie auf der Welt war – das erste Mal, dass er einfach abhaute und mich allein ließ. Sie war erst ein paar Monate alt. Das Dach war undicht. Ich kann mich noch genau daran erinnern: an den Regen, der in die Eimer in der Küche tropfte. Es war eiskalt, der Wind kam vom Meer her; es hatte seit Tagen geregnet. Ich machte im Wohnzimmer Feuer, aber es ging immer wieder aus. Ich war fürchterlich müde. Ich begann zu trinken, um mich warm zu halten, aber das brachte nichts, und irgendwann beschloss ich, mich in die Badewanne zu legen. Ich nahm Libby mit ins Wasser und legte sie mir auf die Brust, das Köpfchen direkt unter meinem Kinn.«

Es wird immer dunkler im Zimmer, und schließlich bin ich wieder dort, ich liege im Wasser, ihr Körper schmiegt sich an meinen, und dicht hinter meinem Kopf flackert eine Kerze. Ich kann das Flackern hören, kann es riechen, ich spüre den Luftzug an meinem Hals und über meinen Schultern. Ich fühle mich schwer, mein Körper versinkt immer tiefer in die Wärme. Ich bin erschöpft. Und plötzlich ist die Kerze aus, und mir ist kalt – ganz schrecklich kalt. Meine Zähne klappern, ich schlottere am ganzen Leib. Das ganze Haus scheint mit mir zu schlottern, der Wind kreischt und zerrt an den Dachschindeln.

»Ich war eingeschlafen«, sage ich, und dann kann ich nichts weiter sagen, weil ich sie wieder spüre, nicht mehr auf meinem Brustkorb, sondern eingeklemmt zwischen meinem Arm und dem Badewannenrand, das Gesicht unter Wasser. Wir waren beide schrecklich kalt.

Ein paar Sekunden bleiben wir reglos sitzen. Ich kann es kaum ertragen, ihn anzusehen, doch als ich es tue, weicht er nicht angewidert zurück. Er sagt kein Wort. Er legt den Arm um meine Schulter und zieht mich an sich, bis mein Gesicht auf seiner Brust liegt. Ich atme tief ein und warte darauf, dass sich etwas verändert, dass sich etwas löst, dass ich mich besser oder schlechter fühle, weil es jetzt eine weitere Menschenseele gibt, die davon weiß. Ich glaube mich erleichtert zu fühlen, weil ich an seiner Reaktion merke, dass es richtig war, ihm alles zu erzählen. Er ist nicht wütend auf mich, er hält mich nicht für ein Monster. Hier bin ich sicher, bei ihm bin ich absolut sicher.

Ich weiß nicht, wie lange ich so in seinem Arm liege, aber als ich wieder zu mir komme, klingelt mein Handy. Ich gehe nicht ran, doch gleich darauf fängt es an zu piepen, weil eine SMS eingegangen ist. Sie kommt von Scott. *Wo steckst du?* Direkt danach fängt das Handy wieder an zu klingeln. Diesmal ist es Tara. Ich löse mich aus Kamals Umarmung und gehe ran.

»Megan, ich weiß ja nicht, was du da treibst, aber du musst dich unbedingt bei Scott melden. Er hat schon viermal hier angerufen. Ich hab ihm erklärt, dass du losgezogen bist, um noch Wein zu holen, aber ich habe das Gefühl, er glaubt mir nicht. Er sagt, du würdest nicht ans Handy gehen.« Sie klingt verärgert, und mir ist klar, dass ich sie besänftigen sollte, aber dazu fehlt mir die Kraft.

»Okay«, sage ich. »Danke. Ich rufe ihn gleich an.«

»Megan«, setzt sie an, aber bevor sie ein weiteres Wort sagen kann, habe ich das Gespräch schon weggedrückt.

Es ist bereits nach zehn. Ich bin seit mehr als zwei Stunden hier. Ich schalte das Handy aus und sehe Kamal an.

»Ich will nicht heimgehen«, sage ich.

Er nickt, lädt mich jedoch nicht ein, bei ihm zu übernachten. Stattdessen sagt er: »Du kannst gern wiederkommen, wenn du willst. Ein andermal.«

Ich beuge mich vor, schließe die Lücke zwischen unseren Körpern, stelle mich auf die Zehenspitzen und küsse ihn auf die Lippen. Er weicht nicht zurück.

RACHEL

Samstag, 3. August 2013

Morgens

Letzte Nacht habe ich geträumt, ich wäre im Wald und würde allein spazieren gehen, in der Abenddämmerung, vielleicht auch früh am Morgen, ganz sicher bin ich mir nicht mehr, aber auf jeden Fall war noch jemand da. Sehen konnte ich niemanden, ich weiß nur, dass noch jemand da war und immer näher kam. Ich wollte nicht gesehen werden, ich wollte fliehen, aber es ging nicht, meine Beine waren bleischwer, und als ich versuchte zu schreien, brachte ich keinen Ton heraus.

Als ich aufwache, dringt weißes Licht durch die Jalousie. Der Regen hat endlich aufgehört, er hat sein Werk getan. Im Zimmer ist es warm; es riecht schauderhaft, muffig und säuerlich – seit Donnerstag habe ich es praktisch nicht mehr verlassen. Draußen kann ich den Staubsauger schnurren und heulen hören. Cathy macht sauber. Später wird sie weggehen; dann kann ich mich aus meinem Zimmer wagen. Ich weiß noch nicht, was ich dann tun werde, offenbar bekomme ich gar nichts mehr auf die Reihe. Vielleicht noch einen letzten Tag trinken und ab morgen dann ausnüchtern.

Mein Handy summt. Der Akku geht zur Neige. Ich nehme es hoch, um es zu verkabeln, und stelle fest, dass ich gestern Abend zwei Anrufe verpasst habe. Ich rufe die Mailbox auf. Ich habe eine Nachricht.

»Rachel, hi, hier ist Mum. Hör mal, ich komme morgen nach London. Am Samstag. Ich muss dringend einkaufen gehen. Wollen wir uns auf einen Kaffee treffen oder so? Schätzchen, dass du nach Hause kommst und wieder hier einziehst, passt momentan ehrlich gesagt nicht so gut ... Da ist ... Na schön, ich habe einen neuen Freund. Du weißt ja, wie das am Anfang ist.« Sie kichert. »Jedenfalls leihe ich dir gern was, damit du dich ein paar Wochen über Wasser halten kannst. Alles Weitere besprechen wir dann morgen. In Ordnung, Schätzchen ... Bye.«

Ich werde offen zu ihr sein müssen, ich werde ihr klarmachen müssen, wie schlimm es wirklich um mich steht. Das ist kein Gespräch, das ich stocknüchtern führen möchte. Ich hieve mich aus dem Bett. Wenn ich gleich einkaufen gehe, kann ich noch ein, zwei Gläser trinken, bevor ich losfahre. Um den Tag ein bisschen in Watte zu packen. Ich sehe noch mal auf mein Handy und checke die entgangenen Anrufe. Nur einer ist von meiner Mutter – das andere Mal hat Scott angerufen. Um Viertel vor eins nachts. Mit dem Handy in der Hand sitze ich da und hadere mit mir, ob ich zurückrufen soll. Nicht jetzt, zu früh. Vielleicht später? Nach nur einem Glas. Nicht nach zweien.

Ich hänge das Handy zum Aufladen an die Steckdose, ziehe die Jalousie hoch und reiße das Fenster auf, dann gehe ich ins Bad und nehme eine kalte Dusche. Ich schrubbe meine Haut und wasche mir die Haare und versuche, die Stimme in meinem Kopf zum Schweigen zu bringen, die mir einflüstert, dass es doch ziemlich eigenartig ist, nicht einmal achtundvierzig Stunden, nachdem der Leichnam der eigenen Ehefrau entdeckt wurde, mitten in der Nacht eine andere Frau anzurufen.

Abends

Die Erde ist immer noch nicht trocken, auch wenn fast schon die Sonne durch die dicken weißen Wolken bricht. Ich hatte mir eine kleine Flasche Wein gekauft – nur eine. Natürlich war das nicht richtig, doch ein Mittagessen mit meiner Mutter würde selbst einen lebenslangen Abstinenzler auf eine harte Probe stellen. Immerhin hat sie versprochen, mir dreihundert Pfund zu überweisen, insofern habe ich meine Zeit nicht vollkommen vergeudet.

Ich habe ihr natürlich nicht gestanden, wie schlimm es wirklich um mich steht. Ich habe ihr nicht erzählt, dass ich seit Monaten keinen Job mehr habe oder dass ich gefeuert wurde (sie glaubt, ihr Geld hilft mir, die Zeit zu überbrücken, bis die Abfindung bewilligt ist). Ich habe ihr auch nicht erzählt, wie schlecht es an der Alkoholfront steht, und ihr ist nichts aufgefallen. Im Gegensatz zu Cathy. Als ich ihr heute Morgen auf dem Weg zur Wohnungstür begegnete, sah sie mich nur kurz an und meinte dann: »Oh Mann. Schon so früh?« Ich habe keine Ahnung, wie sie das schafft, aber sie weiß einfach immer sofort Bescheid. Selbst wenn ich nur ein halbes Glas getrunken habe, braucht sie mich nur anzusehen und weiß Bescheid. »Ich sehe es an deinen Augen«, behauptet sie, aber wenn ich einen Blick in den Spiegel werfe, sehe ich genauso aus wie immer. Ihre Geduld geht allmählich zur Neige, ihr Mitgefühl auch. Ich muss aufhören. Nur nicht heute. Heute schaffe ich das nicht. Heute ist es einfach zu schwer.

Ich hätte darauf vorbereitet sein müssen, ich hätte damit rechnen müssen, aber irgendwie habe ich es versäumt. Ich stieg in den Zug, und sie war überall, aus jeder Zeitung lächelte sie mir entgegen: die schöne, blonde, glückliche Megan, den Blick direkt in die Kamera, direkt auf mich gerichtet.

Irgendwer hatte die *Times* liegen lassen, und ich las den dazugehörigen Artikel. Seit gestern Abend ist sie offiziell identifiziert, und heute wird sie obduziert. Ein Polizeisprecher wird mit der Aussage zitiert, die Ursache für Mrs. Hipwells Tod sei »möglicherweise nicht ganz einfach« festzustellen, weil ihr Leichnam »länger im Freien und außerdem mindestens ein paar Tage lang unter Wasser« lag. Was für ein schrecklicher Gedanke, wenn man ihr so ins Gesicht sieht. Wie sie damals aussah; wie sie jetzt aussieht.

Kamal wird ebenfalls kurz erwähnt – seine Festnahme und Freilassung –, und dann folgt die Erklärung von Detective Inspector Gaskill, man »ermittle in verschiedene Richtungen«, was übersetzt wohl heißt, dass sie vollkommen ratlos sind. Ich falte die Zeitung zusammen und lege sie zu meinen Füßen auf den Boden. Ich ertrage es nicht mehr, sie anzusehen. Ich will diese hoffnungslosen, leeren Worte nicht mehr lesen.

Ich lehne den Kopf ans Fenster. Bald fahren wir an Nummer dreiundzwanzig vorbei. Ich sehe hin, nur ganz kurz, aber diesmal sind wir ausnahmsweise zu schnell, als dass ich irgendwas erkennen könnte. Immerzu muss ich daran denken, wie ich Kamal in ihrem Garten sah, wie sich die beiden küssten, wie wütend ich deswegen war und wie gern ich sie deswegen zur Rede gestellt hätte. Was wäre passiert, wenn ich es wirklich getan hätte? Was wäre passiert, wenn ich damals zu ihr gegangen wäre, an ihre Haustür gehämmert und sie gefragt hätte, was sie sich verflucht noch mal dabei gedacht hat? Säße sie dann immer noch dort draußen auf ihrer Terrasse?

Ich schließe die Augen. In Northcote steigt jemand zu und setzt sich auf den Platz neben mir. Ich mache die Augen nicht wieder auf; trotzdem erscheint es mir merkwürdig, der Zug ist immerhin halb leer. Meine Nackenhaare stellen sich auf. Ich rieche Aftershave und Zigarettenrauch und weiß intuitiv, dass ich dieses Gemisch schon einmal gerochen habe.

»Hallo.«

Ich drehe den Kopf zur Seite und erkenne den rothaarigen Mann wieder, den Mann vom Bahnhof, von jenem Samstag. Er lächelt mich an und hält mir die Hand hin. Ich bin so überrascht, dass ich sie ergreife. Seine Handfläche fühlt sich hart und schwielig an.

»Erinnerst du dich noch an mich?«

»Ja«, sage ich und schüttle im selben Moment den Kopf. »Ja, wir sind uns vor ein paar Wochen begegnet, am Bahnhof.«

Er nickt und grinst. »Ich war ein bisschen angeheitert«, sagt er und lacht dann. »Du aber auch, stimmt's?«

Er ist jünger, als ich gedacht hätte, vielleicht Ende zwanzig. Er hat ein nettes Gesicht, nicht besonders hübsch, einfach nur nett. Offen und mit einem breiten Lächeln. Er hat einen Akzent, Cockney oder Estuary, irgendwas in der Richtung. Jetzt sieht er mich an, als wüsste er etwas über mich, als wollte er mich gleich foppen, als würde uns irgendwas Lustiges verbinden. Aber da gibt es nichts. Ich wende den Blick ab. Ich sollte etwas sagen, sollte ihn fragen: *Was hast du gesehen?*

»Alles okay so weit?«, fragt er.

»Ja, es geht mir gut.« Ich sehe wieder aus dem Fenster, aber ich spüre seinen Blick auf mir und gleich darauf den merkwürdigen Drang, mich ihm zuzuwenden, den Rauch in seinen Kleidern und seinem Atem zu riechen. Ich mag Zigarettenrauch. Tom hat geraucht, als wir uns kennenlernten. Früher habe ich hin und wieder eine mitgeraucht, wenn wir irgendwo was trinken waren oder nach dem Sex. Der Geruch hat für mich immer noch was Erotisches; er erinnert mich an eine Zeit des Glücks. Ich fahre mit den Zähnen über meine Unterlippe und frage mich kurz, was er wohl täte, wenn ich mich zu ihm umdrehen und ihn auf den Mund küssen würde. Ich spüre, wie sich sein Oberkörper bewegt. Er beugt sich vor, bückt sich, hebt die Zeitung zu meinen Füßen auf.

»Schrecklich, oder? Armes Mädchen. Echt schräg, immerhin waren wir in der Nacht dort. Das war doch die Nacht, oder? In der sie verschwunden ist?«

Es ist, als könnte er meine Gedanken lesen, und das versetzt mich regelrecht in Schockstarre. Ich fahre zu ihm herum und starre ihn an. Ich will den Ausdruck in seinen Augen sehen. »Verzeihung?«

»Der Abend, an dem wir uns im Zug begegnet sind – am selben Abend ist dieses Mädchen verschwunden, das jetzt tot aufgefunden wurde. Und sie behaupten, das letzte Mal wäre sie vorm Bahnhof gesehen worden. Ich muss die ganze Zeit denken: Vielleicht hab ich sie ja gesehen. Verstehst du? Aber erinnern kann ich mich nicht mehr an sie. Ich war einfach zu blau.« Er zuckt mit den Schultern. »Du erinnerst dich auch an nichts, oder?«

Merkwürdig, was seine Worte für Gefühle in mir auslösen. Soweit ich mich erinnere, habe ich so was noch nie empfunden. Ich kann nicht antworten, weil mein Geist sich vollends verabschiedet hat, und zwar nicht aufgrund seiner Bemerkung, sondern wegen seines Aftershaves. Unter dem Rauchgeruch weckt dieser Duft – frisch, zitronig, aromatisch – eine Erinnerung daran, neben ihm im Zug gesessen zu haben, genau wie jetzt, nur dass wir in die andere Richtung fuhren und jemand furchtbar laut gelacht hat. Er legte die Hand auf meinen Arm und fragte, ob ich noch etwas trinken gehen wolle – aber plötzlich stimmt irgendwas nicht mehr. Ich bin verängstigt, verwirrt. Jemand versucht, auf mich einzuschlagen. Ich sehe die Faust auf mich zukommen und ducke mich, reiße die Hände hoch, um meinen Kopf zu schützen. Ich bin nicht mehr im Zug, sondern auf der Straße. Wieder höre ich jemanden lachen oder schreien. Ich bin auf der Treppe, ich liege auf dem Gehweg, ich bin verwirrt, mein Herz rast. Ich will nicht mehr neben diesem Mann sitzen. Ich muss weg von ihm.

Ich springe auf, sage laut: »Verzeihung«, damit die anderen Fahrgäste mich hören, aber es ist kaum jemand im Wagen, und niemand dreht sich um. Der Mann sieht überrascht zu mir auf und nimmt die Beine zur Seite, um mich vorbeizulassen.

»Bitte entschuldige«, sagt er. »Ich wollte dich nicht aus der Fassung bringen.«

So schnell ich kann, marschiere ich von ihm weg, aber im selben Augenblick ruckt und schwankt der Zug, und ich verliere um ein Haar das Gleichgewicht. Ich muss mich an einer Rückenlehne festhalten, wenn ich nicht hinfallen will. Die Menschen starren mich an. Ich eile weiter in den nächsten Wagen und von dort in den übernächsten; ich gehe immer weiter, bis ich am Ende des Zuges angelangt bin. Ich bin außer Atem und habe Angst. Ich kann es nicht erklären, ich kann mich nicht erinnern, was tatsächlich passiert ist, aber ich spüre wieder die Angst und die Verwirrung. Ich setze mich wieder hin, mit Blick in die Richtung, aus der ich gekommen bin, damit ich ihn sehen kann, wenn er mir folgt.

Die Handballen auf die Augenhöhlen gepresst, konzentriere ich mich. Ich versuche, das Bild heraufzubeschwören, noch einmal zu sehen, was mir gerade eben noch vor Augen stand. Ich verfluche mich innerlich für meine Trinkerei. Wenn ich nur klar im Kopf wäre … Aber da ist es wieder. Es ist dunkel, und ein Mann geht von mir weg. Oder ist es eine Frau? Eine Frau in einem blauen Kleid. Es ist Anna.

Das Blut pulsiert in meinen Ohren, mein Herz rast. Ich weiß nicht, ob das, was ich sehe und fühle, real ist oder nicht, ob es eine Erinnerung oder bloß Einbildung ist. Ich kneife die Augen fest zu und versuche, das Gefühl noch einmal wachzurufen, das Bild noch einmal vor Augen zu bekommen, aber es ist weg.

ANNA

Samstag, 3. August 2013

Abends

Tom trifft sich mit ein paar ehemaligen Kameraden von der Army, und Evie macht ihr Mittagsschläfchen. Ich sitze in der Küche – hinter verriegelten Türen und Fenstern, trotz der Hitze. Endlich hat der wochenlange Regen aufgehört; dafür ist es jetzt stickig und schwül.

Ich langweile mich. Mir fällt einfach nichts ein, was ich tun könnte. Ich würde gern shoppen gehen, ein bisschen Geld für mich selbst ausgeben, aber mit Evie im Schlepptau ist Shoppen eine Tortur. Sie bekommt dabei schlechte Laune, und das stresst mich. Also hänge ich sinnlos im Haus herum. Fernsehen oder Zeitung lesen kann ich nicht. Ich will nichts darüber lesen – ich will Megans Gesicht nicht sehen, ich will nicht daran denken müssen.

Aber wie soll ich nicht daran denken, wenn wir nur vier Häuser weiter wohnen?

Ich habe einen Rundruf gestartet, ob jemand Lust auf ein Spieltreffen hätte, aber alle haben schon was anderes vor. Sogar meine Schwester habe ich angerufen, aber die muss man immer mindestens eine Woche im Voraus buchen. Außerdem meinte sie, sie wäre zu verkatert, um Zeit mit Evie zu verbringen. In diesem Moment wird mir schmerzhaft bewusst, dass ich tatsächlich neidisch bin und mich wehmütig nach langen Samstagen auf dem Sofa zurücksehne, allein mit der Zeitung und der verschwommenen Erinnerung daran, am Vorabend aus dem Club getaumelt zu sein.

Dämlich, ich weiß, denn was ich jetzt habe, ist millionenmal besser, und ich musste Opfer bringen, um es mir zu sichern. Jetzt muss ich es nur noch bewahren. Also sitze ich hier in meinem backofenheißen Haus und versuche, nicht an Megan zu denken. Ich versuche, auch nicht an *sie* zu denken. Trotzdem schrecke ich bei jedem Geräusch und bei jedem Schatten vor dem Fenster zusammen. Es ist nicht auszuhalten.

Mir will einfach nicht aus dem Kopf gehen, dass Rachel an dem Abend, als sich die Spur von Megan verlor, hier war, dass sie stockbesoffen durch die Straße taumelte und dann einfach so *verschwand.* Tom hat stundenlang nach ihr gesucht – vergebens. Immer wieder frage ich mich, was sie wohl getan haben könnte.

Es gibt keine Verbindung zwischen Rachel und Megan Hipwell. Nachdem wir Rachel vor dem Haus der Hipwells gesehen hatten, sprach ich die Polizistin, Detective Sergeant Riley, darauf an, aber sie meinte nur, ich solle mir keine Gedanken machen. »Sie will sich wichtigmachen«, erklärte sie. »Sie ist einsam und wohl auch ein bisschen verzweifelt. Sie möchte um jeden Preis irgendwo eine Rolle spielen.«

Wahrscheinlich hat sie recht. Aber dann muss ich wieder daran denken, wie sie in mein Haus eingedrungen ist und mir mein Kind wegnehmen wollte und wie entsetzt ich war, als ich sie mit Evie hinten am Zaun stehen sah. Ich muss an das grauenvolle, gruselige Lächeln denken, mit dem sie mich bedachte, als ich vor dem Haus der Hipwells stand. Detective Sergeant Riley weiß nicht, was für eine Gefahr von Rachel ausgeht.

RACHEL

Sonntag, 4. August 2013

Morgens

Der Albtraum, der mich heute Morgen geweckt hat, war neu. Diesmal habe ich irgendwas angestellt, aber ich weiß nicht, was, ich weiß nur noch, dass ich es nicht wiedergutmachen kann. Ich weiß nur noch, dass Tom mich seither hasst, dass er nicht mehr mit mir spricht, dass er allen um mich herum erzählt hat, was ich getan habe, und dass sich alle von mir abgewandt haben: alte Kollegen, Freunde, sogar meine Mutter. Alle sehen mich voll Abscheu und Verachtung an, und niemand schenkt mir mehr Gehör, niemand will sich von mir erklären lassen, wie furchtbar leid mir alles tut. Ich fühle mich schrecklich, zutiefst schuldig, mir fällt nur beim besten Willen nicht ein, was ich eigentlich getan habe. Als ich aufwache, ist mir klar, dass dieser Traum auf einer alten Erinnerung beruhen muss, einem längst vergangenen Fehltritt – welchem, ist mittlerweile fast schon gleichgültig.

Nachdem ich gestern aus dem Zug gestiegen war, harrte ich noch volle fünfzehn, zwanzig Minuten am Bahnhof von Ashbury aus. Die ganze Zeit über hielt ich Ausschau, ob er mit mir aus dem Zug gestiegen sein könnte – der Rothaarige –, aber ich konnte ihn nirgends entdecken. Mich ließ der Gedanke nicht los, dass ich ihn vielleicht übersehen haben könnte, dass er sich bloß irgendwo versteckte und jetzt abwartete, bis ich nach Hause ging, um mir dorthin zu folgen. Ich wünschte mir sehnlichst, ich könnte einfach heimrennen, und Tom würde dort auf mich warten. Irgendjemand würde dort auf mich warten.

Ich nahm den Heimweg über den Getränkeladen.

Als ich nach Hause kam, war die Wohnung leer, sie fühlte sich an wie eben erst verlassen, so als hätte ich Cathy nur knapp verpasst, doch auf einem Zettel auf der Küchentheke stand, sie wolle sich mit Damien in Henley zum Mittagessen treffen und komme erst am Sonntagabend wieder. Ich fand keine Ruhe, ich hatte Angst. Ich ging von Zimmer zu Zimmer, hob Sachen auf und stellte sie wieder hin. Irgendetwas verstörte mich – bis ich schließlich merkte, dass ich es selbst war.

Trotzdem klang die in meinen Ohren gellende Stille nach Stimmen. Also schenkte ich mir ein Glas Wein ein und danach noch eins und rief am Ende Scott an. Sofort sprang die Mailbox an: mit einer Ansage aus einem anderen Leben, der Stimme eines viel beschäftigten, selbstbewussten Mannes, auf den zu Hause eine schöne Frau wartete. Nach ein paar Minuten rief ich noch mal an. Diesmal ging jemand ans Telefon, allerdings ohne einen Ton zu sagen.

»Hallo?«

»Wer ist da?«, fragte er.

»Rachel«, sagte ich. »Rachel Watson.«

»Ach so.« Im Hintergrund waren Geräusche zu hören, Stimmen, eine Frau. Womöglich seine Mutter.

»Sie ... Sie haben mich angerufen«, sagte ich.

»Nein ... Nein. Hab ich das? Ach so. Aus Versehen.« Er klang verlegen. »Nein, stell es einfach da ab«, sagte er, und ich brauchte ein paar Sekunden, um zu begreifen, dass er nicht mit mir gesprochen hatte.

»Es tut mir so leid …«

»Danke.« Sein Tonfall war platt, gefühllos.

»… wirklich schrecklich leid.«

»Danke.«

»Haben Sie … Wollten Sie etwas mit mir besprechen?«

»Nein, ich muss versehentlich Ihre Nummer gewählt haben«, sagte er, diesmal mit mehr Nachdruck.

»Ah ja.« Ich hörte ihm an, dass er das Gespräch beenden wollte. Mir war klar, dass ich ihn seiner Familie, seiner Trauer überlassen sollte. Mir war klar, dass ich das tun sollte – aber ich konnte es nicht. »Kennen Sie Anna?«, fragte ich ihn. »Anna Watson?«

»Wen? Sie meinen, die Neue von Ihrem Ex?«

»Ja.«

»Nein. Also, nicht näher. Megan … Megan hat letztes Jahr eine Weile bei ihnen babygesittet. Wieso fragen Sie?«

Ich weiß wirklich nicht, wieso ich frage. Ich weiß es nicht. »Können wir uns treffen? Ich würde gern mit Ihnen sprechen.«

»Worüber?« Er klang verärgert. »Das ist jetzt wirklich kein guter Zeitpunkt …« Der Sarkasmus in seiner Stimme traf mich so heftig, dass ich schon auflegen wollte, doch dann sagte er: »Das ganze Haus ist voller Leute. Heute Abend? Kommen Sie heute Abend.«

Abends

Er hat sich beim Rasieren geschnitten: Er hat Blut auf der Wange und am Hemdkragen. Sein Haar ist immer noch feucht, und er riecht nach Seife und Aftershave. Er nickt mir zu, tritt zur Seite und winkt mich ins Haus, aber er sagt dabei kein Wort. Im Haus ist es dunkel, muffig, die Jalousien im Wohnzimmer sind heruntergelassen, die Vorhänge vor der Terrassentür am hinteren Ende des Zimmers zugezogen. Auf der Küchentheke stehen Tupperware-Behälter.

»Jeder bringt mir etwas zu essen«, sagt Scott. Er bedeutet mir, am Küchentisch Platz zu nehmen, aber er selbst bleibt stehen und lässt bloß schlaff die Arme hängen. »Sie wollten mir etwas erzählen?« Er ist wie auf Autopilot; er sieht mich gar nicht an. Er ist erledigt.

»Ich wollte Sie nach Anna Watson fragen, ob sie ... Ich weiß auch nicht. In welcher Beziehung stand sie zu Megan? Mochten sich die beiden?«

Er runzelt die Stirn und legt die Hände auf die Rückenlehne eines Küchenstuhls. »Nein. Ich meine ... Sie hatten nichts gegeneinander. Sie kannten einander nicht sonderlich gut. Sie standen in gar keiner *Beziehung* zueinander.« Seine Schultern scheinen noch tiefer zu sacken. Er ist todmüde. »Wieso fragen Sie überhaupt?«

Ich muss mit der Sprache herausrücken. »Ich habe sie gesehen. Ich glaube, ich habe sie bei der Unterführung am Bahnhof gesehen. In der Nacht ... In der Nacht, als Megan verschwand.«

Er schüttelt leicht den Kopf und versucht zu begreifen, was ich ihm da erzähle. »Wie bitte? Sie haben sie also gesehen. Und Sie waren ... Wo waren Sie?«

»Hier. Ich war hier, weil ich ... weil ich Tom sehen wollte, meinen Exmann, aber ich ...«

Er kneift die Augen zu und massiert sich die Stirn. »Einen Augenblick. Sie waren also hier – und haben Anna Watson gesehen? Und weiter? Ich weiß selbst, dass Anna

Watson hier war. Sie wohnt nur ein paar Häuser weiter. Sie hat der Polizei erzählt, dass sie am Abend gegen sieben zum Bahnhof unterwegs war, aber dass sie sich nicht erinnern kann, Megan gesehen zu haben.« Seine Hände umklammern die Stuhllehne, ich sehe ihm an, dass er gleich die Geduld verliert. »Was genau wollen Sie mir also erzählen?«

»Ich hatte getrunken«, sage ich, und mein Gesicht errötet angesichts der altvertrauten Scham. »Ich kann mich nicht mehr ganz genau erinnern, aber ich habe das Gefühl …«

Scott hebt die Hand. »Es reicht. Ich will das nicht hören. Dass Sie Probleme mit Ihrem Ex und seiner neuen Frau haben, ist nicht zu übersehen. Das alles hat nichts mit mir zu tun und erst recht nichts mit Megan, stimmt's? Himmel, schämen Sie sich nicht? Haben Sie auch nur eine Ahnung, was ich hier durchmache? Wissen Sie, dass die Polizei mich heute Morgen zum Verhör geholt hat?« Er lehnt sich so schwer auf die Stuhllehne, dass ich Angst habe, sie könnte zerbrechen; ich mache mich schon auf das Splittern gefasst. »Und Sie kommen mir mit diesem Scheißdreck? Tut mir ja leid, dass Ihr Leben eine totale Scheißkatastrophe ist, aber glauben Sie mir, verglichen mit meinem hier ist es das reinste Wunschkonzert. Wenn es Ihnen also nichts ausmacht …« Er nickt in Richtung Haustür.

Ich stehe auf. Ich komme mir idiotisch, lächerlich vor. Und ich schäme mich. »Ich wollte nur helfen, ich wollte …«

»Das können Sie nicht, okay? Sie können mir nicht helfen. Niemand kann mir helfen. Meine Frau ist tot, und die Polizei glaubt, dass ich sie umgebracht hätte.« Er wird immer lauter, und auf seinen Wangen bilden sich rote Flecken. »Die glauben, dass ich sie umgebracht hätte.«

»Aber … Kamal Abdic …«

Der Stuhl kracht mit solcher Wucht gegen die Küchenwand, dass ein Bein abbricht. Erschrocken mache ich einen Satz zur Seite, doch Scott hat sich praktisch überhaupt nicht bewegt. Seine Hände hängen – noch immer zu Fäusten geballt – matt herunter. Ich kann die Adern unter seiner Haut sehen.

»Kamal Abdic«, bringt er zwischen zusammengebissenen Zähnen hervor, »steht nicht länger unter Verdacht.« Er sagt es nicht laut, aber er ringt dabei sichtlich um Beherrschung. Ich spüre, wie der Zorn von ihm abstrahlt.

Ich will zur Haustür, aber er steht mir im Weg, blockiert meinen Fluchtweg, scheint das bisschen Licht zu verschlucken, das es bis eben noch in diesem Zimmer gab.

»Und wissen Sie auch, was er jetzt behauptet?«, fragt er und dreht mir den Rücken zu, um den Stuhl aufzuheben. Natürlich weiß ich es nicht, aber dann wird mir klar, dass er eigentlich gar nicht mit mir spricht. »Er hat die unmöglichsten Geschichten parat. Er behauptet, dass Megan unglücklich gewesen wäre und ich eifersüchtig und dass ich sie ständig kontrolliert hätte, dass ich sie – wie hat er es gleich wieder ausgedrückt? – *emotional missbraucht* hätte.« Er speit die Worte angewidert aus. »Er sagt, sie hätte sich vor mir gefürchtet.«

»Aber er ist …«

»Und er ist nicht der Einzige. Diese Freundin von ihr, Tara – sie behauptet, Megan hätte sie ein paarmal um ein Alibi gebeten. Sie sollte mir Lügen erzählen – wo Megan war und was sie gerade machte …«

Er stellt den Stuhl an den Tisch zurück, doch ohne drittes Stuhlbein kippt er sofort wieder um. Ich mache einen Schritt in Richtung Flur, und im selben Moment sieht er zu mir auf. »Ich bin schuldig«, sagt er, und sein Gesicht ist angstverzerrt. »Ich bin jetzt schon so gut wie verurteilt.«

Er tritt den kaputten Stuhl zur Seite und setzt sich auf einen der drei unversehrten. Unschlüssig bleibe ich stehen. Kopf oder Zahl? Er beginnt wieder zu reden, aber so leise, dass ich ihn kaum verstehen kann.

»Sie hatte das Handy in der Hosentasche«, sagt er. »Es war eine Nachricht von mir drauf. Das Letzte, was ich je zu ihr gesagt hab – das Letzte, was sie von mir zu lesen bekommen hat –, war: *Fick dich, du verlogene Schlampe.*«

Das Kinn sinkt ihm auf die Brust, die Schultern beginnen zu zucken. Ich stehe nah genug bei ihm, um ihn zu berühren. Ich hebe die Hand und lege ihm meine bebenden Finger ganz leicht auf den Nacken. Er schüttelt sie nicht ab.

»Tut mir leid«, sage ich, und zwar aus ganzem Herzen, weil mich seine Worte zwar schockieren, genau wie die Vorstellung, dass er so mit ihr gesprochen haben soll, ich aber nur zu gut weiß, wie es ist, wenn man jemanden liebt und im Zorn oder aus Angst etwas ganz Schreckliches zu ihm sagt. »Eine Nachricht auf dem Handy«, sage ich. »Das reicht doch nicht. Wenn das alles ist, was sie in der Hand haben …«

»Das ist es aber nicht, oder?« Jetzt richtet er sich wieder auf und schüttelt meine Hand ab. Ich gehe um den Tisch herum und setze mich ihm gegenüber. Er sieht nicht auf. »Ich hatte ein Motiv. Ich habe mich nicht … Ich habe mich nicht adäquat verhalten, als sie gegangen ist. Ich bin nicht schnell genug in Panik geraten. Ich habe sie nicht schnell genug angerufen.« Er lacht verbittert auf. »Und dann ist da noch – laut Kamal Abdic – der wiederholte *emotionale Missbrauch.*« Erst jetzt sieht er mich an, nimmt mich wahr, und ein Licht scheint in ihm aufzuleuchten. Hoffnung. »Sie … Sie könnten mit der Polizei sprechen. Sie könnten denen erklären, dass das gelogen ist, dass er lügt. Sie könnten denen zumindest einen anderen Blickwinkel liefern und ihnen beibringen, dass ich sie geliebt habe, dass wir glücklich miteinander waren.«

Ich merke, wie mir die Panik die Luft abschnürt. Er glaubt tatsächlich, ich könnte ihm helfen. Er setzt all seine Hoffnungen in mich, dabei habe ich rein gar nichts für ihn als eine Lüge, eine verfluchte Lüge.

»Man wird mir nicht glauben«, sage ich matt. »Die Polizei glaubt mir nicht. Ich bin eine unzuverlässige Zeugin.«

Die Stille zwischen uns schwillt an und füllt den Raum; eine Fliege donnert zornig gegen die Terrassentür. Scott zupft an dem Schorf auf seiner Wange, ich kann die Fingernägel über seine Haut schaben hören. Ich schiebe meinen Stuhl zurück, er schrammt über den Boden, und Scott sieht auf.

»Sie waren hier«, sagt er, als würde das, was ich ihm fünfzehn Minuten zuvor eröffnet habe, erst jetzt in sein Bewusstsein einsickern. »Sie waren in der Nacht, als Megan verschwand, in Witney?«

Das Blut rauscht so heftig in meinen Ohren, dass ich ihn kaum verstehen kann. Ich nicke.

»Warum haben Sie das nicht der Polizei erzählt?«, fragt er. Ich sehe den Muskel in seinem Kiefer zucken.

»Das habe ich doch. Ich hab es ihnen erzählt. Aber ich hab nicht … Ich habe nichts gesehen. Ich kann mich an nichts erinnern.«

Er steht auf, geht zur Terrassentür und zieht den Vorhang zurück. Kurz blendet mich der Sonnenschein. Scott bleibt mit dem Rücken zu mir stehen und verschränkt die Arme vor der Brust.

»Sie waren betrunken«, stellt er ganz sachlich fest. »Trotzdem müssen Sie sich doch an irgendwas erinnern. Ganz bestimmt – deshalb kommen Sie doch immer wieder her, hab ich nicht recht?« Er dreht sich zu mir um. »Das ist es, oder? Darum rufen Sie mich immer wieder an. Weil Sie irgendetwas wissen.« Er sagt es so, als wäre es eine Tatsache: keine Frage, keine Anschuldigung, keine Theorie. »Haben Sie seinen Wagen gesehen?«, fragt er. »Denken Sie nach. Ein blauer Corsa. Haben Sie ihn gesehen?« Ich schüttle den Kopf, und er reißt frustriert die Arme hoch. »Nicht so voreilig! Denken Sie genau nach – was haben Sie gesehen? Sie haben Anna Watson gesehen, aber das hat nichts zu bedeuten. Es war etwas anderes. Na los, *wen* haben Sie gesehen?«

Ich blinzle gegen das Sonnenlicht an und versuche verzweifelt zusammenzufügen, was ich tatsächlich gesehen habe, aber es kommt nichts. Nichts Greifbares, nichts Hilfreiches. Nichts, was ich laut aussprechen könnte. Ich war in einen Streit verwickelt. Oder habe vielleicht einen Streit beobachtet. Auf der Treppe am Bahnhof bin ich gestürzt; ein rothaariger Mann hat mir aufgeholfen – ich glaube, dass er nett war, auch wenn ich mich inzwischen vor ihm fürchte. Ich weiß, dass ich eine Platzwunde am Kopf und eine aufgeplatzte Lippe hatte, dazu blaue Flecke an den Armen. Ich meine auch, mich wieder zu erinnern, dass ich in der Fußgängerunterführung war. Es war dunkel. Ich war verängstigt, verwirrt. Ich hörte Stimmen. Ich hörte, wie jemand Megans Namen rief. Nein, das war in meinem Traum. Das war nicht real. Ich erinnere mich an Blut. Blut an meinem Kopf, Blut an meinen Händen. Ich erinnere mich an Anna. An Tom erinnere ich mich nicht. Und genauso wenig erinnere ich mich an Kamal oder Scott oder Megan.

Er lässt mich keine Sekunde aus den Augen, wartet darauf, dass ich etwas sage, dass ich ihm ein paar Brotkrumen hinwerfe, aber die habe ich nicht für ihn.

»Um diesen Abend«, sagt er, »dreht sich alles.« Er setzt sich wieder an den Tisch, diesmal näher zu mir, mit dem Rücken zum Fenster. Auf seiner Stirn und seiner Oberlippe glänzt ein Schweißfilm, und er zittert, als hätte er Fieber. »Da ist es passiert. Zumindest glauben sie, dass es da passiert ist. Sicher sagen können sie es nicht...« Er hält kurz inne. »Das können sie nicht. Wegen des Zustands... der Leiche.« Er holt tief Luft. »Aber sie glauben, dass es in dieser Nacht passiert sein muss. Oder ziemlich kurz danach.« Er ist wieder auf Autopilot, spricht in den Raum und nicht mit mir. Schweigend höre ich zu, wie er dem Raum erklärt, dass die Todesursache eine Kopfverletzung gewesen sei. Dass ihr Schädel an mehreren Stellen eingeschlagen worden sei. Kein sexueller Übergriff, jedenfalls keiner, der in ihrem Zustand noch festzustellen wäre. Ihrem halb verwesten Zustand.

Als er wieder zu sich – zu mir – zurückkehrt, steht Angst in seinen Augen. Und Verzweiflung.

»Falls du dich überhaupt an irgendwas erinnerst«, sagt er, »dann musst du mir helfen. Bitte versuch, dich zu erinnern, Rachel.«

Der Klang meines Namens auf seinen Lippen, die plötzliche Vertrautheit lässt meinen Magen Purzelbäume schlagen, und ich fühle mich schäbig.

Im Zug, auf dem Rückweg, geht mir seine Bemerkung

wieder durch den Kopf, und ich frage mich, ob er womöglich recht hat. Kann ich nicht loslassen, weil irgendetwas in meinem Hirn herumspukt? Sitzt darin irgendein Wissen fest, das ich um jeden Preis mit jemandem teilen möchte? Ich weiß, dass ich etwas für ihn empfinde, etwas, was ich nicht benennen kann und nicht empfinden sollte. Aber ist da noch mehr? Wenn tatsächlich etwas in mir steckt, dann kann mir vielleicht jemand helfen, es heraufzubeschwören. Jemand wie ein Psychiater. Ein Therapeut. Jemand wie Kamal Abdic.

Dienstag, 6. August 2013

Morgens

Ich habe kaum geschlafen. Die ganze Nacht lag ich wach und zermarterte mir das Hirn. Ist es töricht, verwegen, nutzlos? Ist es gefährlich? Ich habe keine Ahnung, was ich tue. Gestern Vormittag habe ich einen Termin bei Dr. Kamal Abdic vereinbart. Ich rief in seiner Praxis an, sprach mit der Arzthelferin und fragte ausdrücklich nach ihm. Vielleicht habe ich es mir nur eingebildet, aber ich fand, sie klang überrascht. Er habe heute um 16:30 Uhr einen Termin frei, sagte sie. So bald schon? Mit rasendem Herzen und ausgetrocknetem Mund antwortete ich: Gut, da hätte ich Zeit. Die Sitzung kostet fünfundsiebzig Pfund. Die dreihundert von meiner Mutter werden nicht lang reichen.

Seit ich den Termin vereinbart habe, kann ich an nichts anderes mehr denken. Ich fürchte mich, und gleichzeitig bin ich gespannt. Ich kann nicht abstreiten, dass mich die Vorstellung, Kamal kennenzulernen, insgeheim reizt. Weil alles mit ihm begann: Seit dem ersten kurzen Blick auf ihn hat mein Leben einen anderen Kurs eingeschlagen; es ist wie aus dem Gleis geraten. Seit ich gesehen habe, wie er Megan küsste, ist alles anders.

Außerdem muss ich ihm gegenüberstehen. Ich muss etwas unternehmen, weil die Polizei sich ausschließlich für Scott interessiert. Gestern wurde er schon wieder zur Vernehmung einbestellt. Natürlich gibt es keine offizielle Bestätigung, aber im Internet findet man Bilder: wie Scott, begleitet von seiner Mutter, das Polizeirevier betritt. Seine Krawatte war zu fest zugezogen, er sah aus wie halb erdrosselt.

Es hagelt Spekulationen. Die Zeitungen schreiben, die Polizei sei inzwischen umsichtiger, weil man sich dort keine weitere überstürzte Festnahme vorwerfen lassen wolle. Von Pfusch wird gemunkelt, und es wird angedeutet, dass ein personeller Wechsel im Ermittlerteam bevorstehen könnte. Im Internet wird ganz grauenvoll über Scott hergezogen, es werden wilde, ekelhafte Theorien aufgestellt. Es gibt Ausschnitte der Fernsehberichte, in denen er erstmals tränenreich um Megans Rückkehr flehte, daneben Bilder von Mördern, die ebenfalls schluchzend im Fernsehen aufgetreten waren und sich erschüttert über das vermeintliche Schicksal ihrer geliebten Frauen gegeben hatten. Das alles ist fürchterlich und unmenschlich. Ich kann nur hoffen, dass er sich dieses Zeug nie ansieht. Es würde ihm das Herz brechen.

Also werde ich, so töricht und verwegen es auch sein mag, zu Kamal Abdic gehen, denn im Gegensatz zu all jenen, die wilde Spekulationen anstellen, kenne ich Scott persönlich. Ich war ihm so nah, dass ich ihn hätte berühren können, ich weiß, was er ist, und er ist kein Mörder.

Abends

Meine Beine zittern immer noch, als ich die Stufen zum Bahnsteig in Corly hochsteige. Seit Stunden zittere ich, es muss das Adrenalin sein, mein Herz will einfach nicht langsamer schlagen. Der Zug ist voll besetzt – keine Chance auf einen Sitzplatz. Es ist anders, als in Euston einzusteigen, und ich muss stehen, im Mittelgang. Die Luft ist stickig wie in einer Sauna. Den Blick fest auf meine Füße gerichtet, versuche ich, meine Atmung zu beruhigen. Ich versuche, mir wenigstens halbwegs darüber klar zu werden, was ich fühle.

Hochstimmung, Angst, Verwirrung, Schuld. Vor allem Schuld.

Das habe ich nicht erwartet.

Bis ich bei der Praxis ankam, hatte ich mich in einen Zustand umfassenden und tiefsten Grauens gesteigert: Ich war davon überzeugt, er würde irgendwie schon nach dem ersten flüchtigen Blick auf mich erkennen, dass ich Bescheid wusste, und mich daraufhin als Bedrohung einstufen. Ich hatte Angst, dass ich etwas Falsches sagen könnte, dass ich mich irgendwie nicht beherrschen und die Sprache auf Megan bringen würde. Dann betrat ich eine typische Arztpraxis, langweilig und nichtssagend, und sprach dort mit einer Arzthelferin mittleren Alters, die meine Daten aufnahm, ohne mich länger anzusehen. Ich setzte mich, nahm eine *Vogue*, blätterte sie mit zitternden Fingern durch und versuchte, mich auf die vor mir liegende Aufgabe zu konzentrieren und gleichzeitig unaufdringlich gelangweilt auszusehen. Wie eine ganz gewöhnliche Patientin.

Im Wartezimmer saßen außer mir ein Mann in den

Zwanzigern, der in sein Smartphone vertieft war, und eine ältere Frau, die bedrückt auf ihre Füße starrte und nicht ein einziges Mal aufsah, auch nicht, als die Arzthelferin ihren Namen rief. Sie stand einfach auf und schlurfte hinaus. Sie wusste wohl, wohin sie musste. Ich wartete fünf Minuten, dann zehn. Ich merkte, wie mein Atem immer flacher ging. In der Praxis war es so warm und stickig, dass ich das Gefühl hatte, nicht ausreichend Sauerstoff zu bekommen. Ich hatte Angst, in Ohnmacht zu fallen.

Dann flog eine Tür auf, ein Mann kam heraus, und noch ehe ich auch nur ein bisschen Zeit hatte, ihn richtig anzusehen, wusste ich, dass er es war. Ich wusste es intuitiv, genau wie ich wusste, dass er nicht Scott war, als ich ihn erstmals gesehen habe, als er nur ein Schatten war, der sich auf sie zubewegte – nur eine Ahnung von körperlicher Größe, von lässiger, fließender Bewegung.

Er hielt mir die Hand hin. »Ms. Watson?«

Ich sah hoch in seine Augen und spürte einen elektrischen Schlag bis ins Rückenmark. Ich legte meine Hand in seine. Seine Hand war warm und trocken und so groß, dass sie meine ganz umfasste.

»Bitte.« Er gab mir ein Zeichen, ihm in sein Sprechzimmer zu folgen, und ich ging ihm nach, obwohl mir übel und schwindlig war. Ich folgte ihren Schritten. Genau das Gleiche hatte sie auch getan. Sie hatte ihm gegenüber in dem Sessel gesessen, den er auch mir anbot, und wahrscheinlich hatte er bei ihr die Hände genauso unter seinem Kinn gefaltet wie an diesem Nachmittag. Wahrscheinlich hatte er ihr genauso zugenickt und gesagt: »In Ordnung. Worüber möchten Sie mit mir sprechen?«

Alles an ihm war warm: seine Hand, sein Blick, seine Stimme. Ich suchte in seinem Gesicht nach Anhaltspunkten, nach Hinweisen auf den heimtückischen Verbrecher, der Megans Kopf zertrümmert hatte, nach einem Schatten des traumatisierten Flüchtlings, der seine Familie verloren hatte. Ich entdeckte nichts von alledem. Und vorübergehend vergaß ich mich glatt selbst. Ich vergaß, mich vor ihm zu fürchten. Ich saß einfach nur da, und meine Panik war wie weggefegt. Ich schluckte schwer und versuchte, mir ins Gedächtnis zu rufen, was ich hatte sagen wollen, und sagte es. Ich erzählte ihm, dass ich seit vier Jahren ein Alkoholproblem und dass mich der Alkohol die Ehe und den Job gekostet habe, dass er mich, wie zu erwarten, allmählich die körperliche Gesundheit koste und dass ich Angst habe, er könnte mich auch um die geistige Gesundheit bringen.

»Mir fehlen Erinnerungen«, sagte ich. »Ich habe Blackouts und danach nicht den geringsten Schimmer mehr, wo ich war oder was ich getan habe. Manchmal frage ich mich, ob ich vielleicht irgendwas Schreckliches getan oder gesagt haben könnte, aber ich weiß es einfach nicht mehr. Und wenn ... Wenn mir dann jemand berichtet, was ich getan haben soll, dann kommt es mir so vor, als wäre das gar nicht ich gewesen. Es fühlt sich einfach nicht so an, als hätte ich es selbst getan. Und es ist schwer, sich für etwas verantwortlich zu fühlen, woran man sich nicht erinnern kann. Darum fühle ich mich nie richtig schlecht. Ich fühle mich schlecht, aber was ich getan habe, bleibt immer irgendwie von mir losgelöst. So als hätte es nichts mit mir zu tun.«

All das, die ganze Wahrheit, sprudelte nur so aus mir heraus, kaum dass ich in seiner Nähe war. Ich breitete sie schon in den ersten Minuten vor ihm aus. Ich war mehr als bereit, alles zuzugeben – ich hatte nur auf jemanden gewartet, dem ich das alles anvertrauen konnte. Allerdings hätte das nicht er sein dürfen.

Er hielt den Blick aus seinen klaren, hellbraunen Augen fest auf mich gerichtet, hatte die Hände gefaltet und hörte mir reglos zu. Er ließ mich dabei keine Sekunde aus den Augen, er machte sich nicht einmal Notizen. Er hörte einfach nur zu. Schließlich nickte er leicht. »Sie wollen die Verantwortung für Ihr Handeln übernehmen, aber es fällt Ihnen schwer, Rechenschaft für etwas abzulegen, woran Sie sich gar nicht erinnern?«

»Ja, genau, das trifft es gut.«

»Na gut. Wie übernehmen wir Verantwortung? Sie könnten sich entschuldigen – selbst wenn Sie sich nicht mehr erinnern können, sich falsch verhalten zu haben, heißt das schließlich nicht, dass Ihre Entschuldigung – die tiefere Absicht hinter Ihrer Entschuldigung – unaufrichtig wäre.«

»Aber ich will es auch *fühlen*. Ich will ... mich schlechter fühlen.«

Das war ein merkwürdiges Bekenntnis, aber so denke ich wirklich oft. Ich fühle mich nicht schlecht genug. Ich weiß, was ich angerichtet habe, ich weiß, was für schreckliche Dinge ich getan habe, selbst wenn ich mich nicht mehr an alle Einzelheiten erinnere – aber ich fühle mich mit diesen Taten nicht verbunden. Ich empfinde sie wie hinter Glas.

»Sie sind der Meinung, dass Sie sich schlechter fühlen sollten? Dass Sie nicht genug für Ihre Fehler büßen?«

»Genau.«

Kamal schüttelte den Kopf. »Rachel, Sie haben mir soeben erzählt, dass Sie Ihre Ehe und Ihren Job verloren haben – glauben Sie nicht, dass das Strafe genug ist?«

Ich schüttelte den Kopf.

Er lehnte sich in seinem Stuhl zurück. »Sie sind womöglich ein bisschen zu streng mit sich selbst.«

»Bestimmt nicht.«

»In Ordnung. Okay. Können wir vielleicht einen Schritt zurückgehen? Zu dem Zeitpunkt, als das Problem entstand? Sie sagten, das sei … vor vier Jahren gewesen. Wollen Sie mir etwas über diese Zeit erzählen?«

Ich widerstand ihm. Ich ließ mich nicht gänzlich von seiner warmen Stimme, seinem sanften Blick einlullen. So schlimm stand es noch nicht um mich. Ich würde ihm nicht alles erzählen. Ich würde ihm nicht erzählen, wie sehr ich mich nach einem Baby verzehrt hatte. Ich erzählte ihm nur, dass damals meine Ehe in die Brüche gegangen, dass ich deprimiert gewesen sei und dass ich schon immer gern getrunken habe, dann aber einfach die Kontrolle verlor.

»Und als Ihre Ehe zerbrach, da … verließen Sie Ihren Ehemann, oder verließ er Sie, oder verließen Sie sich gegenseitig?«

»Er hatte eine Affäre«, antwortete ich. »Er lernte eine andere Frau kennen und verliebte sich in sie.« Er nickte und wartete dann weiter ab. »Aber das war nicht seine Schuld. Sondern meine.«

»Wie kommen Sie darauf?«

»Na ja, das mit dem Trinken fing schon davor an …«

»Die Affäre Ihres Ehemanns war also nicht der Auslöser?«

»Nein, da hatte ich schon angefangen zu trinken, und das hat ihn so abgestoßen, dass er aufgehört hat …«

Kamal wartete ab, er bohrte nicht nach, er ließ mich einfach in meinem Sessel sitzen und wartete, bis ich die Worte aussprach.

»... dass er aufgehört hat, mich zu lieben«, sagte ich schließlich.

Ich hasse mich dafür, dass ich vor ihm geweint habe. Es ist mir unbegreiflich, wie ich derart die Kontrolle verlieren konnte. Statt über meine echten Probleme zu reden, hätte ich mir irgendwelche ausdenken sollen und dazu eine imaginäre Persönlichkeit. Ich hätte mich besser vorbereiten müssen.

Ich hasse mich dafür, dass ich ihn ansah und einen kurzen Moment glaubte, dass er tatsächlich Anteil nähme. Weil er mich so ansah, als täte er genau das – nicht als würde er mich bemitleiden, sondern als würde er mich verstehen, als wäre ich jemand, dem er wirklich helfen wollte.

»Demnach, Rachel, hatte das Trinken schon angefangen, *bevor* Ihre Ehe zerbrach. Glauben Sie, Sie können einen Grund dafür benennen? Ich meine, das kann nicht jeder. Manche Menschen empfinden es einfach als allgemeines Abgleiten in einen Zustand der Depression oder der Abhängigkeit. Gab es für Sie einen spezifischen Grund? Einen Trauerfall vielleicht oder einen anderen tief greifenden Verlust?«

Ich schüttelte den Kopf und zuckte mit den Schultern. Das würde ich ihm nicht erzählen. Das werde ich ihm nicht erzählen.

Er wartete ein paar Sekunden und sah dann kurz auf die Uhr auf seinem Schreibtisch.

»Sollen wir vielleicht beim nächsten Mal weitermachen?«, sagte er, und dann lächelte er, und in mir gefror etwas.

Alles an ihm ist warm, seine Hände, seine Augen, seine Stimme, einfach alles – bis auf sein Lächeln. Wenn er die

Zähne entblößt, kann man den Killer in ihm sehen. Mein Magen verkrampfte sich, mein Puls schoss in die Stratosphäre, und ich floh aus seiner Praxis, ohne ihm die Hand geschüttelt zu haben. Ich hätte es nicht ertragen, ihn zu berühren.

Ich verstehe es, ehrlich. Ich kann nachvollziehen, was Megan in ihm gesehen hat. Und damit meine ich nicht allein sein atemberaubendes Äußeres. Er strahlt eine Ruhe und Zuversicht aus und überdies langmütige Freundlichkeit. Ein argloser oder vertrauensseliger oder auch nur verunsicherter Mensch würde all das vielleicht nicht durchschauen, würde vielleicht nicht sehen, dass unter dem ruhigen Äußeren ein Raubtier lauert. Ich verstehe das. Fast eine Stunde lang hat er mich in seinen Bann geschlagen. Ich habe mich ihm gegenüber fahrlässig geöffnet. Ich habe vergessen, wer er ist. Damit habe ich Scott betrogen und Megan obendrein, und deswegen fühle ich mich schuldig.

Aber vor allem fühle ich mich schuldig, weil ich wieder hinwill.

Mittwoch, 7. August 2013

Morgens

Heute Nacht kam er wieder, der Traum, in dem ich irgendwas angerichtet habe, in dem sich alle auf Toms Seite schlagen und sich gegen mich stellen. In dem ich mich nicht erklären oder auch nur entschuldigen kann, weil ich nicht weiß, was überhaupt vorgefallen ist. In dem Zustand zwischen Träumen und Wachen denke ich an einen lang – vier Jahre – zurückliegenden echten Streit: nachdem unser erster und einziger In-vitro-Versuch fehlgeschlagen war und ich es gern noch einmal probieren wollte. Tom erklärte mir damals, so viel Geld hätten wir nicht, und ich stellte das auch gar nicht infrage. Ich wusste, dass wir nicht viel hatten – der Hauskredit war erdrückend, und er hatte noch Restschulden aus irgendeiner miserablen Geschäftsidee, die sein Vater ihm irgendwann mal aufgeschwatzt hatte. Ich musste mich wohl oder übel damit abfinden. Ich konnte nur mehr darauf hoffen, dass wir eines Tages genug Geld beisammenhätten, aber bis dahin musste ich eben die Tränen unterdrücken, die mir jedes Mal sofort heiß in die Augen schossen, wenn ich eine Fremde mit dickem Bauch sah oder erzählt bekam, dass wieder einmal jemand guter Hoffnung war.

Ein paar Monate nachdem wir erfahren hatten, dass die künstliche Befruchtung missglückt war, erzählte er mir von der Reise: Vegas, vier Nächte, um einen wichtigen Kampf zu sehen und ein bisschen Dampf abzulassen. Nur er und ein paar Kumpels von früher, Menschen, denen ich nie begegnet war. Der Trip kostete ein Vermögen, das weiß ich, weil ich unter seinen eingegangenen E-Mails die Buchungsquittung für Flug und Hotelzimmer fand. Was die Tickets für den Boxkampf gekostet haben, kann ich beim besten Willen nicht sagen, aber ich kann mir vorstellen, dass so etwas nicht billig ist. Es hätte vielleicht nicht ganz für einen zweiten In-vitro-Versuch gereicht, aber es wäre immerhin ein Anfang gewesen. Es kam zu einem schrecklichen Streit. An die Einzelheiten erinnere ich mich nicht mehr, weil ich den ganzen Nachmittag lang getrunken und mich in die Auseinandersetzung hineingesteigert hatte, weshalb ich Tom auch auf die denkbar schlechteste Weise zur Rede stellte. Aber ich weiß noch, wie abweisend er sich am nächsten Tag mir gegenüber verhielt und dass er sich weigerte, darüber zu sprechen. Ich weiß auch noch, wie er mit ganz flacher Stimme und hörbar enttäuscht aufzählte, was ich alles getan und gesagt hatte, dass ich unser gerahmtes Hochzeitsbild zerschmettert hatte, dass ich ihn angeschrien und als Egoist beschimpft hatte, dass ich ihn als nutzlosen Ehemann und als Versager bezeichnet hatte. Ich weiß noch, wie zuwider ich mir selbst am nächsten Tag war.

Es war falsch von mir, ihm all das an den Kopf zu werfen, natürlich war das falsch – aber erst jetzt wird mir allmählich klar, dass meine Wut damals durchaus berechtigt war. Ich hatte gute Gründe, wütend zu sein, oder etwa nicht? Schließlich versuchten wir damals, ein Kind zu bekommen – hätten wir nicht bereit sein müssen, Opfer zu bringen? Ich hätte ein Bein hergegeben, wenn ich dafür ein Kind bekommen hätte. Hätte er sich das Wochenende in Vegas da nicht verkneifen können?

Ich bleibe eine Weile im Bett liegen und denke darüber nach, doch dann stehe ich auf und beschließe, spazieren zu gehen, weil ich irgendetwas zu tun brauche, wenn ich nicht in den Laden an der Ecke gehen will. Seit Sonntag habe ich nicht mehr getrunken, und ich spüre, wie es in mir arbeitet, wie die Sehnsucht nach einem leichten Schwips und der Drang, aus meinem eigenen Kopf auszubrechen, mit dem unbestimmten Gefühl kollidieren, dass ich etwas erreicht habe und es töricht wäre, das jetzt wegzuwerfen.

Ashbury ist eigentlich keine Gegend zum Spazierengehen, es besteht nur aus Geschäften und Vorortvierteln, es gibt nicht einmal einen anständigen Park. Ich marschiere trotzdem los, quer durch die Stadtmitte, was gar nicht so schlecht ist, wenn sonst niemand unterwegs ist.

Der Trick dabei ist, sich selbst vorzugaukeln, dass man irgendwo hinwill: Man setzt sich einfach ein Ziel und macht sich auf den Weg. Mein Ziel ist die Kirche oben an der Pleasance Road, etwa zwei Meilen von Cathys Wohnung entfernt. Dort war ich mal bei einem AA-Treffen. Ich wollte nicht zu dem Treffen bei uns um die Ecke gehen, weil ich niemandem begegnen wollte, der mir hinterher auf der Straße, im Supermarkt, im Zug über den Weg laufen konnte.

Sobald ich bei der Kirche ankomme, mache ich kehrt und trete den Rückweg an, gehe forschen Schritts heimwärts, eine Frau, die etwas zu erledigen, die ein festes Ziel vor Augen hat. Die ganz normal ist. Ich sehe mir die Menschen an, an denen ich vorbeikomme – die beiden Männer, die mit Rucksäcken joggen und offenbar für einen Marathon trainieren, die junge Frau auf dem Weg zur Arbeit, schwarzer Rock, weiße Turnschuhe an den Füßen und hochhackige Pumps in der Handtasche –, und ich frage mich, was sie wohl zu verbergen haben. Bleiben sie in Bewegung, um nicht zu trinken, oder laufen sie, um innezuhalten? Denken auch sie an den Mörder, dem sie gestern gegenübersaßen, den Mörder, den sie möglichst bald wiedersehen möchten?

Ich bin nicht normal.

Ich bin schon fast wieder daheim, als ich es sehe. Ich war in Gedanken versunken, habe darüber nachgedacht, was ich mit diesen Sitzungen bei Kamal tatsächlich erreichen will. Habe ich allen Ernstes vor, seine Schreibtischschubladen zu durchwühlen, falls er irgendwann mal kurz den Raum verlässt? Will ich versuchen, ihn zu einer verräterischen Bemerkung zu verleiten? Ihn auf dünnes Eis locken? Es steht zu befürchten, dass er wesentlich gerissener ist als ich; dass er mich sofort durchschaut. Schließlich weiß er, dass sein Name durch die Presse ging – er muss darauf gefasst sein, dass jemand versuchen könnte, mehr über ihn in Erfahrung zu bringen oder ihn auszuhorchen.

All das beschäftigt mich, während ich mit gesenktem Kopf den kleinen Londis-Laden rechter Hand passiere, die Augen zu Boden gerichtet, um keinen Blick ins Schaufenster zu werfen, weil sich dahinter zahllose Möglichkeiten eröffnen, als ich plötzlich aus dem Augenwinkel ihren Namen wahrnehme. Ich sehe auf und lese die riesigen Lettern auf einer Boulevardzeitung: MEGAN – HAT SIE EIN KIND AUF DEM GEWISSEN?

ANNA

Mittwoch, 7. August 2013

Morgens

Ich war mit den Müttern vom National Childbirth Trust bei Starbucks, als es passierte. Wir saßen an unserem üblichen Tisch am Fenster, die Kleinen verteilten Lego auf dem Boden, Beth wollte mich (mal wieder) überreden, ihrem Lesekreis beizutreten, da tauchte Diane auf. Sie hatte wieder dieses Gesicht aufgesetzt – diese aufgeblasene Miene eines Menschen, der gleich ein besonders pikantes Gerücht unters Volk bringen will. Am liebsten hätte sie es ausposaunt, noch ehe sie auch nur ihren Doppelbuggy durch die Tür bugsiert hatte.

»Anna«, sagte sie todernst, »hast du das hier gesehen?«, und dann hielt sie mir eine Zeitung mit der Schlagzeile MEGAN – HAT SIE EIN KIND AUF DEM GEWISSEN? vor die Nase. Ich war sprachlos. Ich starrte auf das Titelblatt und brach, so lächerlich das klingen mag, in Tränen aus. Evie war geschockt. Sie jaulte laut auf. Es war grässlich.

Ich verschwand auf die Toilette, um mich (und Evie) wieder in Ordnung zu bringen, und als ich zurückkam, sprachen alle mit gedämpfter Stimme. Diane sah zu mir auf und fragte scheinheilig: »Alles okay, Schätzchen?« Ich konnte ihr ansehen, wie sehr sie es genoss.

Ich musste gehen, ich konnte einfach nicht mehr bleiben. Sie taten alle fürchterlich besorgt und meinten, wie grauenvoll das wohl für mich sein müsse, aber ich sah sie in ihren Gesichtern: die nur schlecht verhohlene Missbilligung. Wie konntest du diesem Monster dein Kind anvertrauen? Du musst die schlechteste Mutter der Welt sein.

Auf dem Heimweg versuchte ich, Tom zu erreichen, doch es sprang bloß die Mailbox an. Ich hinterließ ihm eine Nachricht und bat ihn, schnellstmöglich zurückrufen – ich versuchte, dabei möglichst heiter und gelassen zu klingen, aber meine Stimme zitterte, und meine Beine fühlten sich ganz wacklig und unsicher an.

Eine Zeitung kaufte ich nicht, aber ich konnte einfach nicht widerstehen, den Bericht online zu lesen. Es klang alles ziemlich vage. »Aus dem Umkreis der Ermittlungen im Fall Megan Hipwell« sei durchgesickert, dass es Anschuldigungen gebe, Megan könnte vor zehn Jahren »beim Tod des eigenen Kindes möglicherweise eine fatale Rolle« gespielt haben. Die »Quellen« argwöhnten außerdem, dass dies ein potenzielles Mordmotiv sein könnte. Der Leiter der Ermittlungen – Gaskill, der Detective Inspector, der uns zu Hause befragt hatte, kurz nachdem sie verschwunden war – habe sich bislang zu den Anschuldigungen nicht geäußert.

Tom rief zurück – er hat noch Termine und kann deshalb nicht sofort heimkommen. Er versuchte, mich zu beruhigen, er sagte all die Dinge, die man in so einem Fall wohl sagen muss, und erklärte mir, dass das alles höchstwahrscheinlich sowieso nur Müll sei. »Du weißt doch, dass du nicht mal die Hälfte von dem glauben darfst, was sie in der Zeitung drucken.« Ich machte keine große Sache daraus. Der Vorschlag, sie könne doch mal vorbeikommen und uns vielleicht mit Evie helfen, war ursprünglich von ihm gekommen. Bestimmt fühlt er sich deshalb fürchterlich.

Außerdem hat er recht. Vielleicht stimmt es ja gar nicht. Aber wer würde sich so eine Geschichte ausdenken? Wieso sollte man so etwas erfinden? Und immerzu geht mir im Kopf herum: Hab ich's doch gewusst. Ich hab von Anfang an gewusst, dass an der Frau etwas nicht stimmte. Anfangs dachte ich, sie wäre nur ein bisschen unreif, aber es war mehr als das – sie war irgendwie *abwesend.* Zu ichbezogen. Ich will nicht lügen. Ich bin froh, dass sie weg ist. Auf Nimmerwiedersehen.

Abends

Ich bin oben im Schlafzimmer. Tom sieht mit Evie fern. Wir sprechen nicht miteinander, und das ist meine Schuld. Ich bin auf ihn losgegangen, kaum dass er durch die Haustür kam.

Es hatte sich den ganzen Tag über aufgestaut. Ich konnte nichts dagegen tun, ich war dagegen nicht gefeit: Wo immer ich auch hinsah, sah ich sie. Wie sie hier, in meinem Haus, mein Kind auf dem Arm hielt, es fütterte, es wickelte oder mit ihm spielte, während ich mich ausruhte. Ständig ging mir im Kopf herum, wie oft ich Evie allein mit ihr gelassen hatte, und jedes Mal wurde mir ganz schlecht.

Und dann setzte die Paranoia ein, dieses Gefühl, beobachtet zu werden, das ich seit meinem Einzug in dieses Haus nicht losgeworden bin. Anfangs hab ich es auf die Züge geschoben. Mich gruselte bei dem Gedanken an die vielen gesichtslosen Menschen, die aus den Zugfenstern starrten, die direkt in unser Haus sehen konnten. Das war einer der vielen Gründe, warum ich hier nicht wohnen wollte, aber Tom hatte damals nicht ausziehen wollen. Er hatte die Befürchtung, bei einem Verkauf draufzuzahlen.

Anfangs waren es die Züge, dann war es Rachel. Rachel, die uns beobachtet, die plötzlich in unserer Straße auftaucht, die Tag und Nacht anruft. Und danach Megan, als sie Evie hütete. Ständig hatte ich das Gefühl, dass sie mich aus dem Augenwinkel im Blick behielt, so als wollte sie mich abschätzen, als wollte sie meine Leistungen als Mutter bewerten, als würde sie mich dafür verurteilen, dass ich nicht allein zurechtkam. Lächerlich, ich weiß – aber dann denke ich wieder an den Tag, als Rachel in unser Haus einbrach und Evie entführen wollte, und mein ganzer Körper gefriert regelrecht, und ich weiß: Nein, das ist ganz und gar nicht lächerlich.

Also war ich, als Tom schließlich heimkam, auf einen Streit aus. Ich setzte ihm ein Ultimatum: Wir müssen endlich ausziehen. Nach allem, was sich hier abgespielt hat, kann ich unmöglich länger in diesem Haus wohnen bleiben, in dieser Straße. Wo immer ich auch hinsehe, sehe ich nicht mehr nur Rachel, sondern jetzt auch noch Megan. Dauernd muss ich daran denken, was sie alles angefasst hat. Ich halte das nicht aus. Ich erklärte ihm, dass es mir egal sei, ob wir einen guten Preis für das Haus erzielten oder nicht.

»Das wird dir nicht mehr egal sein, wenn wir in einer Bruchbude wohnen und die Hypothek nicht mehr bezahlen können«, sagte er, und natürlich hatte er recht. Ich fragte ihn, ob er nicht seine Eltern bitten könne, uns auszuhelfen – sie haben mehr als genug Geld –, aber er sagte, die werde er ganz sicher nicht fragen, er werde sie nie wieder um etwas bitten, und dann wurde er richtig sauer und meinte, er wolle nicht mehr darüber reden. Ich weiß, wie seine Eltern ihn behandelt haben, als er Rachel für mich verließ. Ich hätte sie nicht erwähnen dürfen. Das macht ihn jedes Mal wütend.

Aber ich kann einfach nicht anders. Ich bin am Ende, denn jedes Mal, wenn ich die Augen schließe, sehe ich sie mit Evie auf dem Schoß am Küchentisch sitzen. Wenn sie mit ihr spielte und lächelte und mit ihr scherzte, hatte ich nie den Eindruck, dass sie mit dem Herzen dabei gewesen wäre, dass sie wirklich hier sein wollte. Sie kam mir immer fast erleichtert vor, wenn ihre Zeit vorbei war und sie mir Evie wieder zurückgeben konnte. Es war fast so, als wäre es ihr zuwider gewesen, ein Kind im Arm zu halten.

RACHEL

Mittwoch, 7. August 2013

Abends

Die Hitze ist unerträglich, sie wird immer schlimmer. Weil die Fenster offen stehen, kann man das Kohlenmonoxid regelrecht riechen, das von der Straße in die Wohnung dringt. Mir juckt die Kehle. Ich stehe bereits das zweite Mal an diesem Tag unter der Dusche, als mein Handy klingelt. Ich gehe nicht hin, doch kurz darauf klingelt es wieder. Und wieder. Als ich aus der Dusche komme, klingelt es zum vierten Mal, und diesmal gehe ich ran.

Er klingt panisch, kurzatmig. Seine Stimme erreicht mich bloß in abgehackten Fetzen. »Ich kann nicht mehr nach Hause«, sagt er. »Da ist alles voller Kameras.«

»Scott?«

»Ich weiß, das ... Das hört sich jetzt vielleicht schräg an, aber ich muss irgendwohin ... irgendwohin, wo sie mir nicht auflauern. Zu meiner Mutter oder zu meinen Freunden kann ich nicht. Ich fahre ... Ich fahre gerade kreuz und quer durch die Gegend. Ich fahre schon herum, seit ich aus dem Polizeirevier gekommen bin ...« Seine Stimme stockt. »Ich brauche nur ein, zwei Stunden. In denen ich mich hinsetzen und nachdenken kann. Ohne sie – ohne Polizei, ohne dass mir irgendwer beschissene Fragen stellt. Bitte entschuldige, aber könnte ich vielleicht zu dir kommen?«

Natürlich sage ich Ja. Nicht nur, weil er sich getrieben und verzweifelt anhört, sondern weil ich ihn gern sehen möchte. Ich will ihm helfen. Ich gebe ihm meine Adresse, und er sagt, dass er in fünfzehn Minuten hier sein wird.

Zehn Minuten später klingelt es an der Tür: kurz, scharf, drängend.

»Bitte entschuldige vielmals«, sagt er, als ich die Wohnungstür aufziehe. »Ich wusste einfach nicht mehr, wohin.« Er sieht gehetzt aus: zutiefst erschüttert, bleich, die Haut schweißglänzend.

»Gar kein Problem«, sage ich und trete beiseite, um ihn in die Wohnung zu lassen. Ich führe ihn ins Wohnzimmer und biete ihm einen Platz an. Dann hole ich ihm ein Glas Wasser aus der Küche. Er leert es praktisch in einem Zug, dann setzt er sich, beugt sich vor, die Unterarme auf den Knien, und lässt den Kopf hängen.

Unschlüssig, ob ich etwas sagen oder lieber den Mund halten soll, bleibe ich neben ihm stehen. Schweigend nehme ich ihm das Wasserglas ab und fülle es wieder auf. Schließlich fängt er an zu reden.

»Man sollte meinen, dass es nicht schlimmer hätte kommen können«, sagt er leise. »Ich meine, das sollte man doch annehmen, oder?« Er sieht zu mir auf. »Meine Frau ist gestorben, und die Polizei glaubt, dass ich sie umgebracht hätte. Was könnte schlimmer sein?«

Er redet von den Zeitungen, von all dem, was jetzt über sie geschrieben wird. Von dieser vermutlich aus irgendeinem Leck bei der Polizei durchgesickerten Sensationsstory, dass Megan etwas mit dem Tod eines Kindes zu tun haben soll. Anrüchiger, spekulativer Dreck – eine Schmutzkampagne gegen eine Tote. Es ist widerwärtig.

»Das stimmt doch alles gar nicht«, sage ich zu ihm. »Das kann doch gar nicht stimmen.«

Er sieht mich ausdruckslos, verständnislos an. »Detective Sergeant Riley hat es mir heute Morgen erzählt«, sagt er nach einer Weile. Er hustet kurz und räuspert sich. »Es war die Nachricht, auf die ich immer gewartet habe. Du kannst dir nicht vorstellen«, sagt er, und seine Stimme ist kaum mehr als ein Flüstern, »wie sehr ich darauf gehofft habe. Wie oft hab ich davon geträumt, wie oft hab ich mir ausgemalt, wie sie dabei aussehen würde – wie sie mich schüchtern und mit diesem gewissen vielsagenden Lächeln ansehen würde, wie sie meine Hand nehmen und an ihre Lippen drücken würde…« Er ist vollkommen versunken in seine Tagträume, während ich keinen Schimmer habe, wovon er spricht. »Heute«, sagt er, »hab ich erfahren, dass Megan schwanger war.«

Er fängt an zu weinen, und auch ich muss schwer schlucken und weine still um ein Kind, das nie geboren wurde, das Kind einer Frau, die ich nie kennengelernt habe. Das Grauen ist kaum zu ertragen. Ich verstehe nicht, wie Scott noch atmen kann. Eigentlich hätte ihn die Nachricht um den Verstand bringen müssen, sie hätte das Leben aus ihm herauspressen müssen. Aber irgendwie ist er trotzdem immer noch da.

Ich kann nicht sprechen, kann mich nicht bewegen. Im Wohnzimmer ist es trotz der offenen Fenster heiß und stickig. Von unten höre ich Straßenlärm: eine Polizeisirene, junge Mädchen, die einander etwas zurufen und lachen, wummernde Bässe aus einem vorbeifahrenden Auto. Das ganz normale Leben. Während hier drinnen die Welt stillsteht. Für Scott steht die Welt still, und mir fällt nichts ein, was ich noch sagen könnte. Sprachlos, hilflos, nutzlos stehe ich einfach nur da.

Bis ich Schritte auf den Stufen vor dem Haus höre und das vertraute Klirren, mit dem Cathy in ihrer riesigen Handtasche nach dem Haustürschlüssel sucht. Das schreckt mich aus meiner Starre. Ich muss etwas unternehmen. Ich packe Scotts Hand, und er sieht erschrocken auf.

»Komm mit«, sage ich und ziehe ihn hoch. Er lässt sich von mir in den Flur und die Treppe hinaufschleifen, noch ehe Cathy die Tür aufgeschlossen hat. Ich mache die Zimmertür hinter uns zu.

»Meine Mitbewohnerin«, sage ich wie zur Erklärung. »Sie würde ... Sie könnte Fragen stellen. Und das willst du im Augenblick bestimmt nicht.«

Er nickt. Er sieht sich in meinem winzigen Zimmer um, nimmt das ungemachte Bett wahr, die Klamotten, die sich, sauber ebenso wie getragen, auf meinem Schreibtischstuhl häufen, die nackten Wände, die billigen Möbel. Ich schäme mich. Das ist mein Leben: schlampig, schäbig, schrecklich klein. Wenig beneidenswert. Noch während ich das denke, schießt mir durch den Kopf, wie lächerlich es ist, mir einzubilden, dass Scott sich in diesem Augenblick für meine Lebenssituation interessieren könnte.

Ich biete ihm einen Platz auf meinem Bett an. Gehorsam setzt er sich und wischt sich mit dem Handrücken über die Augen. Dann atmet er schwer aus.

»Kann ich dir irgendetwas anbieten?«, frage ich.

»Ein Bier vielleicht?«

»Es ist kein Alkohol im Haus«, sage ich und merke, wie ich rot werde. Scott bemerkt es nicht, er sieht nicht einmal auf. »Soll ich dir einen Tee machen?« Er nickt wieder. »Leg dich hin«, sage ich. »Ruh dich aus.«

Widerspruchslos tut er wie geheißen, streift sich die Schuhe von den Füßen und legt sich artig wie ein krankes Kind aufs Bett.

Unten plaudere ich ein bisschen mit Cathy, während das Wasser heiß wird, und höre mir an, wie sie sich über dieses neue Restaurant in Northcote auslässt, das sie entdeckt hat (»echt gute Salate«), und über irgendeine neue, nervtötende Kollegin. Ich lächle und nicke, aber ich höre nur mit halbem Ohr hin. Ich bin verkrampft. Gleichzeitig lausche ich angestrengt nach oben, nach knarzenden Dielen oder Schritten. Es ist irgendwie irreal, ihn hier in der Wohnung, oben in meinem Bett zu haben. Allein schon bei dem Gedanken wird mir leicht schwindlig, so als würde ich träumen.

Schließlich hört Cathy auf zu reden und sieht mich stirnrunzelnd an. »Ist alles in Ordnung?«, fragt sie. »Du wirkst ... irgendwie weggetreten.«

»Ich bin bloß tierisch müde«, sage ich. »Es geht mir nicht besonders ... Ich glaube, ich gehe lieber ins Bett.«

Sie sieht mich eindringlich an. Sie weiß, dass ich nicht getrunken habe (das merkt sie immer gleich), und nimmt wahrscheinlich an, dass ich bald wieder damit anfangen werde. Es ist mir egal; dafür habe ich im Moment keine Zeit. Ich nehme Scotts Tee mit und verabschiede mich bis morgen früh von Cathy.

Vor meiner Zimmertür bleibe ich kurz stehen und lausche. Es ist still. Vorsichtig drehe ich den Knauf und schiebe die Tür auf. Er liegt in exakt derselben Position da wie zuvor, die Hände an den Seiten, die Augen geschlossen. Ich höre ihn leise und flatternd atmen. Obwohl sein massiger Körper das halbe Bett einnimmt, würde ich mich am liebsten neben ihn legen, meinen Arm über seine Brust schieben und ihn trösten. Stattdessen räuspere ich mich leise und strecke ihm den Teebecher entgegen.

Er setzt sich auf. »Danke«, sagt er nur und nimmt ihn mir ab. »Danke… dass du mich aufnimmst. Es war… Ich kann gar nicht beschreiben, was los ist, seit diese Geschichte rauskam.«

»Diese Geschichte, die vor ein paar Jahren passiert sein soll?«

»Genau die.«

Es wird hitzig diskutiert, wie die Zeitungen überhaupt auf diese Story gestoßen sind. Es kursieren die wildesten Gerüchte; mal wird die Polizei verdächtigt, mal Kamal Abdic oder Scott.

»Das ist doch gelogen«, sage ich zu ihm. »Oder?«

»Natürlich, aber damit hätte immerhin jemand ein Motiv, richtig? So wird es jedenfalls dargestellt – dass Megan ihr Baby umgebracht und deshalb irgendjemand – vermutlich der Vater des Kindes – ein Motiv gehabt haben könnte, sie umzubringen. Jahre später…«

»Das ist doch lächerlich.«

»Aber du weißt, was jetzt behauptet wird. Dass ich diese Geschichte herumerzählt habe, um sie in ein schlechtes Licht zu rücken und den Verdacht von mir auf einen Unbekannten zu lenken. Irgend so einen Kerl aus ihrer Vergangenheit, von dem niemand etwas weiß.«

Ich setze mich neben ihn aufs Bett. Unsere Schenkel berühren sich beinahe.

»Und was sagt die Polizei dazu?«

Er zuckt mit den Schultern. »Eigentlich gar nichts. Sie haben mich gefragt, was ich darüber weiß. Ob ich weiß, dass sie schon mal ein Kind hatte. Ob ich weiß, was damals passiert ist. Ob ich weiß, wer der Vater war. Ich habe Nein gesagt, das ist doch alles Quatsch, sie war nie schwanger …« Wieder versagt ihm die Stimme, und er verstummt, nimmt einen Schluck Tee. »Ich habe sie gefragt, woher diese Geschichte stammt und wie sie an die Öffentlichkeit kam, aber das dürfen sie nicht sagen. Ich nehme an, sie stammt von ihm. Von Abdic.« Er seufzt und schüttelt sich. »Ich verstehe bloß nicht, was das soll – ich verstehe einfach nicht, warum er so was über sie erzählen sollte. Ich weiß nicht, was er damit bezweckt. Er muss total gestört sein.«

Ich denke an den Mann, dem ich gestern gegenübersaß: die ruhige Haltung, die sanfte Stimme, die Wärme seines Blicks. So wenig gestört wie überhaupt nur möglich. Dieses Lächeln allerdings … »Es ist eine Unverschämtheit, dass so was überhaupt gedruckt wird. Es sollte Regeln geben …«

»Tote darf man nicht verleumden«, fällt er mir ins Wort. Er ist kurz still, dann fährt er fort: »Sie haben mir versichert, dass sie die Information über diese … über ihre Schwangerschaft nicht herausgeben. Noch nicht. Vielleicht auch gar nicht. Aber zumindest nicht, bis sie es sicher wissen.«

»Was sicher wissen?«

»Es ist nicht Abdics Kind«, sagt er.

»Sie haben einen Vaterschaftstest gemacht?«

Er schüttelt den Kopf. »Nein, ich weiß es einfach. Ich weiß nicht, wieso, aber ich *weiß* es. Das Baby ist – war – von mir.«

»Aber wenn er geglaubt hat, dass es sein Baby sein könnte, hätte er damit ein Mordmotiv, oder nicht?« Er wäre nicht der erste Mann, der ein ungewolltes Kind loswird, indem er die Mutter loswird – obwohl ich das nicht ausspreche. Und – auch das lasse ich unausgesprochen – Scott hätte damit ebenfalls ein Motiv. Wenn er geglaubt hat, dass seine Frau von einem anderen Mann schwanger sein könnte … Aber das ist unmöglich. Sein Schock, seine Bestürzung – die können nicht vorgetäuscht sein. Niemand kann so gut schauspielern.

Scott scheint mir gar nicht mehr zuzuhören. Sein glasiger Blick ist starr auf die Rückseite der Zimmertür gerichtet, und er scheint in meinem Bett zu versinken wie in Treibsand.

»Du solltest eine Weile hierbleiben«, sage ich zu ihm. »Und versuchen zu schlafen.«

Daraufhin sieht er mich an und lächelt schief. »Das macht dir nichts aus?«, fragt er. »Das wäre … Ich wäre dir wirklich dankbar. Zu Hause kriege ich kein Auge zu. Es sind nicht nur die Menschen vor dem Haus und das Gefühl, dass ich belagert werde. Es ist nicht nur das. Es geht um sie. Sie ist überall, ich sehe sie überall. Ich gehe die Treppe runter und sehe absichtlich nicht hin, ich zwinge mich, nicht hinzusehen, aber sobald ich am Fenster vorbei bin, muss ich mich umdrehen und nachsehen, ob sie nicht doch draußen auf der Terrasse sitzt.« Mir brennen die Tränen in den Augen, als er das sagt. »Sie saß so gern da draußen, musst du wissen – auf der kleinen Terrasse hinter dem Haus. Sie saß so gern da draußen und sah den Zügen nach.«

»Ich weiß«, sage ich und lege die Hand auf seinen Arm. »Ich hab sie manchmal dort sitzen sehen.«

»Ständig höre ich ihre Stimme«, sagt er. »Ich höre, wie sie nach mir ruft. Ich liege im Bett und höre, wie sie draußen steht und nach mir ruft. Immer wieder denke ich, sie ist da draußen.« Er zittert.

»Leg dich hin«, sage ich und nehme ihm den Becher ab. »Ruh dich aus.«

Als ich mir sicher bin, dass er eingeschlafen ist, schmiege ich mich an seinen Rücken, das Gesicht direkt an seiner Schulter. Ich schließe die Augen und lausche meinem Herzschlag, dem Pochen des Bluts in meinem Hals. Ich atme seinen traurigen, schalen Geruch ein.

Als ich Stunden später wieder aufwache, ist er nicht mehr da.

Donnerstag, 8. August 2013

Morgens

Ich komme mir vor wie eine Verräterin. Er ist erst vor ein paar Stunden gegangen, und schon bin ich wieder auf dem Weg zu Kamal, zu einem weiteren Treffen mit dem Mann, den er für den Mörder seiner Frau hält. Seines Kindes. Mir ist schlecht. Ich frage mich, ob ich ihn in meinen Plan hätte einweihen sollen, ob ich ihm hätte erklären müssen, dass ich all das nur für ihn tue – wobei ich mir keineswegs sicher bin, ob ich das *wirklich* nur für ihn tue, und im Grunde auch gar keinen Plan habe.

Ich werde etwas von mir preisgeben. Das ist mein einziger Vorsatz für heute. Ich werde etwas Wahres erzählen. Ich werde ihm von meinem Kinderwunsch erzählen. Dann werde ich ja sehen, ob das etwas auslöst – eine unnatürliche Reaktion, überhaupt eine Reaktion. Mal sehen, wohin das führt.

Es führt nirgendwohin.

Er beginnt, indem er mich fragt, wie es mir geht, wann ich das letzte Mal getrunken habe.

»Am Sonntag«, antworte ich.

»Gut. Das ist gut.« Er faltet die Hände im Schoß. »Sie sehen gut aus.« Er lächelt, und ich sehe in ihm keinen Mörder. Ich frage mich, was ich beim letzten Mal wahrgenommen haben will. Habe ich mir alles nur eingebildet?

»Sie haben mich letztes Mal gefragt, wann das mit dem Trinken anfing.« Er nickt. »Ich hatte Depressionen«, sage ich. »Wir versuchten … Ich versuchte damals, schwanger zu werden. Es klappte nicht, und ich bekam Depressionen. Damals hat es angefangen.«

Und ehe ich weiß, wie mir geschieht, weine ich schon wieder. Es ist unmöglich, der Freundlichkeit von Fremden zu widerstehen; von jemandem, der dich ansieht, der dich nicht kennt, der dir versichert, dass alles in Ordnung ist, ganz gleich, was du getan hast, ganz gleich, was du auch tust. Du hast gelitten, du hast dich gequält, du verdienst Vergebung. Ich vertraue mich ihm an und vergesse darüber – schon wieder –, was ich hier eigentlich tue. Weder beobachte ich sein Gesicht auf eine Reaktion hin, noch suche ich in seinen Augen nach Anzeichen von Schuldgefühlen oder Misstrauen. Ich lasse mich einfach von ihm trösten.

Er ist gütig, rational. Er spricht über Bewältigungsstrategien, er ruft mir ins Gedächtnis, dass die Jugend auf meiner Seite ist.

Also führt es vielleicht doch irgendwohin, weil ich Kamal Abdics Praxis spürbar leichter und hoffnungsvoller verlasse. Er hat mir geholfen. Ich sitze im Zug und versuche, den Mörder heraufzubeschwören, den ich in ihm gesehen habe, aber ich kann ihn nicht mehr finden. Angestrengt versuche ich, ihn als Mann zu sehen, der fähig ist, eine Frau zu schlagen, ihr den Schädel zu zertrümmern.

Ein schreckliches, beschämendes Bild kommt mir in den Sinn: Kamal mit seinen sensiblen Händen, seiner tröstenden Art, seinem leichten Lispeln neben Scott – groß und kraftvoll, wild, verzweifelt. Ich muss mir wieder ins Gedächtnis rufen, dass dies der Scott von jetzt ist, nicht der von früher. Ich muss mir immer wieder ins Gedächtnis rufen, wie er vorher war. Und dann muss ich mir eingestehen, dass ich nicht weiß, wie Scott vorher war.

Freitag, 9. August 2013

Abends

Der Zug hält am Signal. Ich nehme einen Schluck aus der kalten Gin-Tonic-Dose und sehe zu seinem Haus, ihrer Terrasse hinüber. Ich habe mich wacker geschlagen, aber jetzt brauche ich das. Ich muss mir Mut antrinken. Ich fahre Scott besuchen, und mir drohen auf dem Weg sämtliche Fährnisse der Blenheim Road: Tom, Anna, die Polizei, die Presse. Die Fußgängerunterführung mit den Quasierinnerungen an nackte Angst und Blut. Aber er hat mich gebeten, zu ihm zu kommen, und ich kann es ihm nicht abschlagen.

Gestern Abend haben sie das kleine Mädchen gefunden. Was von ihr übrig war. Vergraben auf dem Grundstück eines Bauernhauses an der Küste von East Anglia, genau dort, wo jemand sie hingeschickt hatte. Heute Morgen stand alles in der Zeitung.

Nachdem im Garten eines Hauses nahe Holkham in Nordnorfolk menschliche Überreste gefunden wurden, hat die Polizei Ermittlungen aufgenommen, um den Tod eines Kindes aufzuklären. Zu dem Fund kam es, nachdem die Polizei im Fall der getöteten Megan Hipwell aus Witney, deren Leichnam letzte Woche im Corly Wood gefunden wurde, einen Hinweis erhalten hatte.

Gleich nachdem ich heute Morgen die Nachrichten gesehen hatte, rief ich Scott an. Er ging nicht ans Telefon, darum hinterließ ich ihm eine Nachricht und sagte, dass ich mit ihm fühlen würde. Heute Nachmittag rief er zurück.

»Ist alles in Ordnung?«, fragte ich ihn.

»Kann man nicht sagen.« Er lallte verdächtig.

»Es tut mir so leid … Kann ich irgendwie helfen?«

»Ich brauche jemanden, der mir nicht erklärt: *Ich hab's dir ja gesagt.*«

»Wie bitte?«

»Meine Mutter war den ganzen Nachmittag über hier. Offenbar wusste sie es von Anfang an. *Irgendetwas stimmt nicht mit dem Mädchen, da ist was faul, keine Familie, keine Freunde, einfach so aus dem Nichts aufgetaucht.* Ich wüsste zu gern, warum sie nie einen Ton gesagt hat.« Das Splittern von Glas, ein Fluch.

»Ist alles in Ordnung?«, fragte ich wieder.

»Kannst du herkommen?«, fragte er.

»Zu dir nach Hause?«

»Ja.«

»Ich … Die Polizei, die Reporter … Ich weiß nicht …«

»Bitte. Ich will einfach jemanden um mich haben. Jemanden, der Megs kannte, der sie mochte. Jemanden, der nicht glaubt, dass sie …«

Ich wusste genau, dass er betrunken war, und sagte trotzdem Ja.

Jetzt sitze ich im Zug, trinke ebenfalls und denke darüber nach, was er gesagt hat. *Jemanden, der Megs kannte, der sie mochte.* Ich kannte sie nicht, und ich weiß nicht, ob ich sie noch mag. Ich trinke die Dose in einem Zug leer und reiße die nächste auf.

In Witney steige ich aus. Ich schwimme im Strom der Freitagabendpendler mit: eine weitere Lohnsklavin inmitten der verschwitzten, müden Massen, die sich darauf freuen heimzukommen, sich mit einem kalten Bier nach draußen zu setzen, mit den Kindern zu Abend zu essen, zeitig ins Bett zu fallen. Vielleicht ist es nur der Gin, aber es ist ein unglaublich gutes Gefühl, sich mittragen zu lassen von der Menge, in der alle ihre Handys checken oder in den Taschen nach ihren Monatskarten kramen. Ich fühle mich zurückversetzt in unseren ersten Sommer in der Blenheim Road, als ich jeden Abend von der Arbeit nach Hause stürmte, als ich nicht schnell genug die Stufen hinunter und aus dem Bahnhof kommen konnte und dann fast im Laufschritt die Straße entlangeilte. Tom arbeitete damals zu Hause und riss mir jeden Abend, kaum dass ich durch die Tür kam, die Kleider vom Leib. Selbst jetzt muss ich unwillkürlich lächeln, wenn ich an damals denke, wenn ich mich an meine Vorfreude erinnere: wie meine Wangen rot wurden, während ich die Straße entlanghastete, wie ich mir auf die Lippe biss, um nicht zu grinsen, wie allein bei dem Gedanken an ihn mein Atem schneller ging, weil ich genau wusste, dass er ebenfalls die Minuten zählte, bis ich heimkam.

Mein Kopf ist so erfüllt von jenen Zeiten, dass ich ganz vergesse, mich vor Tom und Anna, der Polizei und der Presse zu fürchten, und ehe ich michs versehe, stehe ich vor Scotts Tür, klingle, die Tür geht auf, und ich bin ganz aufgeregt, obwohl ich das nicht sein sollte, aber ich habe deswegen kein schlechtes Gewissen, weil Megan sowieso nicht das war, wofür ich sie gehalten habe. Sie war nicht das schöne, sorglose Mädchen auf der Terrasse. Sie war keine liebende Ehefrau. Sie war nicht mal ein guter Mensch. Sie war eine Lügnerin, eine Betrügerin.

Sie hat ein Kind umgebracht.

MEGAN

Donnerstag, 20. Juni 2013

Abends

Ich sitze mit einem Glas Wein in der Hand auf dem Sofa in seinem Wohnzimmer. Die Wohnung ist immer noch ein Saustall. Ob er immer so lebt – wie ein Teenager? Und dann fällt mir ein, dass er als Teenager seine Familie verlor, also tut er das vielleicht wirklich. Der Gedanke stimmt mich traurig. Er kommt aus der Küche und setzt sich neben mich, angenehm nah. Wenn ich könnte, würde ich jeden Tag herkommen, nur für ein, zwei Stunden. Ich würde einfach hier sitzen, Wein trinken und spüren, wie seine Hand meine berührt.

Aber das kann ich nicht. Ich bin aus einem bestimmten Grund hier, und er will, dass ich zum Punkt komme.

»Okay, Megan«, sagt er. »Fühlst du dich jetzt bereit? Das zu Ende zu bringen, was du mir erzählt hast?«

Ich lehne mich leicht an ihn, an seinen warmen Körper. Er lässt es zu. Ich schließe die Augen und brauche nicht lang, um zurückzukehren, zurück ins Badezimmer. Merkwürdig, ich habe so viel Zeit damit verbracht, diese Tage, diese Nächte aus meinen Gedanken zu verbannen, und muss trotzdem bloß die Augen zumachen, und alles ist wieder da, so als würde ich beim Einschlafen direkt in einen Traum eintauchen.

Es war dunkel, und es war eiskalt. Ich lag nicht mehr in der Badewanne. »Ich weiß nicht genau, was danach passiert ist. Ich weiß nur, dass ich aufwachte und sofort klar war, dass irgendwas nicht stimmte, und danach weiß ich nur noch, dass Mac wieder nach Hause kam. Er rief nach mir. Ich hörte, wie er unten meinen Namen brüllte, aber ich konnte mich nicht rühren. Ich saß auf dem Badezimmerboden und hielt sie in den Armen. Der Regen hämmerte gegen die Ziegel, und die Balken im Dach knarzten. Mir war so kalt. Mac kam die Treppe hoch. Er rief immer noch nach mir. Er machte die Tür auf und das Licht an.« Selbst jetzt spüre ich, wie das Licht meine Netzhaut versengt, wie grell und hell alles auf einmal ist, wie grauenvoll. »Ich weiß noch, dass ich ihn anschrie, er soll das Licht ausmachen. Ich wollte nichts sehen, ich wollte sie so nicht sehen. Ich weiß nicht ... Ich weiß nicht mehr, was dann geschah. Er brüllte mich an, er schrie mir ins Gesicht. Ich gab sie ihm und rannte los. Ich rannte aus dem Haus in den Regen, ich rannte zum Strand. Was dann passierte, weiß ich nicht mehr. Erst viel später kam er mir hinterher. Es regnete immer noch. Ich glaube, ich war irgendwo in den Dünen. Ich hatte eigentlich ins Wasser gehen wollen, aber ich hatte zu viel Angst. Irgendwann kam er mich holen. Er brachte mich nach Hause. Am Morgen beerdigten wir sie. Ich wickelte sie in ein Laken, und Mac hob das Grab aus. Wir begruben sie am Rand des Grundstücks, gleich bei der aufgelassenen Eisenbahnstrecke. Wir legten Steine auf das Grab, um es zu kennzeichnen. Wir sprachen nicht darüber, wir sprachen überhaupt nicht miteinander, wir sahen uns nicht mal an. In dieser Nacht ging Mac weg. Er müsse sich mit jemandem treffen, sagte er. Ich dachte, er würde vielleicht zur Polizei gehen. Ich wusste nicht, was ich tun sollte. Ich wartete einfach darauf, dass er zurückkommen würde, dass *irgendjemand* kommen würde. Aber er kam nicht zurück. Er kam nie mehr zurück.«

Ich sitze in Kamals warmem Wohnzimmer, direkt neben seinem warmen Körper, und bibbere. »Dieses Gefühl hat mich nie mehr losgelassen«, erkläre ich ihm. »Vor allem nachts kommt es wieder hoch. Das ist es, wovor mir so graut, was mich nicht schlafen lässt: das Gefühl, allein in diesem Haus zu sein. Ich hatte solche Angst – viel zu viel Angst, um mich schlafen zu legen. Stundenlang wanderte ich durch die dunklen Zimmer und hörte sie weinen. Ich konnte ihre Haut riechen. Ich sah Sachen … Manchmal wachte ich nachts auf und war mir sicher, dass außer mir noch jemand – noch etwas – im Haus war. Ich dachte, ich würde verrückt werden. Ich müsste sterben. Ich überlegte mir, dass ich vielleicht einfach dort bleiben sollte, bis mich eines Tages jemand finden würde. Auf diese Weise hätte ich sie wenigstens nicht verlassen.«

Schniefend beuge ich mich vor, um ein Papiertuch aus der Schachtel auf dem Tisch zu ziehen. Kamals Hand streicht über mein Rückgrat und bleibt unten an meinem Rücken liegen.

»Aber letztendlich hatte ich nicht den Mut dortzubleiben. Ich glaube, ich hielt es vielleicht zehn Tage aus, dann war nichts mehr zu essen da – keine einzige Dose Bohnen, gar nichts. Da packte ich meine Sachen und verschwand.«

»Hast du Mac je wiedergesehen?«

»Nein, nie. In jener Nacht sah ich ihn das letzte Mal. Er gab mir keinen Kuss, er verabschiedete sich nicht mal richtig von mir. Er sagte bloß, er müsse kurz weg.« Ich zuckte mit den Schultern. »Und das war's.«

»Hast du je versucht, Kontakt mit ihm aufzunehmen?«

Ich schüttelte den Kopf. »Nein. Anfangs hatte ich zu große Angst. Ich wusste nicht, wie er reagieren würde, falls ich ihn tatsächlich anriefe. Und ich wusste auch nicht, wo er war – er hatte nicht einmal ein Handy. Die Leute, die ihn kannten, hatte ich aus den Augen verloren. Er war ausschließlich mit irgendwelchen Nomaden befreundet – mit Hippies, Bauwagenbewohnern. Vor ein paar Monaten habe ich ihn gegoogelt, nachdem wir über ihn gesprochen hatten. Aber ich konnte nichts über ihn finden. Es ist merkwürdig …«

»Was denn?«

»In der ersten Zeit sah ich ihn ständig. Irgendwo auf der Straße, oder ich sah einen Mann an einer Bar, und mein Herz begann zu rasen, weil ich überzeugt war, dass es sich um ihn handelte. Ab und zu hörte ich seine Stimme in einer Menschenmenge. Aber irgendwann hörte das auf. Und heute … Inzwischen glaube ich, dass er vielleicht gestorben sein könnte.«

»Wieso glaubst du das?«

»Ich weiß nicht. Er fühlt sich für mich einfach … tot an.«

Kamal setzt sich auf und rückt behutsam ein Stück von mir ab. Dann dreht er sich mir zu.

»Ich glaube, das alles spielt sich nur in deinem Kopf ab, Megan. Es ist ganz normal, dass man nach einer Trennung Menschen zu sehen glaubt, die bis dahin eine wichtige Rolle in deinem Leben gespielt haben. In der ersten Zeit habe ich immer wieder meine Brüder gesehen. Und das Gefühl des Gestorbenseins ergibt sich wahrscheinlich einfach daraus, dass er bereits so lang aus deinem Leben verschwunden ist. In gewisser Hinsicht empfindest du ihn nicht mehr als real.«

Er hat wieder in den Therapiemodus gewechselt, wir sind nicht mehr zwei Freunde, die nebeneinander auf dem Sofa sitzen. Ich will die Hand ausstrecken und ihn wieder zu mir ziehen, aber ich will auch keine Grenze überschreiten. Ich denke an den Abschiedskuss, den ich ihm letztes Mal gegeben habe – und an seinen Gesichtsausdruck, diese Mischung aus Verlangen und Frust und Zorn.

»Ich frage mich, ob es dir vielleicht helfen könnte, noch einmal Verbindung mit Mac aufzunehmen, nachdem wir jetzt über alles gesprochen haben und du mir deine Geschichte erzählt hast. Um mit allem abzuschließen, um dieses Kapitel in deiner Vergangenheit wirklich zu beenden.«

Ich habe vermutet, dass er das vorschlagen würde. »Das kann ich nicht«, sage ich. »Das kann ich nicht.«

»Denk mal darüber nach.«

»Das kann ich nicht. Und wenn er mich immer noch hasst? Wenn dadurch alles wieder hochkocht oder wenn er dann zur Polizei geht?« Oder wenn er – das kann ich unmöglich aussprechen, ich kann es nicht mal flüstern – Scott erzählt, was ich in Wahrheit bin?

Kamal schüttelt den Kopf. »Vielleicht hasst er dich ja gar nicht, Megan. Vielleicht hat er dich nie gehasst. Vielleicht hatte er nur ebenso viel Angst wie du. Vielleicht fühlte er sich schuldig. So wie du ihn beschreibst, hat er sich wenig verantwortungsvoll verhalten. Er hat ein blutjunges, extrem verletzliches Mädchen bei sich aufgenommen und es im Stich gelassen, als es dringend Hilfe brauchte. Vielleicht ist ihm klar, dass er gleichermaßen für das verantwortlich ist, was damals passierte. Vielleicht lief er davor weg.«

Ich weiß nicht, ob er das wirklich glaubt oder ob er bloß versucht, mich aufzubauen. Ich weiß nur, dass das alles so nicht stimmt. Ich kann die Schuld nicht auf ihn abschieben. Diese Last muss ich allein tragen.

»Ich will dich nicht zu etwas drängen, was du nicht tun willst«, sagt Kamal. »Ich möchte bloß, dass du darüber nachdenkst, ob es dir eventuell helfen könnte, Verbindung mit Mac aufzunehmen. Und nicht, weil ich glauben würde, dass du ihm etwas schuldig wärst. Begreifst du das? Ich glaube, dass er dir etwas schuldig ist. Ich verstehe, dass du dich schuldig fühlst, glaub mir. Aber er hat dich im Stich gelassen. Du warst allein, verängstigt, in Panik, in tiefer Trauer. Und er hat dich in diesem Haus allein gelassen. Kein Wunder, dass du nicht schlafen kannst. Natürlich hast du Angst vor dem Einschlafen: Als du damals eingeschlafen bist, ist dir etwas Fürchterliches widerfahren. Und genau der Mensch, der dir hätte helfen sollen, hat dich damals in deiner Not alleingelassen.«

In dem Moment, als Kamal das sagt, klingt es gar nicht so schlecht. Solange die Worte verführerisch von seiner Zunge perlen, warm und honigsüß, kann ich ihnen fast Glauben schenken. Ich kann beinahe glauben, dass ich all das irgendwie hinter mir lassen kann, dass ich es begraben, zu Scott heimkehren und wie ein ganz normaler Mensch weiterleben kann, ohne mich ständig heimlich umzublicken oder verzweifelt darauf zu warten, dass etwas Besseres nachkommt. Machen das normale Menschen so?

»Wirst du darüber nachdenken?«, fragt er und berührt dabei meine Hand. Ich lächle ihn an und verspreche es ihm. Vielleicht meine ich es sogar ehrlich, ich weiß es nicht. Als er mich zur Tür bringt – den Arm um meine

Schulter gelegt –, möchte ich mich am liebsten umdrehen und ihn noch einmal küssen, aber ich tue es nicht.

Stattdessen frage ich ihn: »War dies das letzte Mal, dass wir uns sehen?«, und er nickt. »Könnten wir nicht …«

»Nein, Megan. Das können wir nicht. Wir müssen das Richtige tun.«

Ich lächle ihn an. »Darin bin ich nicht gerade gut«, sage ich. »Das war ich noch nie.«

»Aber du kannst es werden. Du wirst es werden. Jetzt geh nach Hause. Geh nach Hause zu deinem Mann.«

Noch lange, nachdem er die Tür geschlossen hat, stehe ich vor seinem Haus auf dem Gehweg. Ich fühle mich leichter, glaube ich, und freier – aber auch trauriger, und ganz plötzlich will ich nur noch heim zu Scott.

Gerade als ich mich umdrehe, um zum Bahnhof zu gehen, rennt ein Mann mit Kopfhörern auf den Ohren und gesenktem Kopf über den Bürgersteig. Weil er genau auf mich zusteuert, trete ich einen Schritt zurück, um ihm auszuweichen, rutsche dabei vom Bordstein und stürze.

Der Mann entschuldigt sich mit keinem Wort, er dreht sich nicht mal um, und ich bin zu verdattert, um ihm nachzuschreien. Ich rapple mich wieder hoch und bleibe stehen und lehne mich an ein Auto, bis sich mein Atem wieder beruhigt hat. Der innere Frieden, den ich in Kamals Haus empfunden habe, ist schlagartig zersplittert.

Erst als ich heimkomme, merke ich, dass ich mir bei dem Sturz die Hand aufgeschnitten habe, und offenbar bin ich mir damit irgendwann unabsichtlich über den Mund gefahren. Meine Lippen sind blutverschmiert.

RACHEL

Samstag, 10. August 2013

Morgens

Ich wache früh auf. Ich höre das Müllauto durch die Straße rumpeln und das sanfte Klopfen des Regens an meinem Fenster. Die Jalousie ist halb hochgezogen – wir haben gestern Abend vergessen, sie zu schließen. Ich lächle still in mich hinein. In meinem Rücken spüre ich ihn, warm und schläfrig und hart. Ich wackle ein bisschen mit dem Hintern und schmiege mich ein wenig fester an ihn. Bestimmt rührt er sich bald, packt mich und wirft mich auf den Rücken.

»Rachel«, sagt seine Stimme, »nicht.« Ich erstarre. Ich bin nicht zu Hause, dies ist nicht mein Zuhause. Das stimmt alles nicht.

Ich wälze mich herum. Scott hat sich inzwischen aufgesetzt. Er schwingt die Beine über die Bettkante, von mir weg. Ich kneife die Augen zu und versuche, mich zu erinnern, aber alles liegt hinter dichtem Nebel, und selbst mit offenen Augen kann ich keinen zusammenhängenden Gedanken fassen, weil dieses Zimmer genau das Zimmer ist, in dem ich tausendmal oder noch öfter aufgewacht bin: An dieser Stelle steht das Bett, genau diesen Blick hat man von hier – wenn ich mich aufsetze, werde ich die Wipfel der Eichen auf der anderen Straßenseite sehen; dort drüben links liegt das Bad, rechts sind die Einbauschränke. Es ist das gleiche Zimmer, in dem ich mit Tom schlief.

»Rachel«, sagt er noch mal, und ich strecke die Hand aus, um seinen Rücken zu berühren, aber er steht sofort auf und dreht sich zu mir um. Er kommt mir vor wie ausgehöhlt – genau wie damals auf dem Polizeirevier, als ich ihn zum ersten Mal aus der Nähe sah –, als hätte jemand sein Inneres ausgeschabt und nur die leere Hülle zurückgelassen. Dieses Zimmer ist genau wie das, das ich mit Tom teilte, aber er hat es mit Megan geteilt. Dieses Zimmer, dieses Bett.

»Ich weiß«, sage ich. »Es tut mir leid. Es tut mir so leid. Das war ein Fehler.«

»Ja«, sagt er nur, ohne mich anzusehen. Er verschwindet ins Bad und zieht die Tür hinter sich zu.

Ich lasse mich aufs Bett zurückfallen, schließe die Augen und spüre, wie ich in Angst versinke, wie sie qualvoll an meinen Eingeweiden nagt. Was habe ich getan? Ich kann mich noch erinnern, dass er viel geredet hat, nachdem ich gestern ankam, dass die Worte regelrecht aus ihm heraussprudelten. Er war wütend – wütend auf seine Mutter, die Megan noch nie leiden konnte; wütend auf die Zeitungen, die in ihren Artikeln über sie andeuten, dass sie den Tod gewissermaßen verdient hätte; wütend auf die Polizei, die alles verbockt und Megan und ihn im Stich gelassen hat. Wir saßen in der Küche, tranken Bier, und ich hörte ihm beim Reden zu, und als das Bier leer war, setzten wir uns draußen auf die Terrasse, und irgendwann hörte er auf, wütend zu sein. Wir tranken und sahen den vorbeifahrenden Zügen nach und redeten weiter über dies und das: das Fernsehprogramm und die Arbeit und wo er zur Schule gegangen war – wie ganz normale Leute. Ich vergaß, das zu empfinden, was ich eigentlich hätte empfinden sollen, und er ebenso, und auf einmal fällt es mir wieder ein. Mir fällt wieder ein, wie er mich anlächelte, wie er mein Haar berührte.

In dem Moment bricht es in einer gewaltigen Welle über mich herein, ich spüre, wie mir das Blut ins Gesicht schießt. Ich kann mich erinnern, wie ich mich mit der Idee anfreundete. Wie ich den Gedanken fasste und nicht sofort wieder verwarf, sondern ihn festhielt. Ich wollte es. Ich wollte mit Jason zusammen sein. Ich wollte empfinden, was Jess empfunden hatte, wenn sie abends mit ihm zusammen draußen saß und Wein trank. Ich vergaß, was ich eigentlich hätte fühlen sollen. Ich ignorierte die Tatsache, dass Jess bestenfalls nichts weiter als eine Figur aus meiner Einbildung, schlimmstenfalls jedoch alles andere als nichts weiter, sondern Megan war – eine Tote, deren geschundener Leichnam zum Verrotten im Schlamm zurückgelassen wurde. Schlimmer noch: Ich vergaß es nicht, es war mir egal. Es war mir egal, weil ich zu glauben begann, was über sie geschrieben wurde. Habe ich, und sei es nur für einen winzigen Augenblick, tatsächlich auch geglaubt, dass sie es verdient hatte?

Scott kommt aus dem Bad. Er hat geduscht, mich von seiner Haut gewaschen. Er sieht besser aus, aber er schaut mir immer noch nicht in die Augen, als er mich fragt, ob ich vielleicht einen Kaffee möchte. Das wollte ich auf keinen Fall – das war verkehrt. Das will ich nicht. Ich will nicht wieder die Kontrolle verlieren.

Eilig ziehe ich mich an, gehe ins Bad und spritze mir Wasser ins Gesicht. Meine Wimperntusche ist verlaufen, in meine Augenwinkel gesickert, und meine Lippen sind ganz dunkel. Aufgebissen. Wo seine Bartstoppeln über meine Haut gekratzt haben, ist mein Gesicht, mein Hals gerötet. In meinem Kopf blitzt kurz auf, wie seine Hände in der vergangenen Nacht auf mir lagen, und mir wird schlecht. Benommen sinke ich auf den Badewannenrand. Das Bad ist noch schmuddeliger als der Rest des Hauses: Das Waschbecken hat einen Dreckrand, auf dem Spiegel sind Zahnpastaspritzer. Ein Becher mit nur einer Zahnbürste. Kein Parfüm, keine Feuchtigkeitscreme, kein Make-up. Ich frage mich, ob sie alles mitgenommen hat, als sie ging, oder ob er es weggeworfen hat.

Im Schlafzimmer suche ich ebenfalls nach Hinweisen auf sie – einen Bademantel am Türhaken, eine Haarbürste auf der Kommode, ein Döschen Lippenbalsam, ein Paar Ohrringe –, aber ich finde nichts. Ich gehe auf den Schrank zu, lege die Hand auf den Griff und will gerade die Tür aufziehen, als ich ihn rufen höre: »Kaffee ist fertig«, und zusammenzucke.

Er reicht mir den Becher, ohne mir ins Gesicht zu sehen, dreht sich gleich darauf um und bleibt mit dem Rücken zu mir stehen, den Blick auf die Gleise oder irgendetwas dahinter gerichtet. Ich sehe nach rechts und stelle fest, dass die Fotos weg sind, und zwar allesamt. In meinem Nacken prickelt es, die Härchen an meinen Unterarmen stellen sich auf. Ich nehme einen Schluck Kaffee und bringe ihn nur mit Mühe hinunter. All das passt nicht zusammen.

Vielleicht war es seine Mutter, die alles eingepackt und die Bilder weggeräumt hat. Seine Mutter hat Megan noch nie leiden können, das hat er immer wieder gesagt. Trotzdem, wer tut bitte schön, was er in der vergangenen Nacht getan hat? Wer vögelt eine Fremde im eigenen Ehebett, wenn die Ehefrau noch nicht mal einen Monat tot ist? Genau in diesem Moment dreht er sich zu mir um, und ich habe das Gefühl, dass er meine Gedanken gelesen hätte, weil er mich so merkwürdig ansieht – verächtlich oder angeekelt –, und auch ich bin von ihm angewidert. Ich stelle den Becher ab.

»Ich sollte jetzt gehen«, sage ich, und er widerspricht nicht.

Der Regen hat aufgehört. Draußen ist schönes Wetter, und ich blinzle in die diesige Morgensonne. Ein Mann stürzt auf mich zu – wir kommen einander in die Quere, als ich auf den Gehweg hinaustrete. Ich hebe kurz die Hände, drehe mich halb um und remple ihn leicht beiseite. Er sagt etwas, aber ich verstehe ihn nicht. Die Hände erhoben, den Kopf gesenkt, eile ich weiter und bemerkte Anna deswegen erst, als ich nur noch zwei Schritte von ihr entfernt bin. Sie steht neben ihrem Auto, hat die Hände in die Hüften gestemmt und beobachtet mich. Als sie meinen Blick auffängt, schüttelt sie den Kopf, dreht sich um und marschiert eilig auf ihre Haustür zu, beinahe im Laufschritt, aber nicht ganz. Ich bleibe eine Sekunde lang wie angewurzelt stehen und sehe ihrer schlanken Gestalt in den schwarzen Leggings und dem roten T-Shirt nach. Schon wieder ein Déjà-vu. So habe ich sie schon mal flüchten sehen.

Und zwar kurz nach meinem Auszug. Ich hatte Tom besuchen wollen, um etwas abzuholen, was ich in der Wohnung vergessen hatte. Ich weiß nicht mehr, worum es damals ging, es war wahrscheinlich auch nicht weiter wichtig, ich hatte einfach zu unserem Haus gehen und ihn sehen wollen. Ich glaube, es war am Sonntag, und ich war am Freitag zuvor ausgezogen, also wohnte ich seit gerade mal achtundvierzig Stunden nicht mehr dort. Ich stand auf der Straße und sah, wie sie Sachen aus einem Auto ins Haus hineintrug. Sie zog bei ihm ein – nur zwei Tage, nachdem ich ausgezogen war, in mein noch warmes Bett. So etwas nennt sich unanständig übereilt. Sie bemerkte mich, und ich trat auf sie zu. Ich habe keine Ahnung, was ich zu ihr gesagt habe – nichts sonderlich Vernünftiges, so viel steht fest. Dafür weiß ich noch, dass ich weinte. Und genau wie jetzt lief sie einfach davon. Damals wusste ich das Schlimmste noch nicht – man sah es ihr noch nicht an, zum Glück. Ich glaube, das wäre mein Tod gewesen.

Während ich wieder auf dem Bahnsteig stehe und auf den Zug warte, wird mir schwindlig. Ich setze mich auf die Bank und rede mir ein, dass ich bloß einen Kater hätte – fünf Tage nichts trinken und dann ein Vollrausch, kein Wunder. Aber ich weiß, dass mehr dahintersteckt. Es geht um Anna – das Zusammentreffen mit ihr und das Gefühl, das mich überkam, als ich sie weglaufen sah. Angst.

ANNA

Samstag, 10. August 2013

Morgens

Heute Morgen war ich zum Spinning im Fitnessstudio in Northcote und hielt auf dem Rückweg kurz bei Matches, wo ich mir ein superniedliches Minikleid von Max Mara gönnte (Tom wird mir vergeben, wenn er mich erst darin sieht). Ich hatte einen absolut wunderbaren Vormittag, aber als ich das Auto wieder abstellte, gab es so etwas wie einen kleinen Aufruhr vor dem Haus der Hipwells – dort lungern inzwischen ständig Fotografen herum –, und da war sie. Schon wieder. Ich konnte es kaum glauben. Rachel, die mit verkniffenem Gesicht an einem Fotografen vorbeischoss. Ich bin mir sicher, dass sie direkt aus Scotts Haus gekommen war.

Ich regte mich nicht einmal mehr auf. Ich war nur noch fassungslos. Und als ich Tom darauf ansprach – ganz ruhig und sachlich –, war er genauso verdattert wie ich.

»Ich ruf sie an«, sagte er. »Ich will wissen, was da läuft.«

»Das hast du schon einmal versucht«, sagte ich so sanft wie möglich. »Damit erreichst du gar nichts.« Ich deutete an, dass vielleicht der Zeitpunkt gekommen sei, juristischen Rat einzuholen – uns darüber zu informieren, ob wir sie per einstweiliger Verfügung aus unserer Straße verbannen könnten oder so.

»Aber direkt belästigt sie uns nicht, oder?«, meinte er. »Die Anrufe haben aufgehört, sie nähert sich weder uns noch dem Haus. Mach dir keine Sorgen, Schatz. Ich werde das klären.«

Natürlich hat er recht mit den Belästigungen. Aber das ist mir egal. Da ist etwas im Busch, und ich bin nicht bereit, es weiter zu ignorieren. Ich habe wirklich lang genug zu hören bekommen, ich solle mir keine Sorgen machen. Ich habe lang genug zu hören bekommen, dass er alles klären, dass er mit ihr reden, dass sie irgendwann verschwinden werde. Ich finde, die Zeit ist reif, um die Dinge selbst in die Hand zu nehmen. Wenn ich sie das nächste Mal sehe, rufe ich diese Polizistin an – Detective Sergeant Riley. Die kam mir nett und sympathisch vor. Ich weiß, dass Tom Mitleid mit Rachel hat, aber ich glaube ehrlich, es ist höchste Zeit, dass ich die Schlampe ein für alle Mal in ihre Schranken weise.

RACHEL

Montag, 12. August 2013

Morgens

Wir sind auf dem Parkplatz am Wilton Lake. Früher kamen wir manchmal an richtig heißen Tagen hierher, um schwimmen zu gehen. Heute sitzen wir nur nebeneinander in Toms Auto, bei heruntergelassenen Fenstern, und lassen die warme Brise hereinwehen. Am liebsten würde ich den Kopf gegen die Nackenstütze sinken lassen und mit geschlossenen Augen die Kiefern riechen und den Vögeln zuhören. Am liebsten würde ich seine Hand halten und den ganzen Tag hierbleiben.

Gestern Abend hat er angerufen und mich gefragt, ob wir uns treffen könnten. Ich fragte, ob es um die Sache mit Anna gehe, um unsere Begegnung in der Blenheim Road. Ich erklärte ihm, das habe rein gar nichts mit ihnen zu tun – ich sei nicht dort gewesen, um ihnen auf die Nerven zu gehen. Er glaubte mir oder behauptete zumindest, dass er mir glaubte, aber er klang trotzdem argwöhnisch und leicht nervös. Und meinte, er müsse dringend mit mir reden.

»Bitte, Rach«, sagte er, und das genügte – die Art, wie er es sagte, genau wie in alten Zeiten, ließ mein Herz anschwellen, bis es fast platzte. »Ich komme und hole dich ab, okay?«

Noch vor dem Morgengrauen war ich wach, und um fünf stand ich schon in der Küche und kochte Kaffee. Ich wusch mir die Haare und rasierte mir die Beine und schminkte mich und zog mich viermal um. Und hatte ein schlechtes Gewissen dabei. Idiotisch, ich weiß, aber ich dachte die ganze Zeit an Scott – daran, was wir getan hatten und was ich dabei empfunden hatte – und wünschte mir, ich hätte es nicht getan, weil ich das Gefühl habe, ihn damit betrogen zu haben. Tom. Den Mann, der mich vor zwei Jahren für eine andere verlassen hat. Ich kann einfach nicht gegen meine Gefühle an.

Tom kam um kurz vor neun. Ich ging nach unten, und da stand er, an sein Auto gelehnt, in Jeans und einem alten grauen T-Shirt – so alt, dass ich noch genau weiß, wie sich der Stoff an meiner Wange anfühlte, wenn ich den Kopf auf seine Brust legte.

»Ich habe mir den Vormittag freigenommen«, sagte er, als ich aus der Tür kam. »Ich dachte, wir könnten vielleicht ein bisschen durch die Gegend fahren.«

Auf der Fahrt zum See redeten wir kaum miteinander. Er fragte mich, wie es mir gehe, und sagte sogar, dass ich gut aussehe. Anna erwähnte er mit keinem Wort, bis wir dort auf dem Parkplatz saßen und ich mir vorstellte, seine Hand zu halten.

»Tja, also, Anna meinte, sie hätte dich gesehen ... und sie glaubt, du wärst aus Scott Hipwells Haus gekommen. Stimmt das?« Er hat sich mir zugewandt, aber er sieht mich kaum an. Es scheint ihm fast peinlich zu sein, mir diese Frage zu stellen.

»Du brauchst dir deswegen keine Sorgen zu machen«, erkläre ich ihm. »Ich treffe mich mit Scott ... Ich meine, wir *treffen* uns nicht, jedenfalls nicht *so*. Wir haben uns ein bisschen angefreundet. Das ist alles. Es ist schwer zu erklären … Ich hab ihm beigestanden. Du weißt ja – natürlich weißt du das –, dass er gerade Schreckliches durchmacht.«

Tom nickt, sieht mich aber immer noch nicht an. Stattdessen kaut er am Nagel seines linken Zeigefingers, ein sicheres Zeichen dafür, dass er sich Sorgen macht.

»Aber, Rach …«

Ich wollte, er würde aufhören, mich so zu nennen, denn das steigt mir jedes Mal zu Kopf und bringt mich dazu, in mich hineinzulächeln. Es ist lang her, dass er mich so angesprochen hat, und es weckt Hoffnungen. Vielleicht läuft es mit Anna ja nicht mehr so gut, vielleicht ist ihm wieder eingefallen, was alles gut an uns war, vielleicht vermisst er mich ja ein bisschen.

»Ich mache … Ich mache mir wirklich Sorgen.«

Endlich sieht er mich an, der Blick aus seinen großen braunen Augen trifft meinen, und er hebt leicht die Hand, als wollte er nach meiner greifen, bevor er sich wieder besinnt und innehält. »Ich weiß … Na gut, ehrlich gesagt weiß ich kaum etwas darüber, aber Scott … Ich weiß, dass er wie ein absolut anständiger Kerl rüberkommt, aber man kann sich da nie sicher sein, oder?«

»Du glaubst, dass er es war?«

Er schüttelt den Kopf und schluckt schwer. »Nein, nein. Das will ich damit nicht sagen. Ich weiß … Also, Anna sagt, dass sie sich oft gestritten haben. Dass Megan sich manchmal ein bisschen vor ihm zu fürchten schien.«

»Das sagt Anna?« Unwillkürlich will ich alles verwerfen, was diese blöde Kuh behauptet, aber gleichzeitig drängt sich mir wieder das Gefühl auf, das mich auch schon am Samstag in Scotts Haus beschlichen hat – dass irgendwas nicht stimmig war, dass mir irgendetwas falsch vorkam.

Er nickt. »Megan war eine Zeit lang Babysitterin bei uns, als Evie noch ganz klein war. Jesus – nach dem, was letztens in der Zeitung stand, wird mir bei dem Gedanken ganz anders. Aber das zeigt doch nur, oder nicht, dass man manchmal jemanden zu kennen glaubt, und dann …« Er seufzt. »Ich will nicht, dass irgendwas Schlimmes passiert. Dir.« Er lächelt mich an und zuckt mit den Schultern. »Du bist mir immer noch wichtig, Rach«, sagt er, und ich muss das Gesicht abwenden, damit er nicht die Tränen in meinen Augen sieht. Natürlich ahnt er sie und legt tröstend die Hand auf meine Schulter. »Es tut mir leid.«

Eine Weile sitzen wir in einvernehmlichem Schweigen da. Ich beiße mir fest auf die Lippe, um nicht mehr zu weinen. Ich will es ihm nicht noch schwerer machen, wirklich nicht.

»Es geht schon, Tom. Ich komme allmählich wieder auf die Beine. Ehrlich.«

»Da bin ich wirklich froh. Dann hast du also auch aufgehört …«

»Zu trinken? Es wird weniger. Es wird besser.«

»Das ist gut. Du siehst gut aus. Du siehst … hübsch aus.« Er lächelt mich an, und ich merke, wie ich rot werde. Sofort wendet er den Blick ab. »Kommst du … ähm … Kommst du zurecht, du weißt schon, finanziell?«

»Es geht.«

»Wirklich? Wirklich, Rachel? Weil ich nicht möchte, dass du …«

»Es geht schon.«

»Würdest du was annehmen? Scheiße, ich weiß, ich

höre mich an wie ein Idiot, aber würdest du was von mir annehmen? Zur Überbrückung?«

»Es geht schon, ehrlich.«

Da beugt er sich rüber, und ich möchte ihn so gern berühren, dass ich kaum zu atmen wage. Ich möchte seinen Hals riechen, mein Gesicht in diese breite, muskulöse Kerbe zwischen seinen Schulterblättern drücken. Er klappt das Handschuhfach auf. »Ich schreib dir einen Scheck aus, nur für alle Fälle, okay? Du brauchst ihn ja nicht einzulösen.«

Ich muss lachen. »Du hast immer noch ein Scheckbuch im Handschuhfach?«

Er muss ebenfalls lachen. »Man kann nie wissen«, sagt er.

»Man kann nie wissen, wann man seiner irren Exfrau unter die Arme greifen muss?«

Er streicht mit dem Daumen über meine Wange. Ich halte seine Hand fest und küsse seine Handfläche.

»Versprich mir«, sagt er, und seine Stimme klingt rau, »dass du dich von Scott Hipwell fernhältst. Versprich mir das, Rach.«

»Ich verspreche es dir«, sage ich ehrlich überzeugt, fast blind vor Freude, weil ich in diesem Moment begreife, dass er sich nicht bloß Sorgen um mich macht. Er ist eifersüchtig.

Dienstag, 13. August 2013

Frühmorgens

Ich sitze im Zug und sehe auf einen Kleiderhaufen direkt neben den Gleisen hinab. Blauer Stoff. Ein Kleid, denke ich, mit schwarzem Gürtel. Ich kann mir beim besten Willen nicht vorstellen, wie es dort gelandet sein soll. *Das* hat bestimmt kein Streckenarbeiter vergessen. Wir bewegen uns zwar, allerdings in der Geschwindigkeit eines Gletschers, deshalb habe ich reichlich Zeit hinzusehen, und plötzlich habe ich den Eindruck, dass ich dieses Kleid schon einmal irgendwo gesehen habe, dass ich jemanden darin gesehen habe. Ich weiß nur nicht mehr, wann. Es ist kalt. Viel zu kalt für so ein Kleid. Ich habe fast das Gefühl, dass es bald schneien könnte.

Ich freue mich schon darauf, Toms Haus zu sehen – mein Haus. Ich weiß, dass er dort sein wird und dass er draußen sitzen wird. Ich weiß, dass er allein sein und auf mich warten wird. Wenn wir vorbeifahren, wird er aufstehen, er wird winken und lächeln. All das weiß ich genau.

Doch zuerst bleiben wir vor Nummer fünfzehn stehen. Jason und Jess sind da, sie trinken Wein auf der Terrasse, eigenartigerweise, denn es ist noch nicht einmal halb neun. Jess hat ein Kleid mit roten Blumen an, sie trägt kleine Silberohrringe mit Vögeln drauf – ich kann sehen, wie sie hin und her schaukeln, während sie redet. Jason steht hinter ihr, die Hände auf ihren Schultern. Ich lächle den beiden zu. Am liebsten würde ich ihnen zuwinken, aber ich möchte nicht, dass man mich für verschroben hält. Darum sehe ich nur hin und wünsche mir, ich hätte ebenfalls ein Glas Wein in der Hand.

Wir bleiben Ewigkeiten stehen, ohne dass der Zug sich rühren würde. Ich wollte, wir würden endlich weiterfahren, weil andernfalls Tom wieder weg ist und ich ihn verpasst habe. Jetzt kann ich Jess' Gesicht sehen, deutlicher als sonst – es hat etwas mit dem Licht zu tun, das extrem hell ist, das sie wie ein Scheinwerfer anstrahlt.

Jason steht immer noch hinter ihr, aber jetzt liegen seine Hände nicht mehr auf ihren Schultern, sondern an ihrem Hals, und sie sieht gequält aus, verängstigt. Er würgt sie. Ich sehe, wie ihr Gesicht rot anläuft. Sie weint. Ich stehe auf, ich hämmere gegen das Fenster und schreie ihm zu, dass er aufhören soll, aber er kann mich nicht hören. Jemand packt mich am Arm – es ist der Rothaarige. Er sagt, ich solle mich hinsetzen, es sei nicht mehr weit zum nächsten Bahnhof.

»Bis dahin ist es zu spät«, rufe ich, und er sagt: »Es ist sowieso zu spät, Rachel«, und als ich wieder zur Terrasse sehe, hat Jason Jess aus ihrem Stuhl gerissen, hält ihr blondes Haar in der Faust und will ihren Kopf gegen die Wand schmettern.

Morgens

Obwohl ich seit Stunden wach bin, bin ich immer noch ganz zittrig und sinke mit wackligen Beinen auf meinen Sitz. Ich bin mit einem Gefühl der Beklemmung aus meinem Traum aufgeschreckt, mit der unbestimmten Ahnung, dass alles, was ich zu wissen glaubte, falsch war, dass alles, was ich – von Scott, von Megan – gesehen habe, nur meiner Einbildung entsprungen, dass nichts davon wirklich passiert ist. Aber wenn mein Gehirn mir wirklich Streiche spielt, ist es dann nicht wahrscheinlicher, dass der Traum die Illusion ist? Was Tom im Auto zu mir gesagt hat, verquirlt mit meinen Schuldgefühlen nach der Nacht mit Scott: Im Traum hat mein Gehirn das alles zerpflückt.

Trotzdem schnürt mir eine vertraute Beklemmung die Luft ab, als der Zug vor dem Signal hält, und ich muss all meinen Mut zusammennehmen, um aufzusehen. Das

Fenster ist geschlossen, nichts regt sich. Alles sieht vollkommen still und friedlich aus. Oder verlassen. Megans Stuhl steht immer noch leer auf der Terrasse. Es ist warm heute, trotzdem bibbere ich unaufhörlich.

Ich darf nicht vergessen, dass alles, was Tom mir von Scott und Megan erzählt hat, ursprünglich von Anna stammt, und niemand weiß besser als ich, dass ihr nicht zu trauen ist.

Dr. Abdics Begrüßung wirkt heute Morgen ein wenig halbherzig. Er steht leicht gebeugt vor mir, als hätte er Schmerzen, und drückt beim Händeschütteln weniger kräftig zu als sonst. Ich weiß, Scott hat gesagt, die Polizei werde nicht bekannt geben, dass sie schwanger war, aber ich frage mich, ob man es ihm erzählt haben könnte. Ich frage mich, ob seine Gedanken gerade um Megans Kind kreisen.

Ich will ihm von meinem Traum berichten, aber weil ich nicht weiß, wie ich ihn nacherzählen soll, ohne dabei sämtliche Karten auf den Tisch zu legen, erkundige ich mich stattdessen nach Möglichkeiten, Erinnerungen wachzurufen; nach einer Hypnose.

»Na ja«, sagt er und spreizt die Finger auf der Schreibtischplatte, »es gibt Therapeuten, die behaupten, dass man unterdrückte Erinnerungen mittels Hypnose wieder gegenwärtig machen könnte, aber das ist umstritten. Ich mache so etwas nicht und empfehle es meinen Patienten auch nicht. Ich bin nicht davon überzeugt, dass man damit wirklich etwas bewirkt, ich glaube vielmehr, dass es unter Umständen sogar schädlich sein kann.« Er deutet ein Lächeln an. »Tut mir leid, ich weiß, Sie hätten gern was anderes gehört. Aber wenn es um die Psyche geht, gibt es meiner Ansicht nach keine schnelle Heilung.«

»Kennen Sie Therapeuten, die so etwas machen?«, frage ich trotzdem, aber er schüttelt den Kopf.

»Tut mir leid, da kann ich keine Empfehlung aussprechen. Sie dürfen nicht vergessen, dass Menschen unter Hypnose extrem beeinflussbar sind. Man kann den Erinnerungen, die dabei ›wachgerufen‹ werden« – er malt mit den Fingern Anführungszeichen in die Luft –, »nicht bedingungslos trauen. Es sind mitunter keine echten Erinnerungen.«

Das kann ich nicht riskieren. Ich könnte es nicht ertragen, noch mehr Bilder in meinem Kopf zu haben, noch mehr Erinnerungen, denen ich nicht trauen kann, die ineinander verschmelzen, sich verändern und einander überlagern, die mir vorgaukeln, dass etwas nicht ist, was sehr wohl ist, die meinen Blick in die eine Richtung lenken, während ich besser in die andere sehen sollte.

»Was schlagen Sie stattdessen vor?«, frage ich ihn. »Gibt es irgendwas, was ich tun kann, um die verlorenen Erinnerungen zurückzuholen?«

Er streicht sich mit seinen langen Fingern langsam über die Lippen. »Das ist möglich, ja. Allein das Sprechen über eine bestimmte Erinnerung kann helfen, Dinge zu klären, die Konzentration auf Einzelheiten, am besten in einer Atmosphäre entspannter Geborgenheit …«

»So wie hier?«

Er lächelt. »So wie hier, falls Sie hier so etwas wie entspannte Geborgenheit empfinden …« Er hebt die Stimme, als wäre es eine Frage gewesen, die ich jedoch nicht beantworte. Sein Lächeln erlischt. »Außerdem hilft es oft, sich auch auf andere Sinne zu konzentrieren als nur auf das Sehen. Auf Geräusche oder darauf, wie sich etwas anfühlt … Gerüche sind besonders wichtig, wenn man etwas wachrufen will. Musik kann ebenfalls hilfreich sein. Wenn Sie sich an eine ganz bestimmte Begebenheit, an einen ganz bestimmten Tag erinnern möchten, könnten Sie auch versuchen, die Wege von damals noch mal nachzugehen – zum Tatort zurückzukehren, wenn Sie so wollen.« Eigentlich ist es ein ganz unverfänglicher Ausdruck, trotzdem stellen sich mir die Nackenhaare auf, und meine Kopfhaut beginnt zu kribbeln. »Wollen Sie über ein bestimmtes Ereignis sprechen, Rachel?«

Natürlich will ich das, aber das kann ich ihm nicht sagen, darum erzähle ich ihm stattdessen, wie ich Tom nach einem Streit mit einem Golfschläger attackierte.

Ich weiß noch, dass ich am Morgen danach beim Aufwachen schreckliche Angst hatte und mir auf der Stelle klar war, dass irgendwas Schreckliches passiert sein musste. Dass Tom nicht neben mir im Bett lag, ließ mich aufatmen. Ich blieb auf dem Rücken liegen und ging im Kopf noch einmal alles durch. Ich konnte mich noch daran erinnern, dass ich endlos geweint und ihm erklärt hatte, dass ich ihn liebe. Wütend hatte er mir befohlen, ins Bett zu gehen; er wolle sich das nicht länger anhören.

Ich versuchte, mir den früheren Abend ins Gedächtnis zu rufen, den Beginn unseres Streits. Alles hatte so schön angefangen. Ich hatte gebratene Krabben mit reichlich Chili und Koriander vorbereitet, und wir tranken diesen köstlichen Chenin Blanc, den er von einem Kunden geschenkt bekommen hatte. Wir aßen draußen auf der Terrasse, hörten The Killers und Kings of Leon, Alben, die wir in unserer Anfangszeit ständig gespielt hatten.

Ich weiß noch, wie wir uns küssten und lachten. Und ich weiß auch noch, dass ich ihm irgendeine Geschichte erzählte – die er nicht annähernd so witzig fand wie ich.

Ich weiß noch, wie ich mich darüber ärgerte. Dann erinnere ich mich erst wieder daran, wie wir uns anbrüllten und ich ins Haus ging und wie aufgebracht ich war, weil er mir nicht sofort aufhalf, als ich über die Schwelle der Schiebetür stolperte.

Eins lässt mich aber nicht mehr los. »Ich stand auf und ging nach unten. Er redete nicht mehr mit mir, er sah mich kaum an. Ich musste ihn regelrecht anbetteln, damit er mir erzählte, was ich angestellt hatte. Immer wieder versicherte ich ihm, wie leid mir das alles tue. Ich war völlig aufgelöst, ich war panisch. Ich kann das nicht erklären – mir ist klar, dass das keinen Sinn ergibt, aber wenn man sich nicht mehr daran erinnern kann, was man getan hat, dann füllt der Verstand die Lücken aus, und man nimmt die schrecklichsten Dinge an …«

Kamal nickt. »Das kann ich mir vorstellen. Reden Sie weiter.«

»Also erzählte er es mir schließlich, nur damit ich endlich Ruhe gab. Oh ja, ich hatte mich über irgendwas ereifert, was er gesagt hatte, und dann hatte ich keine Ruhe mehr gegeben, sondern immer weiter gestichelt und gemeckert, ich fand einfach kein Ende, während er versuchte, mich wieder zu beruhigen, mich zu küssen und wieder Frieden zu schließen, aber davon wollte ich offenbar nichts hören. Und dann beschloss er, mich einfach stehen zu lassen, nach oben ins Bett zu gehen, und in diesem Moment ist es passiert. Ich habe ihn mit einem Golfschläger die Treppe hochgescheucht und versucht, ihm den Schädel einzuschlagen. Zum Glück hab ich ihn verfehlt. Ich hab nur ein Loch in den Verputz oben im Flur geschlagen.«

Kamals Miene bleibt unverändert. Er wirkt nicht im Geringsten schockiert. Er nickt nur. »Sie wissen also, was passiert ist, aber Sie haben keinen Bezug dazu, sehe ich das richtig? Sie wollen in der Lage sein, sich selbst daran zu erinnern, alles in Ihrer eigenen Erinnerung zu sehen und zu erleben, damit es … Wie haben Sie es ausgedrückt? Damit es etwas mit Ihnen zu tun hat? Damit Sie sich wirklich verantwortlich fühlen?«

»Ja, so ungefähr.« Ich zucke mit den Schultern. »Ja. Ich meine, das ist es zum Teil. Aber da ist noch etwas – und das wurde mir erst später, sehr viel später bewusst. Wochen, womöglich Monate danach. Ich musste ständig an diesen Abend denken. Ich konnte nicht an dem Loch in der Wand vorbeigehen, ohne dass er mir sofort wieder in den Sinn gekommen wäre. Tom hatte versprochen, die Macke auszubessern, aber das tat er nicht, und ich wollte deswegen nicht drängeln. Eines Tages stand ich davor – es war Abend, und ich hatte auf dem Weg aus dem Schlafzimmer unwillkürlich angehalten, weil ich mich plötzlich wieder zu erinnern glaubte. Ich kauerte auf dem Boden, den Rücken an die Wand gepresst, den Golfschläger zu meinen Füßen, und konnte nicht mehr aufhören zu schluchzen, während Tom über mir stand und mich anflehte, ich solle mich beruhigen, und auf einmal spürte ich es, ich konnte es spüren. Ich hatte *Todesangst.* Die Erinnerung passt überhaupt nicht zu dem, was passiert ist, weil ich keinen Zorn spüre, keine blinde Wut. Ich spüre nichts als Angst.«

Abends

Ich habe über Kamals Erklärung nachgedacht, dass man zum Tatort zurückkehren soll, und darum bin ich nicht nach Hause, sondern nach Witney gefahren und gehe, statt wie sonst an der Unterführung vorbeizuhuschen, langsam und konzentriert auf den Tunneleingang zu. Ich lege die Hände auf die kalten, rauen Backsteine rund um die Öffnung, schließe die Augen und streiche mit den Fingern über den Stein. Nichts tut sich. Ich schlage die Augen wieder auf und sehe mich um. Die Straße ist so gut wie verwaist: menschenleer bis auf eine Frau in gut hundert Metern Entfernung, die in meine Richtung kommt. Keine vorbeifahrenden Autos, keine lärmenden Kinder, nur ganz leise eine Sirene in der Ferne. Die Sonne verschwindet hinter einer Wolke, und mir wird kalt, wie paralysiert stehe ich an der Schwelle zur Unterführung, unfähig weiterzugehen. Ich will verschwinden und drehe mich um.

Die Frau, die ich eben noch auf mich zukommen sah, biegt in diesem Moment um die Ecke. Sie trägt einen dunkelblauen Trenchcoat, den sie fest zugezogen hat. Im Vorbeigehen sieht sie kurz zu mir herüber, und in diesem Moment fällt es mir wieder ein. Eine Frau … blau … die Art des Lichts. Ich weiß es wieder. Anna. Sie trug ein blaues Kleid mit schwarzem Gürtel und ging von mir weg, und zwar schnell, fast so wie vor ein paar Tagen, nur dass sie sich diesmal *sehr wohl* umdrehte, sie sah kurz über die Schulter und blieb dann auf dem Bürgersteig stehen. Ein Wagen kam neben ihr zum Stehen – ein roter Wagen. Toms Wagen. Sie beugte sich vor, um sich durchs Fenster mit ihm zu unterhalten, dann zog sie die Tür auf und stieg ein, und der Wagen fuhr davon.

Ich kann mich wieder genau daran erinnern. An jenem Samstagabend stand ich hier, am Eingang zur Unterführung, und sah, wie Anna in Toms Auto stieg. Allerdings muss die Erinnerung falsch sein, weil sie keinen Sinn ergibt. Tom fuhr durch die Straßen und suchte nach mir.

Anna war nicht bei ihm im Auto – sie war zu Hause. Das hat zumindest die Polizei mir so erklärt. Das alles ergibt keinen Sinn, und ich könnte schreien, so frustriert mich die Unwissenheit, die Nichtsnutzigkeit meines Hirns.

Ich überquere die Straße und gehe auf der linken Straßenseite die Blenheim Road entlang. Eine Weile bleibe ich unter den Bäumen gegenüber Nummer dreiundzwanzig stehen. Sie haben die Haustür frisch lackiert. Als ich dort wohnte, war sie dunkelgrün; jetzt ist sie schwarz. Ich kann mich nicht entsinnen, dass mir das früher schon mal aufgefallen wäre. Das Grün fand ich schöner. Was sich wohl sonst im Haus verändert hat? Das Kinderzimmer, versteht sich, aber ich frage mich, ob die beiden wohl immer noch in unserem Bett schlafen, ob sie ihren Lippenstift vor dem Spiegel aufträgt, den ich damals aufgehängt habe. Ich frage mich, ob sie die Küche neu gestrichen oder oben im Flur das Loch im Verputz ausgebessert haben.

Am liebsten würde ich die Straße überqueren und den Klopfer gegen den schwarzen Lack schlagen. Ich würde gern mit Tom reden, ihn nach dem Abend fragen, an dem Megan verschwand. Ich würde ihn gern nach unserer gestrigen Begegnung fragen, als wir im Auto saßen und ich seine Hand küsste, ich will fragen, was er dabei empfand. Stattdessen bleibe ich einfach stehen und starre zu meinem alten Schlafzimmerfenster hoch, bis Tränen in meinen Augen brennen und ich begreife, dass es Zeit ist zu gehen.

ANNA

Dienstag, 13. August 2013

Morgens

Ich sah Tom dabei zu, wie er sich für die Arbeit fertig machte, wie er sein Hemd überstreifte und seine Krawatte anlegte. Er kam mir ein bisschen zerstreut vor, wahrscheinlich ging er im Kopf seinen Terminplan für heute durch – Sitzungen, Besprechungen, wer, was, wo. Ich war neidisch. Zum ersten Mal überhaupt beneidete ich ihn um den Luxus aufstehen, das Haus verlassen und den ganzen Tag durch die Gegend eilen zu können, mit einer festen Bestimmung und im Dienst eines monatlichen Gehaltsschecks.

Mir fehlt weniger die Arbeit an sich – ich war schließlich keine Hirnchirurgin, sondern Immobilienmaklerin, und das ist kaum ein Job, von dem man als Kind träumt –, aber ich habe es durchaus genossen, durch die sündhaft teuren Häuser zu schlendern, während die Eigentümer unterwegs waren, mit den Fingern über die marmornen Küchentheken zu streichen, verstohlene Blicke in begehbare Ankleiden zu werfen. Ich stellte mir gern vor, was für ein Leben ich wohl führen würde, wenn ich dort lebte, was für ein Mensch ich dann wohl wäre. Mir ist klar, dass es keinen wichtigeren Job gibt, als ein Kind aufzuziehen, das Problem ist nur, dass man in diesem Job keinerlei

Wertschätzung genießt. Nicht in dem Sinn, der momentan für mich zählt, nämlich finanziell. Ich wünschte mir, wir hätten mehr Geld, damit wir dieses Haus, diese Straße endlich verlassen können. So einfach ist das.

Oder vielleicht doch nicht ganz so einfach. Nachdem Tom zur Arbeit gefahren war, setzte ich mich an den Küchentisch, um mit Evie die übliche Frühstücksschlacht zu schlagen. Vor zwei Monaten hat sie noch absolut alles gegessen, Ehrenwort. Jetzt rührt sie außer Erdbeerjoghurt nichts mehr an. Ich weiß, das ist normal. Das sage ich mir immer wieder, wenn ich versuche, Eigelb aus meinen Haaren zu spülen, wenn ich auf dem Boden umherkrabble und Löffel und umgekippte Schüsseln aufsammele. Immer wieder sage ich mir, dass das vollkommen normal ist.

Trotzdem verdrückte ich, als wir endlich fertig waren und sie zufrieden allein vor sich hin spielte, ein paar Tränen. Ich genehmige mir diese Tränen nur ganz selten, immer nur, wenn Tom nicht da ist, und dann auch nur ganz kurz, um Druck abzubauen. Doch als ich mir hinterher das Gesicht wusch und erkannte, wie müde ich aussah, wie fleckig und zerzaust und absolut schrecklich, da spürte ich es wieder – das Bedürfnis, ein Kleid und High Heels anzuziehen, mir die Haare zu föhnen und Make-up aufzulegen und die Straße entlangzuschlendern und zu sehen, wie sich die Männer nach mir umdrehen.

Mir fehlt mein Job, aber mir fehlt auch, was dieser Job mir in meinem letzten Jahr der Lohnarbeit bedeutet hat, als ich Tom kennenlernte. Mir fehlt es, Geliebte zu sein.

Ich habe es genossen. Nein, ich habe es geliebt. Ich hatte nie Gewissensbisse. Natürlich schützte ich welche vor. Das musste ich – schließlich lebten meine verheirateten Freundinnen samt und sonders in der ständigen Angst vor dem aparten Au-pair oder der hübschen, witzigen Kollegin, die sich mit Fußball auskennt und ihr halbes Leben im Fitnessstudio verbringt. Denen musste ich erzählen, dass ich mich *natürlich* ganz schrecklich fühlte, dass mir seine Frau *natürlich* leidtäte, denn natürlich hätte ich das alles niemals so gewollt, aber wir hätten uns nun einmal ineinander verliebt, was wollte man dagegen tun?

In Wahrheit hatte ich nie Mitleid mit Rachel, nicht mal, bevor ich mitbekam, wie viel sie trank und wie schwierig sie sein konnte, wie sie ihm das Leben zur Hölle machte. Sie war für mich einfach nicht real, und außerdem hatte ich zu viel Spaß. Es ist heiß, die andere Frau zu sein, das lässt sich nun mal nicht abstreiten. Du bist diejenige, für die er immer wieder seine Ehefrau hintergeht, selbst wenn er sie liebt. So unwiderstehlich bist du.

Ich sollte damals ein Haus verkaufen. Cranham Street vierunddreißig. Wie sich herausstellte, war das Haus nicht allzu leicht zu veräußern; der letzte Kaufinteressent hatte nicht mal eine Finanzierungszusage bekommen. Es gab Schwierigkeiten mit dem Gutachten der Bank. Also hatten wir durchgedrückt, einen unabhängigen Gutachter hinzuziehen zu dürfen, nur um sicherzustellen, dass alles mit rechten Dingen zuging. Die Verkäufer waren bereits ausgezogen, das Haus stand leer, darum musste ich dort warten, um ihn einzulassen.

Sobald ich ihm die Tür aufmachte, war klar, dass es passieren würde. Ich hatte so was noch nie getan, mir wäre so was nicht einmal im Traum eingefallen, aber wie er mich ansah, wie er mich anlächelte, das hatte einfach was. Wir konnten nicht widerstehen – wir trieben es gleich in der Küche, auf der Küchentheke. Wir waren wie von Sinnen, das trifft es wohl am besten. Das sagte er auch immer zu mir: *Erwarte nicht, dass ich noch bei Verstand bin, Anna. Nicht bei dir.*

Ich nehme Evie hoch, und wir gehen hinaus in den Garten. Sie schiebt ihren kleinen Puppenwagen auf und ab und lacht dabei vor sich hin, als hätte es den Wutanfall von heute Morgen nie gegeben. Jedes Mal, wenn sie mich anlächelt, zerspringt mir fast das Herz vor Glück. So sehr ich meine Arbeit auch vermisse, das hier würde ich noch viel mehr vermissen. Außerdem wird es sowieso nie dazu kommen. Auf keinen Fall werde ich Evie noch einmal mit einer Tagesmutter oder einer Babysitterin allein lassen, ganz gleich, welche Qualifikationen oder Referenzen sie vorweisen kann. Nach der Sache mit Megan werde ich sie nie wieder mit jemandem allein lassen.

Abends

Tom hat mir eine SMS geschickt. Es wird heute Abend später, er muss mit einem Kunden noch was trinken gehen. Evie und ich machten uns gerade für unseren Abendspaziergang bereit. Wir waren im Schlafzimmer, in Toms und meinem Schlafzimmer, und ich zog sie eben um. Das Licht war fantastisch, ein sattes orangefarbenes Glühen, das das Haus erfüllte und dann schlagartig in Blaugrau umschlug, als die Sonne hinter einer Wolke verschwand. Ich hatte die Vorhänge halb zugezogen, damit es nicht zu heiß im Zimmer würde, und wollte sie gerade wieder zurückziehen, als ich auf der gegenüberliegenden Straßenseite Rachel stehen und auf unser Haus starren sah. Dann ging sie wieder weg, zu Fuß in Richtung Bahnhof.

Jetzt sitze ich vor Zorn bebend auf dem Bett und bohre mir die Fingernägel in die Handflächen. Evie liegt auf dem

Boden und strampelt, aber ich bin so verflucht wütend, dass ich sie lieber nicht hochnehmen will, weil ich Angst habe, ich könnte sie zerquetschen.

Er hat mir versichert, alles geklärt zu haben. Er hat mir erzählt, er habe sie am Sonntag angerufen. Sie haben sich unterhalten, und dabei hat sie zugegeben, dass sie irgendwie mit Scott Hipwell Freundschaft geschlossen hätte, ihn aber nicht mehr wiedersehen wollte. Sie werde in Zukunft nicht mehr hier auftauchen. Das habe sie ihm versprochen, und er glaube ihr. Er meinte, sie habe wirklich vernünftig geklungen, sie sei ihm auch nicht betrunken vorgekommen, sie sei nicht ausfällig geworden, sie habe keine Drohungen ausgesprochen und ihn auch nicht angefleht, zu ihr zurückzukommen. Er sagte, es sehe ganz so aus, als könnte sie allmählich wieder auf die Beine kommen.

Ich atme ein paarmal tief durch und hole Evie auf meinen Schoß, lege sie mit dem Rücken auf meine Oberschenkel und nehme ihre Händchen. »Ich finde, jetzt reicht's, meinst du nicht auch, Süße?«

Es ist einfach so ermüdend: Immer wenn ich glaube, dass es endlich besser wird, dass sich das Thema Rachel ein für alle Mal erledigt hat, taucht sie wieder auf. Manchmal habe ich das Gefühl, dass sie uns nie, nie mehr in Ruhe lassen wird.

Tief in meinem Herzen treibt ein giftiger Samen aus. Wenn Tom mir immer wieder erzählt, dass alles in Ordnung sei, dass er alles geklärt habe und sie uns nicht mehr belästigen werde, und sie es dann doch tut, dann frage ich mich unwillkürlich, ob er wirklich alles versucht, um sie loszuwerden, oder ob er tief in seinem Innern Gefallen daran findet, dass sie nicht loslassen kann.

Ich gehe nach unten und krame in der Küchenschublade, bis ich die Karte gefunden habe, die Detective Sergeant Riley hiergelassen hat. Ich wähle ihre Nummer, bevor ich es mir anders überlegen kann.

Mittwoch, 14. August 2013

Morgens

Die Hände auf meinen Hüften, den heißen Atem an meinem Hals, seine schweißnasse Haut auf meiner, sagt er: »Wir machen das viel zu selten.«

»Ich weiß.«

»Wir brauchen mehr Zeit für uns.«

»Stimmt.«

»Du fehlst mir«, sagt er. »Das hier fehlt mir. Ich will mehr davon.«

Mit geschlossenen Augen drehe ich mich zu ihm um, küsse ihn auf die Lippen und versuche, meine Gewissensbisse zu unterdrücken, weil ich hinter seinem Rücken die Polizei angerufen habe.

»Ich finde, wir sollten irgendwohin fahren«, murmelt er. »Nur wir beide. Eine Weile abtauchen.«

Und Evie bei wem lassen?, liegt mir auf der Zunge. Bei deinen Eltern, mit denen du nicht mehr sprichst? Oder bei meiner Mutter, die so gebrechlich ist, dass sie kaum noch für sich selbst sorgen kann?

Aber das sage ich nicht, ich sage gar nichts, ich küsse ihn einfach noch mal, diesmal hingebungsvoller. Seine Hand schiebt sich abwärts bis auf die Rückseite meines Schenkels und packt fest zu.

»Was meinst du? Was würde dir gefallen? Mauritius? Bali?«

Ich lache.

»Ganz im Ernst«, sagt er, rückt ein Stück von mir ab und sieht mir in die Augen. »Das haben wir uns verdient, Anna. Das hast du dir verdient. Es war ein anstrengendes Jahr.«

»Aber …«

»Aber was?« Er schenkt mir ein perfektes Lächeln. »Wegen Evie überlegen wir uns was, mach dir deswegen keine Sorgen.«

»Tom, das Geld …«

»Das findet sich schon irgendwie.«

»Aber …« Ich will es nicht sagen, aber ich muss. »Wir haben nicht genug Geld, um einen Umzug auch nur in Betracht zu ziehen, aber für einen Urlaub auf Mauritius oder Bali ist genügend da?«

Er bläst die Backen auf und atmet langsam wieder aus, während er sich von mir wegwälzt. Ich hätte es nicht sagen dürfen. Das Babyfon erwacht knisternd zum Leben. Evie wacht langsam auf.

»Ich gehe sie holen.« Er steht auf und verlässt das Zimmer.

Beim Frühstück zieht Evie wieder ihr Spielchen ab. Inzwischen ist es ihr zur Gewohnheit geworden, das Essen abzulehnen, mit erhobenem Kinn und fest zusammengekniffenen Lippen den Kopf zu schütteln und die Schüssel mit den Fäustchen von sich wegzustoßen. Toms Geduld ist bald erschöpft.

»Ich habe dafür echt keine Zeit«, sagt er zu mir. »Das musst du machen.« Er steht auf und hält mir mit gequälter Miene den Löffel hin.

Ich atme tief durch.

Es ist okay, er ist müde, er hat viel zu tun, er ist sauer,

weil ich heute Morgen nicht auf seine Ferienfantasie eingegangen bin.

Gleichzeitig ist es nicht okay, weil ich genauso müde bin und weil ich gerne ein Gespräch über unsere Finanzen und unsere Situation hier führen würde, ohne dass er gleich aus dem Zimmer stürmt. Natürlich sage ich das nicht. Stattdessen breche ich das Versprechen, das ich mir selbst gegeben habe, und spreche ihn auf Rachel an.

»Sie hat schon wieder vor unserem Haus herumgelungert«, sage ich. »Ich weiß ja nicht, was du neulich mit ihr besprochen hast, aber es hat jedenfalls nicht gewirkt.«

Er sieht mich scharf an. »Was meinst du mit ›herumgelungert‹?«

»Gestern Abend war sie wieder da und stand auf dem Gehweg gegenüber.«

»War sie mit jemandem zusammen?«

»Nein. Sie war allein. Wieso fragst du?«

»Scheiße!«, ruft er, und sein Gesicht verdüstert sich wie immer, wenn er richtig wütend wird. »Ich hab ihr doch gesagt, sie soll sich zum Teufel scheren! Warum hast du mir das nicht schon gestern Abend erzählt?«

»Ich wollte nicht, dass du dich darüber ärgerst«, sage ich leise und bereue schon wieder, dass ich das Thema aufgebracht habe. »Oder dass du dir Sorgen machst.«

»Herrgott!«, ruft er und scheppert seinen Kaffeebecher in die Spüle. Der Lärm erschrickt Evie so sehr, dass sie zu weinen beginnt. Das macht es nicht besser. »Ich weiß nicht, was ich noch sagen soll, ehrlich nicht. Als ich mit ihr gesprochen habe, klang sie wirklich vernünftig. Sie hat sich alles angehört, was ich zu sagen hatte, und versprochen, sich hier nie wieder blicken zu lassen. Sie sah sogar ganz gut aus. Sogar richtig gesund – fast wieder wie früher …«

»Sie *sah gut aus*?«, frage ich ihn, und ihm wird klar, dass er sich selbst verraten hat, das sehe ich ihm an, noch ehe er mir den Rücken zudrehen kann. »Du hast mir doch erzählt, du hättest nur mit ihr telefoniert?«

Er holt tief Luft, seufzt schwer und dreht sich wieder zu mir um, mit absolut ausdrucksloser Miene. »Ja, stimmt, das habe ich dir erzählt, Schatz, weil mir klar war, dass du dich aufregen würdest, wenn du wüsstest, dass wir uns getroffen haben. Also gut, ich gebe zu – ich habe dich belogen. Um mir das Leben leichter zu machen.«

»Willst du mich verarschen?«

Er grinst schief, kommt kopfschüttelnd auf mich zu, die Hände immer noch zu einer Geste der Kapitulation erhoben. »Es tut mir leid. Tut mir leid! Sie wollte persönlich mit mir reden, und ich dachte, dass es so vielleicht am besten wäre. Es tut mir leid, okay? Wir haben uns nur unterhalten. Wir haben uns in einem miserablen Stehcafé in Ashbury getroffen und zwanzig Minuten miteinander geredet – allerhöchstens eine halbe Stunde. Okay?«

Er legt die Arme um mich und zieht mich an seine Brust. Ich versuche, mich zu wehren, aber er ist stärker als ich, und außerdem riecht er gut, und ich will mich nicht mit ihm streiten. Ich will, dass wir auf derselben Seite stehen.

»Es tut mir leid«, murmelt er in mein Haar.

»Schon gut«, sage ich.

Ich lasse ihn damit durchkommen, weil ich die Sache inzwischen selbst in die Hand genommen habe. Gestern Abend habe ich mit Detective Sergeant Riley gesprochen, und ich wusste vom ersten Moment unseres Gesprächs an, dass es richtig gewesen war, sie anzurufen, weil sie sich aufrichtig interessiert anhörte, als ich ihr erzählte, Rachel

»mehrmals« (eine leichte Übertreibung) dabei beobachtet zu haben, wie sie Scott Hipwells Haus verließ. Sie wollte wissen, an welchen Tagen und zu welchen Uhrzeiten ich sie beobachtet habe (für zwei Vorfälle konnte ich es ihr sagen; ansonsten blieb ich vage), ob sich die beiden schon vor Megan Hipwells Verschwinden gekannt haben und ob ich glaube, dass sie eine sexuelle Beziehung eingegangen sein könnten. Ich muss zugeben, dass mir dieser Gedanke noch gar nicht gekommen war – ich kann mir beim besten Willen nicht vorstellen, dass er von Megan zu Rachel gewechselt haben könnte. Außerdem liegt seine Frau doch kaum unter der Erde.

Ich brachte auch die Sache mit Evie – die versuchte Entführung – noch mal zur Sprache, nur damit sie nicht in Vergessenheit geriet.

»Sie ist extrem labil«, sagte ich. »Vielleicht glauben Sie, dass ich überreagiere, aber ich will kein Risiko eingehen, hier geht es immerhin um meine Familie.«

»Das glaube ich ganz gewiss nicht«, sagte sie. »Vielen Dank für Ihren Anruf. Lassen Sie mich wissen, falls Sie noch etwas beobachten, was Ihnen verdächtig vorkommt.«

Ich habe keine Ahnung, was die Polizei jetzt ihretwegen unternehmen will – vielleicht wird sie bloß verwarnt. Trotzdem wird uns das helfen, falls wir weitere Schritte wie zum Beispiel ein Kontaktverbot ergreifen müssen. Ich hoffe um Toms willen, dass es nicht so weit kommt.

Nachdem Tom zur Arbeit gefahren ist, gehe ich mit Evie auf den Spielplatz, wir sitzen auf den Schaukeln und den kleinen hölzernen Schaukelpferden, und als ich sie wieder in den Buggy stecke, schläft sie fast augenblicklich ein, was für mich das Zeichen ist, dass ich einkaufen gehen kann. Wir kreuzen durchs Wohngebiet auf den großen Sainsbury's zu – das ist zwar nicht der kürzeste Weg, aber dort ist es ruhig, es herrscht kaum Verkehr, und auf diese Weise kommen wir die Cranham Street entlang und an Nummer vierunddreißig vorbei.

Bis heute überkommt mich stets ein wohliger Schauer, wenn ich an dem Haus vorbeigehe – Schmetterlinge flattern in meinem Magen, ein Lächeln spielt um meine Lippen, und meine Wangen werden rot. Ich denke daran, wie ich zur Eingangstür hinaufstieg, immer in der Hoffnung, dass mich beim Aufschließen kein Nachbar beobachtete, wie ich mich im Bad zurechtmachte, wie ich Parfüm und die Art von Unterwäsche anlegte, die man nur anzieht, um sie ausgezogen zu bekommen. Dann kam eine SMS, wenig später stand er vor der Tür, und wir hatten ein, zwei Stunden oben im Schlafzimmer für uns.

Rachel erzählte er immer, er wäre bei einem Kunden oder würde sich mit Freunden auf ein Bier treffen. »Hast du keine Angst, dass sie dir nachspionieren könnte?«, fragte ich ihn öfter, aber jedes Mal schüttelte er den Kopf, als wäre die Vorstellung komplett abwegig. »Ich bin ein guter Lügner«, erklärte er mir einmal grinsend. Und einmal sagte er: »Selbst wenn sie mir wirklich nachtelefonieren würde, kann man sich bei Rachel darauf verlassen, dass sie es morgen schon wieder vergessen hat.« Erst da begann ich zu begreifen, wie schwer er es tatsächlich hatte.

Trotzdem erlischt mein Lächeln, wenn ich an diese Gespräche zurückdenke. Ich erinnere mich wieder daran, wie Tom verschwörerisch lachte und dabei mit dem Finger über meinen Bauch strich, wie er zu mir heraufIächelte und sagte: »Ich bin ein guter Lügner.« Er *ist* ein guter Lügner, ein Naturtalent. Ich habe ihn dabei beobachtet: Wie er Hotelportiers davon überzeugte, dass wir in den Flitterwochen wären, wie er einen Notfall in der Familie erfand, um keine Überstunden machen zu müssen. Jeder macht das, natürlich macht das jeder – aber wenn Tom es macht, dann glaubt man ihm.

Ich muss an unser Frühstück heute Morgen denken – aber der Punkt ist, dass ich ihn bei einer Lüge ertappt habe und er augenblicklich eingeknickt ist. Ich brauche mir also keine Sorgen zu machen. Er trifft sich nicht hinter meinem Rücken mit Rachel. Die Vorstellung ist lächerlich. Vielleicht war sie früher mal ganz attraktiv – als er sie kennenlernte, hatte sie durchaus etwas Betörendes, ich habe Fotos von ihr gesehen: nichts als riesige, dunkle Augen und üppige Kurven –, aber inzwischen ist sie einfach nur noch fett. Und er würde sowieso niemals zu ihr zurückkehren, nicht nach allem, was sie ihm, was sie *uns* angetan hat – nach all den Belästigungen, den zahllosen nächtlichen Anrufen, den SMS.

Ich stehe im Gang mit den Konservendosen, und Evie liegt zum Glück immer noch schlafend im Buggy, als ich wieder an diese Telefonate denken muss und an das eine Mal – oder waren es mehrere Male? –, als ich aufwachte und im Bad das Licht brannte. Ich konnte ihn leise und sanft hinter der geschlossenen Tür sprechen hören. Er versuchte, sie zu beruhigen, das weiß ich genau. Er hat mir erzählt, manchmal sei sie so außer sich, dass sie damit drohe, zu uns nach Hause zu kommen, zu ihm auf die Arbeit zu kommen, sich vor einen Zug zu werfen. Er mag ein begnadeter Lügner sein, aber ich weiß, wann er die Wahrheit sagt. Mich kann er nicht für dumm verkaufen.

Abends

Aber wenn ich es recht bedenke, hat er mich sehr wohl für dumm verkauft, oder nicht? Als er mir erzählte, dass er mit Rachel telefoniert und dass sie wieder normal, besser, fast glücklich geklungen hätte. Ich habe keine Sekunde lang an seinen Worten gezweifelt. Und als er am Montagabend heimkam, ich mich nach seinem Tag erkundigte und er mir von dieser wirklich ermüdenden Konferenz am Vormittag erzählte, da habe ich ihm mitfühlend zugehört und keine Sekunde Verdacht geschöpft, dass es gar keine Konferenz gegeben haben könnte und er stattdessen mit seiner Exfrau ein Stehcafé in Ashbury besucht hat.

All das geht mir durch den Kopf, während ich die Geschirrspülmaschine ausräume, mit äußerster Sorgfalt und Präzision, weil Evie wieder schläft und jedes Schaben von Besteck über Geschirr sie wecken könnte. Oh doch, er hat mich für dumm verkauft. Ich weiß, dass er es mit der Wahrheit nicht immer ganz genau nimmt. Ich muss an die Geschichte mit seinen Eltern denken – wie er sie zu unserer Hochzeit einlud und sie nicht kommen wollten, weil sie ihm nicht verzeihen konnten, dass er Rachel verlassen hatte. Ich fand das immer eigenartig, weil ich zweimal mit seiner Mum gesprochen hatte und sie sich beide Male über den Anruf gefreut zu haben schien. Sie hatte ganz freundlich geklungen und sich eingehend nach mir und Evie erkundigt. »Ich hoffe wirklich, dass wir sie bald mal zu Gesicht bekommen«, hatte sie gesagt, aber als ich Tom davon erzählte, bügelte er es sofort ab.

»Sie will damit nur erreichen, dass ich sie einlade«, sagte er, »damit sie wieder ablehnen kann. Machtspielchen.«

Sie hatte auf mich nicht den Eindruck einer Frau gemacht, die auf Machtspielchen stand, aber ich ließ die Sache auf sich beruhen. Wie andere Familien funktionieren, versteht man nie so wirklich. Er wird schon seine Gründe haben, sie auf Abstand zu halten, da bin ich mir ganz sicher, und der zentrale Punkt dabei wird sein, mich und Evie beschützen zu wollen.

Warum also frage ich mich plötzlich, ob das wohl stimmt? In diesem Haus, dieser Situation lässt mich alles, was sich hier abgespielt hat, an mir, an *uns* zweifeln. Wenn ich nicht aufpasse, treibt mich das noch in den Wahnsinn, und dann ende ich wie sie. Wie Rachel.

Ich sitze da und warte darauf, dass ich die Laken aus dem Trockner holen kann. Ich spiele mit dem Gedanken, den Fernseher einzuschalten und nachzusehen, ob vielleicht eine Folge von *Friends* läuft, die ich nicht schon dreihundertmal gesehen habe, und überlege, ob ich meine Yogaübungen machen soll. Ich denke an den Roman auf meinem Nachttisch, von dem ich in den vergangenen zwei Wochen sage und schreibe zwölf Seiten gelesen habe. Ich denke an Toms Laptop, der im Wohnzimmer auf dem Couchtisch liegt.

Und dann tue ich lauter Dinge, die ich mir selbst nie zugetraut hätte. Ich nehme die Flasche Rotwein, die wir gestern Abend zum Essen aufgemacht haben, und schenke mir ein Glas ein. Ich hole seinen Laptop, schalte ihn ein und versuche, das Passwort zu erraten.

Ich tue genau das, was sie damals getan hat: allein trinken und ihm nachspionieren. Was sie getan und was er an ihr derart gehasst hat. Aber seit Neuestem – genauer gesagt, seit heute Morgen – liegen die Dinge anders. Wenn er mich belügt, muss ich ihn kontrollieren. Das ist nur fair, oder nicht? Ich habe das Gefühl, dass ich ein bisschen Fairness verdient habe. Also versuche ich, das Passwort zu knacken, ich probiere Namen in verschiedenen Kombinationen aus: meinen und seinen, seinen und Evies, meinen und Evies, unsere drei Namen vorwärts und rückwärts. Unsere Geburtstage in verschiedenen Kombinationen. Jahrestage: den Tag, an dem wir uns das erste Mal begegneten, unser erstes Mal Sex. Vierunddreißig für die Cranham Street, dreiundzwanzig für unser Haus. Ich versuche, nicht in Schubladen zu denken – die meisten Männer nehmen den Namen eines Fußballvereins als Passwort, aber Tom interessiert sich nicht für Fußball, er steht eher auf Cricket, also probiere ich es mit Boycott und Botham und Ashes. Die Namen der neueren Teams kenne ich nicht. Ich leere mein Glas und schenke mir noch ein halbes ein. Tatsächlich macht es mir fast Spaß, dieses Rätsel knacken zu wollen. Ich überlege, welche Bands er mag, welche Filme ihm gefallen, auf welche Schauspielerinnen er steht. Ich tippe »Passwort« ein; ich tippe »1234« ein.

Draußen ertönt ein grässliches Kreischen, wie von Fingernägeln auf einer Schiefertafel, als der Zug aus London hält. Ich beiße die Zähne zusammen und nehme noch einen großen Schluck Wein, und dabei fällt mir auf, wie spät es schon ist – Jesus, es ist schon fast sieben, Evie schläft immer noch, und er kann jeden Moment heimkommen, und gerade als ich denke, dass er jeden Moment heimkommen kann, höre ich den Schlüssel im Schloss, und mein Herz setzt einen Schlag aus.

Ich knalle den Laptop zu, springe auf und werfe dabei den Stuhl um. Von dem Krach wacht Evie auf und fängt an zu weinen. Ich stelle den Computer wieder auf den Tisch, bevor er ins Zimmer kommen kann, aber er weiß, dass irgendwas nicht stimmt, denn er sieht mich nur an und fragt: »Was ist los?«, und ich sage: »Nichts, gar nichts, ich habe nur versehentlich den Stuhl umgeworfen.«

Er nimmt Evie aus dem Kinderwagen, um sie zu knuddeln, und mein Blick fällt auf den Spiegel im Flur, auf mein blasses Gesicht und meine dunklen, rotweinfleckigen Lippen.

RACHEL

Donnerstag, 15. August 2013

Morgens

Cathy hat ein Vorstellungsgespräch für mich organisiert. Eine Freundin von ihr will eine eigene PR-Agentur gründen und braucht eine Assistentin. Im Grunde ist es eine bessere Sekretärinnenstelle und quasi unbezahlt, aber das ist mir egal. Die Frau ist bereit, mit mir zu reden, ohne dass ich ihr meine Zeugnisse vorlegen muss – Cathy hat ihr gegenüber angedeutet, dass ich einen Nervenzusammenbruch gehabt, mich aber mittlerweile wieder ganz gut erholt hätte. Das Gespräch soll morgen Nachmittag bei der Frau zu Hause stattfinden – sie will die Agentur von einem zum Büro ausgebauten Gartenschuppen aus führen – und zufälligerweise in Witney. Also hätte ich eigentlich den Tag damit zubringen können, meinen Lebenslauf aufzupolieren und mich auf das Gespräch vorzubereiten. Hätte ich – doch dann rief Scott an.

»Ich habe gehofft, wir könnten uns unterhalten«, sagte er.

»Das ist nicht nötig … Ich meine, du brauchst nichts zu erklären. Es war … Wir wissen beide, dass es ein Fehler war.«

»Ich weiß«, sagte er und klang dabei eher traurig, gar nicht wie der zornige Scott aus meinen Albträumen, sondern vielmehr wie der gebrochene Scott, der auf meinem Bett gesessen und mir von seinem toten Kind erzählt hatte. »Ich will trotzdem mit dir reden.«

»Natürlich«, sagte ich. »Natürlich können wir reden.«

»Persönlich?«

»Ach so?«, sagte ich. Auf gar keinen Fall wollte ich noch einmal dieses Haus betreten müssen. »Tut mir leid, aber heute kann ich nicht.«

»Bitte, Rachel, es ist wichtig.« Er klang so verzweifelt, dass ich wider besseres Wissen Mitleid mit ihm bekam. Ich suchte immer noch nach einer Ausrede, als er noch einmal nachsetzte: »Bitte?« Also sagte ich Ja und bereute es, noch während ich es aussprach.

In den Zeitungen wird über Megans Kind berichtet – ihr erstes totes Kind. Genau genommen geht es um den Vater des Kindes. Sie haben ihn ausfindig gemacht. Er hieß Craig McKenzie und starb vor vier Jahren in Spanien an einer Überdosis Heroin. Damit fällt er als Täter aus. Aber für mich hat das Ganze ohnehin nie nach einem plausiblen Motiv geklungen – wenn jemand sie für ihre Tat von damals hätte bestrafen wollen, wäre das doch schon vor Jahren geschehen.

Und wer bleibt damit übrig? Die üblichen Verdächtigen: der Ehemann und der Geliebte. Scott und Kamal. Oder irgendein Unbekannter, der sie sich auf der Straße schnappte – ein Serienkiller am Anfang seiner Karriere? War sie vielleicht die Erste in einer Reihe – eine Wilma McCann, eine Pauline Reade? Und wer sagt eigentlich, dass der Mörder ein Mann sein muss? Sie war eine zierliche Frau, Megan Hipwell. Ein Vögelchen. Man brauchte nicht besonders kräftig zu sein, um sie zu überwältigen.

Nachmittags

Als er die Tür aufmacht, schlägt mir sofort Gestank entgegen: Schweiß und Bier, schal und sauer, und darunter noch etwas – etwas Schlimmeres. Verwesung. Er trägt eine Jogginghose und ein fleckiges graues T-Shirt, sein Haar ist fettig, und seine Haut glänzt, als hätte er Fieber.

»Alles in Ordnung?«, frage ich ihn, und er grinst mich an. Er hat getrunken.

»Es geht mir gut, komm rein, komm rein.« Ich will nicht, aber ich trete ein.

Die Vorhänge zur Straßenseite sind zugezogen, und das Wohnzimmer ist in einen rötlichen Schein getaucht, der zu dem Gestank und zu der Hitze passt.

Scott geht voran in die Küche, öffnet den Kühlschrank und nimmt ein Bier heraus.

»Komm her und setz dich«, sagt er. »Trink was mit mir.« Das Grinsen sitzt wie festgeklammert auf seinem Gesicht, freudlos, grimmig. Sein Gesichtsausdruck hat etwas Gemeines. Die Verachtung, die ich am Sonntagmorgen nach unserer gemeinsamen Nacht darin entdeckt hatte, ist immer noch nicht vollends verflogen.

»Ich kann nicht lange bleiben«, erkläre ich ihm. »Ich habe morgen ein Vorstellungsgespräch. Ich muss mich darauf vorbereiten.«

»Wirklich?« Er zieht die Augenbrauen hoch, setzt sich und schubst mit dem Fuß einen Stuhl in meine Richtung. »Setz dich und trink was mit mir«, sagt er, und diesmal ist es keine Einladung, sondern ein Befehl. Ich setze mich ihm gegenüber, und er schiebt mir die Bierflasche zu. Ich nehme einen Schluck. Draußen höre ich fröhliches Kreischen – Kinder, die irgendwo im Garten spielen – und das leise, vertraute Rumoren eines Zuges.

»Gestern sind die Ergebnisse des Gentests gekommen«, sagt Scott zu mir. »Detective Sergeant Riley hat mir gestern Abend einen Besuch abgestattet.« Er wartet ab, ob ich etwas sagen will, aber ich bleibe stumm, weil ich zu viel Angst habe, etwas Falsches zu sagen. »Es ist nicht von mir. Es war nicht von mir. Komisch ist nur, dass es auch nicht von Kamal war.« Er lacht. »Sie hatte noch jemand anderen am Start. Ist das zu glauben?« Er hat wieder dieses grauenvolle Lächeln aufgelegt. »Du wusstest nicht zufällig davon, oder? Von einem weiteren Kerl? Sie hat dir nicht *anvertraut*, dass es noch einen anderen Mann gab, oder?« Das Lächeln rutscht ihm förmlich vom Gesicht, und ich bekomme Angst, echte Angst. Ich stehe auf und will zur Tür gehen, aber im nächsten Moment steht er vor mir, packt mich an den Armen und drückt mich auf den Stuhl zurück.

»Verdammt, du bleibst jetzt sitzen.« Er reißt mir die Handtasche von der Schulter und schleudert sie in die Ecke.

»Scott, ich weiß nicht, was …«

»Jetzt komm schon!«, brüllt er mich an und steht immer noch über mich gebeugt da. »Du warst doch so gut mit Megan *befreundet*. Bestimmt hat sie dir von all ihren Liebhabern erzählt.«

Er weiß Bescheid. Und noch während ich das begreife, sieht er mir das offenbar an, denn er kommt näher, haucht mir seinen fauligen Atem ins Gesicht und sagt: »Komm schon, Rachel. Erzähl es mir.«

Ich schüttle stumm den Kopf, woraufhin er mit der Hand ausholt und dabei die Bierflasche umwirft, die vor mir stand. Sie rollt vom Tisch und zerschellt auf dem Fliesenboden.

»Du bist ihr nie begegnet, verdammte Scheiße!«, brüllt er mich an. »Das war alles gelogen – alles, was du mir je erzählt hast!«

Mit eingezogenem Kopf murmle ich: »Es tut mir leid, es tut mir leid…« Ich stehe auf und versuche, um den Tisch herumzukommen, meine Handtasche und mein Handy zu fassen zu kriegen, aber er hält mich erneut fest.

»Wieso hast du das getan?«, fragt er. »Wie kommst du darauf, so was zu tun? Was stimmt nicht mit dir?«

Er sieht mich an, er starrt mir direkt in die Augen, und ich habe schreckliche Angst vor ihm, doch gleichzeitig ist mir klar, dass die Frage berechtigt ist. Ich schulde ihm eine Erklärung. Also lasse ich zu, dass sich seine Finger in mein Fleisch bohren, ohne dass ich den Arm zurückziehe, und versuche, ganz ruhig und deutlich zu sprechen. Ich gebe mir alle Mühe, nicht zu weinen. Ich gebe mir alle Mühe, nicht in Panik zu geraten.

»Ich musste dir das von Kamal erzählen«, erkläre ich ihm. »Ich hatte die beiden zusammen gesehen, genau wie ich es dir erzählt habe, aber du hättest mich niemals ernst genommen, wenn ich zugegeben hätte, dass ich sie nur vom Zug aus beobachtet habe. Ich brauchte…«

»Du *brauchtest*?« Er lässt mich los und dreht sich weg. »Jetzt erzählst du mir, was *du brauchtest…«* Er spricht schon leiser. Allmählich beruhigt er sich. Ich atme tief durch und versuche, meinen Herzschlag zu verlangsamen.

»Ich wollte dir helfen«, sage ich. »Ich weiß, dass die Polizei grundsätzlich den Ehemann verdächtigt, und ich wollte dich wissen lassen… wissen lassen, dass es noch jemanden gab…«

»Und darum hast du mir vorgelogen, dass du meine Frau kennen würdest? Ist dir klar, wie krank sich das anhört?«

»Ja.«

Ich trete an die Küchentheke, nehme ein Spültuch und lasse mich auf alle viere nieder, um das verschüttete Bier aufzuwischen. Scott setzt sich auf seinen Stuhl, stützt die Ellbogen auf die Knie und lässt den Kopf hängen. »Sie war nicht diejenige, für die ich sie gehalten habe«, sagt er. »Ich weiß überhaupt nicht mehr, was für ein Mensch sie war.«

Ich wringe das Tuch über der Spüle aus und lasse kaltes Wasser über meine Hände laufen. Meine Handtasche liegt ein paar Schritte entfernt in der Ecke, doch sobald ich einen Schritt darauf zumachen will, sieht Scott auf, und ich halte inne. Ich bleibe mit dem Rücken zur Küchentheke stehen und kralle mich mit beiden Händen an der Platte fest, um mich abzustützen. Um Mut zu fassen.

»Detective Sergeant Riley hat mich ins Bild gesetzt«, sagt er. »Sie hat sich nach dir erkundigt. Ob ich eine *Beziehung* mit dir hätte.« Er lacht. »Eine *Beziehung* mit dir? Jesus! Ich habe sie gefragt, ob ihr eigentlich klar wäre, wie meine Frau ausgesehen hat – so schnell sinkt die Messlatte doch wohl nicht.« Mein Gesicht glüht, während sich unter meinen Armen und über meinem Rückgrat kalter Schweiß sammelt. »Offensichtlich hat sich Anna über dich beschwert. Sie hat dich vor ihrem Haus rumhängen sehen. So kam alles raus. Ich hab ihr gesagt: Wir haben keine Beziehung, Rachel ist nur eine alte Freundin von Megan und steht mir bei …« Er lacht wieder, leise und ohne jeden Humor. »Und sie: Rachel kannte Megan überhaupt nicht. Sie ist bloß eine traurige kleine Lügnerin ohne ein eigenes Leben.« Das Lächeln erlischt. »Ihr seid alle Lügnerinnen. Jede Einzelne von euch.«

Mein Handy piept. Ich mache wieder einen Schritt auf die Handtasche zu, aber Scott kommt mir zuvor.

»Nicht so voreilig«, sagt er und hebt die Tasche auf. »Wir sind noch nicht fertig.« Er kippt den gesamten Inhalt auf den Tisch: Handy, Geldbeutel, Schlüssel, Lippenstift, Tampons, Kreditkartenquittungen. »Ich will jetzt wissen, wie viel von all dem, was du mir erzählt hast, Bullshit war.« Gemächlich nimmt er mein Handy zur Hand und starrt auf das Display. Dann sieht er mich an, und plötzlich ist sein Blick eiskalt. Er liest laut vor: »*Wir bestätigen Ihren Termin bei Dr. Abdic am Montag, den 19. August, um 16:30 Uhr. Bitte geben Sie uns mindestens 24 Stunden vorher Bescheid, falls Sie verhindert sein sollten.*«

»Scott…«

»Was wird hier gespielt, verdammte Scheiße?«, fragt er. Inzwischen ist seine Stimme kaum noch mehr als ein Krächzen. »Was treibst du da? Was hast du ihm erzählt?«

»Ich hab ihm gar nichts erzählt…« Er hat das Telefon auf den Tisch fallen lassen und kommt mit geballten Fäusten auf mich zu. Ich weiche zurück, presse mich in die Zimmerecke zwischen Wand und Glastür. »Ich wollte nur herausfinden… Ich wollte dir doch nur helfen!« Er hebt die Hand, und ich krümme mich zusammen, ich ziehe den Kopf ein und warte auf den Schmerz, und in diesem Moment begreife ich, dass ich das schon einmal erlebt habe, dass ich das schon einmal gefühlt habe, nur weiß ich nicht, wann, und dies ist auch nicht der Zeitpunkt, um darüber nachzudenken, denn er hat mich zwar nicht geschlagen, aber dafür seine Hände auf meine Schultern gelegt und drückt jetzt mit aller Kraft zu, sodass sich seine

Daumen in meine Schlüsselbeine bohren und ich vor Schmerz laut aufschreie.

»Die ganze Zeit«, sagt er und hat dabei die Zähne fest zusammengebissen, »die ganze Zeit über hab ich gedacht, dass du auf meiner Seite wärst, dabei hast du von Anfang an gegen mich gearbeitet. Du hast ihn mit Informationen gefüttert, hab ich recht? Ihm Sachen über mich und über Megs erzählt. Dir hab ich es zu verdanken, dass die Polizei sich auf mich eingeschossen hat. Nur deinetwegen...«

»Nein! Bitte hör auf, so war es nicht. Ich wollte dir helfen...«

Seine Rechte rutscht nach oben in meinen Nacken, er greift in mein Haar und dreht rücksichtslos die Hand herum.

»Bitte hör auf, Scott. Bitte. Du tust mir weh. Bitte.«

Jetzt schleift er mich zur Haustür. Erleichterung überkommt mich. Er wird mich rauswerfen. Gott sei Dank.

Nur dass er mich nicht rauswirft, sondern fluchend und zeternd weiterzieht. Er zerrt mich nach oben, und ich versuche, mich zu wehren, aber er ist zu stark, ich kann es nicht. Ich weine. »Bitte nicht... bitte...« Mir ist klar, dass etwas Schreckliches passieren wird. Ich versuche zu schreien, aber es funktioniert nicht, ich bringe keinen Ton heraus.

Ich bin blind vor Angst und Tränen. Er schubst mich in ein Zimmer und knallt die Tür hinter mir zu. Der Schlüssel dreht sich im Schloss. Heiß schießt mir Magensäure in die Kehle, und ich kotze auf den Teppichboden. Ich warte, ich lausche. Nichts passiert, niemand kommt.

Ich bin im kleinen Zimmer. In meinem Haus war das Toms Arbeitszimmer. Jetzt ist es ihr Kinderzimmer, das Zimmer mit der blass rosafarbenen Jalousie. Hier ist es ein Abstellraum voller Papiere und Ordner, mit einem zusammenklappbaren Laufband und einem uralten Apple Mac. Mit einem Karton voll liniertem Papier voller Zahlen – vielleicht die Buchhaltung von Scotts Firma – und einem mit alten Postkarten – unbeschriebenen Karten mit Spuren blauer Knetmasse auf der Rückseite, so als hätten sie früher an einer Wand geklebt: die Dächer von Paris, Kinder, die in einer Gasse skateboarden, alte, vermooste Eisenbahnschlafwagen, der Blick aus einer Höhle aufs Meer. Ich krame in den Postkarten – ich weiß nicht, weshalb oder wonach ich suche, ich versuche nur, meine Furcht irgendwie im Zaum zu halten. Ich versuche, nicht vor mir zu sehen, wie im Fernsehen Megans Leichnam aus dem Schlamm gezogen wurde. Ich versuche, nicht an ihre Verletzungen zu denken, an die Angst, die sie ausgestanden haben muss, als sie es kommen sah.

Ich wühle tiefer in den Karten, doch auf einmal beißt mich etwas, und ich schrecke mit einem Aufschrei zurück. Die Spitze meines Zeigefingers ist gespalten, und Blut tropft auf meine Jeans. Ich stoppe den Blutfluss mit dem Saum meines T-Shirts und arbeite mich nun behutsamer durch die Karten vor. Der Übeltäter sticht mir schnell ins Auge: ein gerahmtes Bild mit einer gesprungenen Glasscheibe, in der eine Scherbe fehlt und an der sich mein Blut über die freiliegende Kante zieht.

Das Bild ist mir neu. Es ist ein Foto von Scott und Megan, eine Nahaufnahme ihrer Gesichter. Sie lacht, und er sieht sie bewundernd an. Eifersüchtig? Seine Miene ist schwer zu deuten, weil das Glas zu einem Stern zersplittert ist, der von Scotts Augenwinkel auszustrahlen scheint. Ich sitze auf dem Boden, sehe das Bild vor mir und denke darüber nach, wie oft etwas versehentlich kaputtgeht und man hinterher einfach nicht mehr dazu kommt, es zu reparieren. Ich denke an die vielen Teller, die bei meinen Auseinandersetzungen mit Tom zerschmettert wurden, und an das Loch im Verputz im Flur.

Irgendwo auf der anderen Seite der abgeschlossenen Tür höre ich Scott lachen, und mir gefriert das Blut in den Adern. Ich rapple mich auf und stürze ans Fenster, ziehe es auf und beuge mich nach draußen, und dann rufe ich, auf den Zehenspitzen balancierend, um Hilfe. Ich rufe nach Tom. Es ist hoffnungslos. Erbärmlich. Selbst wenn er durch irgendeinen Zufall ein paar Häuser weiter in seinem Garten stünde, könnte er mich nicht hören, dazu ist er zu weit entfernt. Als ich nach unten blicke, verliere ich für einen kurzen Moment das Gleichgewicht, und als ich mich wieder zurückziehe, geraten meine Gedärme förmlich außer Kontrolle, und das Schluchzen setzt sich in meiner Kehle fest.

»Bitte, Scott!«, rufe ich. »Bitte…« Es ist schrecklich, wie flehend und verzweifelt meine Stimme klingt. Mein Blick fällt auf mein blutfleckiges T-Shirt, und da begreife ich, dass ich nicht völlig wehrlos bin. Ich ziehe den Fotorahmen aus der Kiste und drehe ihn über dem Teppichboden um. Dann suche ich die längste Scherbe heraus und schiebe sie mir vorsichtig in die Gesäßtasche.

Ich höre Schritte auf der Treppe. Ich presse mich an die Wand gegenüber der Tür. Der Schlüssel dreht sich im Schloss.

Scott hält meine Tasche in der Hand und schleudert sie mir vor die Füße. In der anderen Hand hält er einen Zettel. »An dir ist eine echte Nancy Drew verloren gegangen«, sagt er und sieht mich böse an. Dann liest er mir mit Mädchenstimme vor: »*Megan ist mit ihrem Lover durchge-*

brannt, den ich von jetzt an als L. bezeichnen werde.« Er lacht leise. *»L. hat ihr etwas angetan. Scott hat ihr etwas angetan.«* Er knüllt den Zettel zusammen und wirft ihn mir vor die Füße. »Mein Gott – du bist wirklich bemitleidenswert, oder?« Er schaut sich um, sieht das Erbrochene auf dem Boden, das Blut an meinem T-Shirt. »Scheiße noch mal, was hast du hier getrieben? Wolltest du dir die Gurgel durchschneiden? Mir die Arbeit abnehmen?« Er lacht zynisch. »Eigentlich sollte ich dir deinen dreckigen Hals brechen, aber weißt du was? Du bist die Mühe nicht wert.« Er tritt zur Seite. »Verschwinde aus meinem Haus.«

Ich schnappe meine Handtasche und stürme zur Tür, aber im selben Moment tritt er mir mit einer Art Boxerfinte in den Weg, und ganz kurz glaube ich, dass er mich aufhalten, dass er mich wieder festhalten will. Offenbar ist mir mein Entsetzen anzusehen, denn er fängt an zu lachen. Er brüllt vor Lachen. Ich kann ihn immer noch hören, als ich die Haustür hinter mir zuknalle.

Freitag, 16. August 2013

Morgens

Ich habe kaum geschlafen. Ich hatte anderthalb Flaschen Wein getrunken, um einschlafen zu können, damit meine Hände aufhörten zu zittern und ich nicht mehr bei jedem Geräusch zusammenzuckte, aber es half kaum. Jedes Mal, wenn ich kurz vor dem Einnicken war, schreckte ich wieder auf. Ich war mir ganz sicher, ihn bei mir im Zimmer zu spüren. Also schaltete ich das Licht an und saß einfach da, lauschte den Straßengeräuschen, den Aktivitäten der anderen Menschen. Erst als es langsam wieder hell wurde, entspannte ich mich zumindest so weit, dass ich einschlafen konnte. Ich träumte, ich wäre wieder im Wald. Tom wäre bei mir, aber ich fürchtete mich trotzdem.

Gestern Abend habe ich Tom eine Nachricht geschrieben. Nachdem ich aus Scotts Haus geflohen war, rannte ich weiter zu Nummer dreiundzwanzig und hämmerte gegen die Tür. Ich war derart in Panik, dass es mir gleichgültig war, ob Anna zu Hause war, ob sie sauer war, weil ich bei ihnen auftauchte. Als niemand die Tür aufmachte, kritzelte ich eine Nachricht auf einen Zettel und schob ihn durch den Briefschlitz. Es ist mir egal, ob sie ihn sieht – ich glaube, insgeheim will ich fast, dass sie ihn findet. Ich habe die Nachricht bewusst vage gehalten – ich hab ihm erklärt, wir müssten über neulich reden. Scott habe ich dabei nicht erwähnt, weil ich nicht will, dass Tom zu ihm geht und ihn zur Rede stellt – weiß der Himmel, was dann passiert.

Sobald ich wieder zu Hause war, rief ich bei der Polizei an. Erst genehmigte ich mir noch ein paar Gläser Wein zur Beruhigung. Dann bat ich darum, mit Detective Inspector Gaskill zu sprechen, aber der war angeblich nicht verfügbar, darum landete ich bei Riley. Das hatte ich nicht so gewollt – ich weiß, dass Gaskill netter zu mir gewesen wäre.

»Er hat mich in seinem Haus gefangen gehalten«, erklärte ich ihr, »und mich bedroht.«

Sie fragte, wie lange er mich denn »gefangen gehalten« hätte. Ihr ironischer Zungenschlag war nicht zu überhören.

»Ich weiß nicht genau«, sagte ich. »Vielleicht eine halbe Stunde?«

Es blieb lange still.

»Und er hat Sie bedroht? Können Sie mir sagen, worin genau die Drohung bestand?«

»Er sagte, er würde mir den Hals brechen. Er sagte … Er sagte, er sollte mir eigentlich den Hals brechen …«

»Er sollte Ihnen eigentlich den Hals brechen.«

»Er sagte, er würde es tun, wenn es ihm nicht zu mühsam wäre.«

Stille. Dann: »Hat er Sie geschlagen? Hat er Sie irgendwie verletzt?«

»Ich habe ein paar blaue Flecke … Nur blaue Flecke.«

»Hat er Sie geschlagen?«

»Nein, festgehalten.«

Wieder Schweigen.

Dann: »Ms. Watson, was wollten Sie in Scott Hipwells Haus?«

»Er hat mich gebeten, ihn zu besuchen. Er sagte, er müsse mit mir reden.«

Sie seufzte tief. »Man hat Sie mehrfach gebeten, sich aus dieser Sache herauszuhalten. Sie haben ihn belogen, Sie haben ihn glauben lassen, Sie wären mit seiner Frau befreundet gewesen, Sie haben ihm alle möglichen Geschichten aufgetischt, und – lassen Sie mich das auch noch sagen – Sie haben es hier mit einem Menschen zu tun, der bestenfalls unter enormem Stress und extremer Anspannung steht. Bestenfalls. Schlimmstenfalls könnte er Ihnen gefährlich werden.«

»Er *ist* gefährlich, das versuche ich Ihnen doch gerade beizubringen, Herrgott noch mal.«

»Sie helfen weder sich selbst noch uns, wenn Sie ihn aufsuchen, ihn anlügen und ihn provozieren. Wir befinden uns mitten in einer Mordermittlung. Bitte machen Sie sich das bewusst. Sie könnten die Fortschritte bei den Ermittlungen gefährden, Sie könnten …«

»Welche Fortschritte denn?«, fuhr ich sie an. »Sie sind

bis jetzt noch keinen einzigen beschissenen Schritt weitergekommen. Er hat seine Frau umgebracht, glauben Sie mir. Es gibt da ein Bild, ein Foto der beiden – es wurde zertrümmert. Er ist jähzornig, er ist labil…«

»Ja, wir haben das Foto gesehen. Das Haus wurde durchsucht. Das ist kaum ein Beweis für einen Mord.«

»Sie werden ihn also nicht verhaften?«

Sie seufzte. »Kommen Sie morgen aufs Revier, damit wir Ihre Aussage aufnehmen können. Dann sehen wir weiter. Und – Ms. Watson? Halten Sie sich von Scott Hipwell fern.«

Als Cathy heimkam, trank ich schon wieder. Sie war nicht begeistert. Aber was hätte ich zu ihr sagen sollen? Ich konnte es ihr unmöglich erklären. Also sagte ich bloß, dass es mir leidtue, und verzog mich wie ein schmollender Teenager in mein Zimmer. Und dann lag ich wach, versuchte zu schlafen, wartete auf Toms Anruf. Vergeblich.

In aller Frühe wache ich auf, checke als Erstes mein Handy (keine Anrufe), wasche mir die Haare und ziehe mich mit zittrigen Händen und einem dicken Knoten im Bauch für mein Vorstellungsgespräch an. Ich gehe früher los, weil ich noch einen Zwischenstopp auf dem Polizeirevier einlegen und meine Aussage machen muss. Nicht dass ich mir irgendwelche Hoffnungen machen würde. Bei der Polizei hat man mich noch nie ernst genommen und wird es auch diesmal nicht tun. Ich frage mich, was passieren muss, damit sie mich nicht mehr für eine Spinnerin halten.

Auf dem Weg zum Revier muss ich mich immer wieder umsehen; als unerwartet eine Polizeisirene aufheult, mache ich vor Schreck einen Satz zur Seite. Auf dem

Bahnsteig gehe ich so dicht am Geländer wie nur möglich, die Finger am Eisenzaun, nur für den Fall, dass ich mich unversehens festhalten muss. Mir ist klar, dass das lächerlich ist, aber ich fühle mich entsetzlich verletzlich, seit ich sein wahres Gesicht gesehen habe, seit es keine Geheimnisse mehr zwischen uns gibt.

Nachmittags

Eigentlich sollte die Sache jetzt für mich abgeschlossen sein. Die ganze Zeit hatte ich das Gefühl, ich müsste mich an etwas erinnern, ich hätte irgendwas verdrängt. Aber da war nichts. Ich habe nichts Wichtiges gesehen, nichts Schlimmes angestellt. Ich war nur zufällig in derselben Straße. Dass ich das jetzt weiß, habe ich dem Rothaarigen zu verdanken. Und trotzdem spüre ich immer noch ein hartnäckiges Jucken im Hinterkopf, das einfach nicht verschwinden will.

Weder Gaskill noch Riley waren auf dem Revier; meine Aussage wurde von einer gelangweilt aussehenden Beamtin in Uniform aufgenommen. Die Aussage wird abgeheftet und vergessen werden, nehme ich an, es sei denn, man findet mich irgendwann leblos in einem Straßengraben. Obwohl mein Vorstellungsgespräch von Scotts Haus aus gesehen am anderen Ende der Stadt stattfand, nahm ich vom Polizeirevier aus ein Taxi. Ich will einfach kein Risiko mehr eingehen. Das Gespräch lief so gut, wie ich nur hoffen konnte: Der Job ist zwar weit unter meiner Würde, aber andererseits war anscheinend auch ich selbst in den vergangenen ein, zwei Jahren unter meiner Würde. Ich muss allmählich andere Maßstäbe anlegen. Allerdings hat der Job einen großen Nachteil (abgesehen von der beschissenen Bezahlung und der Geistlosigkeit der Arbeit selbst): Ich muss dafür täglich nach Witney fahren, dort die Straßen entlangmarschieren und riskiere, Scott oder Anna und ihrem Kind über den Weg zu laufen.

Denn in diesem Kaff laufe ich anscheinend ständig irgendwem über den Weg. Früher hat mir gerade das an diesem Ort so gut gefallen: das Flair einer fast schon dörflichen Idylle am Rande Londons. Man kennt hier vielleicht nicht jeden, aber man trifft ständig vertraute Gesichter.

Ich bin schon fast wieder am Bahnhof und halb am Crown vorbei, als ich eine Hand auf meinem Arm spüre und so panisch herumfahre, dass ich vom Gehweg rutsche und im Rinnstein lande.

»He, he. Sorry. Entschuldigung.« Er ist es wieder – der Rothaarige –, mit einem Bier in einer Hand, die andere zu einer beschwichtigenden Geste erhoben. »Du bist ganz schön schreckhaft, was?« Er grinst. Offenbar sehe ich echt verängstigt aus, denn sein Grinsen erlischt sofort wieder. »Ist alles in Ordnung? Ich wollte dir keine Angst einjagen.«

Er habe heute früher Schluss gemacht, sagt er, und dann lädt er mich auf einen Drink ein. Ich lehne erst ab, doch dann ändere ich meine Meinung.

»Ich muss mich bei dir entschuldigen«, sage ich, als er – Andy, wie sich mittlerweile herausgestellt hat – mir einen Gin Tonic bringt. »Weil ich mich im Zug so aufgeführt habe. Beim letzten Mal, meine ich. Das war einfach nicht mein Tag.«

»Schon gut«, sagt Andy. Er lächelt träge. Ich glaube, das hier ist nicht sein erstes Bier. Wir sitzen einander gegenüber im Biergarten hinter dem Pub; hier fühle ich mich sicherer als vorn an der Straße. Vielleicht gibt mir dieses Gefühl von Sicherheit Mut. Jedenfalls versuche ich mein Glück.

»Ich wollte dich schon die ganze Zeit fragen, was damals eigentlich genau passiert ist«, sage ich. »An dem Abend, als wir uns begegnet sind. An dem Abend, als Meg... An dem Abend, als diese Frau verschwand.«

»Ach so. Klar. Wieso? Wie meinst du das?«

Ich hole tief Luft. Ich spüre, wie ich rot werde. Ganz gleich, wie oft man es schon eingestehen musste, es ist jedes Mal wieder beschämend, jedes Mal würde man am liebsten im Boden versinken. »Weil ich total betrunken war und einen Filmriss hatte. Ich muss ein paar Sachen klarbekommen. Ich will nur wissen, ob du irgendwas gesehen hast, ob du gesehen hast, wie ich mit jemandem gesprochen habe oder so...« Ich starre auf den Tisch, ich kann ihm nicht in die Augen sehen.

Er stupst mich mit dem Fuß an. »Keine Angst, du hast nichts Schlimmes angestellt.« Ich sehe auf, und er lächelt. »Ich war genauso blau. Wir haben im Zug ein bisschen gequatscht, keine Ahnung, worüber. Dann sind wir beide hier ausgestiegen, in Witney. Du warst da schon ein bisschen wacklig auf den Beinen. Du bist auf der Treppe ausgerutscht, erinnerst du dich noch? Ich hab dir aufgeholfen, dir war das wahnsinnig peinlich, du warst genauso rot wie jetzt.« Er lacht. »Wir sind zusammen aus dem Bahnhof gegangen, und ich hab dich gefragt, ob du noch mitkommen wolltest in den Pub, aber du hast gesagt, du müsstest dich mit deinem Mann treffen.«

»Das war alles?«

»Nein. Weißt du das wirklich nicht mehr? Später sind

wir uns noch mal begegnet – ich weiß nicht, vielleicht eine halbe Stunde später? Ich war erst im Crown, aber dann hat ein Kumpel angerufen und gesagt, er sei in einem Pub auf der anderen Seite der Gleise, also hab ich mich auf den Weg durch die Unterführung gemacht. Du warst hingefallen. Du hast ziemlich angeschlagen ausgesehen – du hattest eine Platzwunde am Kopf. Ich hab mir Sorgen um dich gemacht, ich hab zu dir gesagt, ich würde dich heimbringen, wenn du wolltest, aber das wolltest du auf gar keinen Fall. Du warst ... Na ja, du warst echt völlig aufgelöst. Ich glaube, du hattest dich mit deinem Typen gestritten. Der war schon wieder auf dem Rückweg zur Straße, und ich hab zu dir gesagt, wenn du willst, schnapp ich ihn mir, aber das wolltest du auch nicht. Danach ist er irgendwohin gefahren. Er war ... ähm ... Er hatte noch jemanden dabei.«

»Eine Frau?«

Er nickt und zieht dabei leicht die Schultern hoch. »Ja, sie sind zusammen ins Auto gestiegen. Ich dachte, ihr hättet euch vielleicht deswegen gestritten.«

»Und dann?«

»Danach bist du gegangen. Du kamst mir ein bisschen ... durcheinander vor oder so, und du bist einfach weggegangen. Aber du hast immer wieder gesagt, dass du keine Hilfe bräuchtest. Wie gesagt, ich war ja genauso blau, darum hab ich auch nicht weiter nachgehakt. Ich bin durch die Unterführung gegangen und hab mich mit meinem Kumpel getroffen. Das war alles.«

Als ich die Treppe zur Wohnung hochsteige, habe ich das überwältigende Gefühl, Schatten über mir zu sehen, Schritte vor mir zu hören. Als würde jemand oben auf dem Treppenabsatz warten. Natürlich ist da niemand, und auch die Wohnung ist leer: Sie macht einen unberührten Eindruck, sie riecht leer, aber das hält mich nicht davon ab, in sämtliche Zimmer zu schauen – auch unter mein Bett und unter das von Cathy, in die Kleiderschränke und in den Putzmittelschrank in der Küche, in dem sich nicht einmal ein Kind verstecken könnte.

Schließlich, nach der dritten Runde durch die Wohnung, gebe ich mich zufrieden. Ich gehe nach oben, setze mich aufs Bett und gehe in Gedanken meine Unterhaltung mit Andy durch, dessen Schilderung mit all dem übereingestimmt hat, woran ich mich erinnern kann. Es gab keine großen Enthüllungen: Tom und ich haben uns auf der Straße gestritten, ich bin ausgerutscht und habe mich verletzt, dann ist er davongestürmt und mit Anna ins Auto gestiegen. Später kam er noch mal zurück, um nach mir zu sehen, aber da war ich schon verschwunden. Wahrscheinlich war ich in ein Taxi gestiegen oder in den Zug.

Ich sitze auf meinem Bett, sehe aus dem Fenster und frage mich, wieso ich trotzdem nicht erleichtert bin. Vielleicht nur, weil ich immer noch keine Antworten bekommen habe. Vielleicht weil ich immer noch ein komisches Gefühl bei der Sache habe, obwohl meine Erinnerungen mit denen meiner Mitmenschen übereinstimmen. Und dann schießt mir ein Gedanke durch den Kopf: Anna. Nicht nur, dass Tom nie auch nur ein Wort darüber verloren hat, dass er mit ihr irgendwohin gefahren ist. Sie hatte auch kein Baby im Arm, als ich sie weggehen und ins Auto steigen sah. Wo war Evie, während sich all das abgespielt hat?

Samstag, 17. August 2013

Abends

Ich muss mit Tom sprechen, ich muss das klären, denn je länger ich darüber nachdenke, desto weniger Sinn ergibt das alles, und die Sache will mir einfach nicht mehr aus dem Kopf gehen. Außerdem finde ich ohnehin keine Ruhe, weil inzwischen zwei Tage vergangen sind, seit ich ihm die Nachricht in den Briefschlitz geworfen habe, und er sich immer noch nicht gemeldet hat. Gestern Nacht ging er auch nicht ans Handy; er ging den ganzen Tag nicht ran. Irgendwas ist da im Busch, und ich werde das Gefühl nicht los, dass es etwas mit Anna zu tun haben könnte.

Wenn er erst mal von der Sache mit Scott gehört hat, wird er ebenfalls mit mir reden wollen, das weiß ich genau. Ich weiß, dass er mir helfen will. Immerzu muss ich daran denken, wie wir vor ein paar Tagen zusammen im Auto saßen, was für ein Gefühl da in mir aufkam. Also greife ich wieder zum Handy und wähle seine Nummer, mit Schmetterlingen im Bauch, genau wie früher, und genauso aufgeregt wie vor Jahren, seine Stimme zu hören.

»Ja?«

»Tom, ich bin's.«

»Ja.«

Dass er meinen Namen nicht aussprechen will, bedeutet unter Garantie, dass Anna bei ihm ist. Ich gebe ihm kurz Zeit, um in ein anderes Zimmer zu gehen. Von ihr wegzugehen. Ich höre ihn seufzen.

»Was gibt's denn?«

»Ähm, ich wollte mit dir reden … wie ich dir ja geschrieben habe, muss ich …«

»Was?« Er klingt verärgert.

»Ich hab dir vor ein paar Tagen eine Nachricht durch den Briefschlitz geschoben. Ich glaube, wir sollten uns unterhalten …«

»Ich hab keine Nachricht bekommen.« Wieder ein tiefer Seufzer. »Oh Scheiße. Deshalb ist sie so sauer auf mich.« Offenbar hat Anna den Zettel an sich genommen und nicht weitergegeben. »Was willst du?«

Am liebsten würde ich auflegen, neu wählen, noch einmal von vorn anfangen. Ihm erzählen, wie schön es gewesen sei, ihn am Montag zu treffen und mit ihm an den See zu fahren.

»Ich wollte dich nur etwas fragen.«

»Was denn?«, faucht er. Er klingt richtig wütend.

»Ist alles okay?«

»Was willst du, Rachel?« Die Zärtlichkeit von letzter Woche ist verflogen. Ich verfluche mich dafür, dass ich die Nachricht in den Briefschlitz geworfen habe; offenbar habe ich ihn damit in Schwierigkeiten gebracht.

»Ich hätte noch eine Frage an dich wegen dieser Nacht – der Nacht, in der Megan Hipwell verschwunden ist.«

»O Himmel! Das hatten wir doch schon besprochen – das kannst du unmöglich wieder vergessen haben.«

»Ich wollte nur …«

»Du warst betrunken«, sagt er laut und grob. »Ich habe dir gesagt, du sollst heimfahren, aber du wolltest nicht auf mich hören. Du bist einfach weggegangen. Ich bin durchs ganze Viertel gefahren und hab nach dir gesucht, aber ich konnte dich nicht finden.«

»Wo war Anna?«

»Zu Hause.«

»Mit dem Baby?«

»Mit Evie, genau.«

»Sie saß nicht mit dir im Auto?«

»Nein.«

»Aber ...«

»Oh Mann! Sie wollte eigentlich ausgehen, und ich sollte auf das Baby aufpassen. Aber dann bist du aufgetaucht, und sie hat ihre Pläne über den Haufen geworfen und ist wieder heimgekommen, und ich hab Stunden meines Lebens darauf verschwendet, dir hinterherzulaufen ...«

Ich wünschte mir, ich hätte ihn nicht angerufen. Meine frisch erblühten Hoffnungen derart zertreten zu sehen ist, als würde irgendjemand mir eine kalte Stahlklinge in die Eingeweide treiben.

»Okay«, sagte ich. »Es ist nur so, dass ich das anders in Erinnerung habe ... Tom, war ich verletzt, als du mich gefunden hast? Hatte ich ... Hatte ich eine Platzwunde am Kopf?«

Ein weiterer tiefer Seufzer. »Es überrascht mich, dass du dich überhaupt an irgendwas erinnerst, Rachel. Du warst total blau. Stinkbesoffen, einfach ekelhaft. Bist nur noch rumgetaumelt.« Bei seinen Worten schnürt es mir die Kehle zu. Ich habe ihn schon früher so reden hören, in der schlechten alten Zeit, in den allerschlechtesten Zeiten, als er mich nicht länger ertragen konnte, als ich ihn krank machte, ihn anwiderte. Abgespannt erzählt er weiter: »Du hast dich auf der Straße längs gelegt, du hast geheult, du warst komplett am Ende. Warum ist das überhaupt wichtig?« Mir fehlen die Worte, ich brauche zu lange, um zu reagieren. Also sagt er: »Hör zu, ich muss jetzt Schluss machen. Ruf mich bitte nicht mehr an. Wir hatten das doch schon besprochen. Wie oft muss ich dich noch darum bitten? Ruf nicht mehr an, schreib keine Nachrichten, komm nicht mehr her. Das regt Anna nur auf. In Ordnung?«

Dann ist die Leitung tot.

Sonntag, 18. August 2013

Frühmorgens

Ich war die ganze Nacht unten im Wohnzimmer, wo mir der Fernseher Gesellschaft leistete und ich dem Abebben und Anschwellen meiner Angst nachspürte. Dem Abebben und Anschwellen meiner Kraft. Es war wie eine Reise in die Vergangenheit, als wäre die Wunde, die er mir vor Jahren zugefügt hat, wieder aufgerissen, blutig und frisch. Es ist albern, ich weiß. Es war idiotisch von mir zu glauben, ich hätte wieder eine Chance bei ihm – nur auf Grundlage einer einzigen Unterhaltung, auf der Basis von einigen Augenblicken, die ich für Zärtlichkeit hielt, in denen er aber wahrscheinlich nichts als Sentimentalität verspürte oder ein schlechtes Gewissen hatte. Trotzdem tut es weh. Und ich muss den Schmerz zulassen, denn wenn ich es nicht tue, wenn ich ihn weiterhin betäube, wird er nie wirklich abklingen.

Außerdem war es idiotisch von mir anzunehmen, dass mich irgendetwas mit Scott verbinden würde, dass ich ihm helfen könnte. Kurz gesagt: Ich bin eine Idiotin. Daran bin ich gewöhnt. Aber ich muss nicht ewig eine bleiben, oder? Jetzt reicht's. Die ganze Nacht lag ich hier unten und schwor mir, mein Leben wieder in den Griff zu bekommen. Ich werde von hier wegziehen, weit weg. Ich werde mir einen neuen Job suchen. Ich werde meinen Mädchennamen wieder annehmen, alle Verbindungen zu Tom kappen, irgendwohin verschwinden, wo man mich nicht finden kann. Falls mich denn irgendjemand suchen sollte.

Geschlafen habe ich so gut wie gar nicht. Ich lag auf dem Sofa und schmiedete Pläne, und jedes Mal, wenn ich gerade dabei war einzunicken, hörte ich wieder Toms Stimme in meinem Kopf, so deutlich, als wäre er da, als stünde er direkt neben mir und hätte die Lippen an meinem Ohr – *du warst total blau. Stinkbesoffen, einfach ekelhaft* –, und sofort war ich wieder hellwach, von meiner Scham erdrückt wie von einer gewaltigen Flutwelle. Von meiner Scham, aber auch von einem eigenartig starken Gefühl des Déjà-vu, weil ich diese Worte schon einmal gehört habe, genau die gleichen Worte.

Und im nächsten Moment begannen unaufhaltsam Szenen in meinem Kopf abzulaufen: wie ich auf einem blutverschmierten Kissen aufwachte, mit Schmerzen im Mund, als hätte ich mir in die Wange gebissen, mit schmutzigen Fingernägeln und grauenhaften Kopfschmerzen, wie Tom aus dem Bad kam, wie er mich ansah – halb verletzt, halb wütend – und wie mir die Angst ganz allmählich die Luft abschnürte.

»Was ist passiert?«

Wie Tom mir die blauen Flecke auf seinem Arm, auf seiner Brust zeigte, wo meine Schläge ihn getroffen hatten.

»Das glaube ich nicht, Tom. Ich hab dich noch nie geschlagen. Ich hab in meinem ganzen Leben noch niemanden geschlagen.«

»Du warst total besoffen, Rachel. Erinnerst du dich überhaupt noch an irgendwas von gestern Abend? An irgendwas, was du gesagt hast?« Und dann begann er zu erzählen, doch selbst danach konnte ich es nicht glauben, weil nichts von dem, was er da sagte, nach mir klang, rein gar nichts. Und dann die Sache mit dem Golfschläger, das Loch im Verputz, grau und leer wie ein blindes Auge, das mir bei jedem Gang den Flur entlang nachzustarren schien, ohne dass ich den Gewaltausbruch, von dem er mir erzählt hatte, mit der Angst in Verbindung bringen konnte, an die ich selbst mich erinnerte.

Oder zu erinnern glaubte. Nach einer Weile hatte ich gelernt, nicht mehr zu fragen, was genau ich getan hatte, oder ihm zu widersprechen, wenn er es von sich aus erzählte, weil ich die Einzelheiten nicht länger kennen wollte, weil ich gar nicht erfahren wollte, was ich Schlimmes gesagt oder getan hatte, wenn ich wieder einmal so gewesen war – stinkbesoffen, einfach ekelhaft. Manchmal drohte er, beim nächsten Mal alles aufzunehmen und es mir später vorzuspielen. Doch das hat er nie getan. Eine kleine Gnade.

Nach einer Weile lernte ich also, besser gar nicht erst zu fragen, was eigentlich passiert war, wenn ich wieder mal in so einem Zustand aufwachte, sondern einfach zu sagen, dass es mir leidtäte – dass es mir leidtäte, was ich angestellt hatte und was für ein Mensch ich war, und dass ich mich nie, nie wieder so aufführen würde.

Und das werde ich auch nicht, das werde ich ganz sicher nicht. Dafür kann ich mich nur bei Scott bedanken: Inzwischen habe ich zu viel Angst, um mitten in der Nacht aus dem Haus zu schleichen und Alkohol kaufen zu gehen. Ich habe zu viel Angst vor einem weiteren Ausrutscher, denn jeder Ausrutscher macht mich verletzlicher.

Um es auf den Punkt zu bringen: Ich werde stark sein müssen.

Meine Lider werden wieder schwerer, und der Kopf

sinkt mir auf die Brust. Ich schalte den Fernseher leiser, bis er kaum noch zu hören ist, dann drehe ich mich zur Seite, mit dem Gesicht zur Sofalehne, rolle mich zusammen, ziehe mir die Decke über den Kopf und drifte langsam weg, ich kann es spüren, diesmal kann ich einschlafen, und dann – *Rums!* – jagt mir der Boden entgegen, und ich schieße mit rasendem Puls wieder hoch. Ich habe es gesehen. Ich habe es gesehen.

Ich war in der Unterführung, und er kam auf mich zu, erst ein Schlag über den Mund, und dann die erhobene Faust, mit dem Schlüssel in der Hand, gefolgt von einem schneidenden Schmerz, als das gezackte Metall auf meine Kopfhaut trifft.

ANNA

Samstag, 17. August 2013

Abends

Ich will nicht weinen, das ist armselig, aber ich bin so unendlich erschöpft; die letzten Wochen haben mir schwer zugesetzt. Und Tom und ich haben uns schon wieder gestritten – natürlich wegen Rachel.

Es hatte sich schon länger angebahnt, schätze ich. Seit Tagen zerbreche ich mir den Kopf über ihre Nachricht und über die Tatsache, dass er mir nichts von ihrem Treffen erzählt hat. Immer wieder sage ich mir, dass es absolut idiotisch ist. Trotzdem komme ich nicht gegen dieses Gefühl an, dass zwischen den beiden irgendetwas läuft. Meine Gedanken drehen sich im Kreis: Wie konnte er nur? Nach allem, was sie ihm – *uns* – angetan hat? Wie konnte er auch nur in Betracht ziehen, wieder etwas mit ihr anzufangen? Mal im Ernst: Wenn man uns nebeneinanderstellen würde, sie und mich, dann gäbe es doch keinen Mann auf Erden, der sich für sie entscheiden würde? Und zwar auch ohne von all ihren Problemen zu wissen.

Doch im nächsten Moment denke ich, manchmal passiert so was eben doch, oder etwa nicht? Manchmal lassen einen Menschen, mit denen man eine gemeinsame Vergangenheit hat, nicht wieder los, man kann sich ihnen einfach nicht entziehen, man kann sich nicht von ihnen befreien, sosehr man sich auch bemühen mag. Und vielleicht gibt man sich in so einem Fall irgendwann einfach geschlagen.

Am Donnerstag war sie schon wieder hier, hämmerte gegen die Haustür und rief nach Tom. Ich kochte vor Wut, aber ich hatte nicht den Mut, ihr aufzumachen. Mit einem Kind bist du verletzlich, es macht dich schwach. Wäre ich allein gewesen, hätte ich sie zur Rede gestellt, dann hätte ich nicht die geringsten Schwierigkeiten gehabt, ihr die Meinung zu sagen. Aber mit Evie im Haus konnte ich das nicht riskieren. Ich hatte keine Ahnung, wie sie reagiert hätte.

Ich weiß, warum sie hier war. Sie war sauer, weil ich sie bei der Polizei angeschwärzt habe. Ich wette, sie wollte sich bei Tom ausheulen und ihn anflehen, dass ich sie endlich in Ruhe lassen soll. Sie hat ihm eine Nachricht hinterlassen – *wir müssen reden, bitte ruf mich so bald wie möglich an, es ist wichtig* (mit dreifach unterstrichenem »wichtig«) –, die ich postwendend in den Papierkorb befördert habe. Später holte ich sie wieder raus und legte sie in meine Nachttischschublade zu dem Ausdruck der Hassmail, die sie uns zuvor einmal geschickt hatte, und meinen Aufzeichnungen über ihre Anrufe und heimlichen Besuche in unserer Straße. Meinem Belästigungsprotokoll. Meinem Beweismaterial, sollte ich es irgendwann benötigen. Ich rief noch einmal bei Detective Sergeant Riley an, hinterließ ihr eine Nachricht und setzte sie darüber in Kenntnis, dass Rachel wieder hier gewesen war. Sie hat noch nicht zurückgerufen.

Ich weiß, ich hätte Tom von der Nachricht erzählen sollen, aber ich wollte nicht, dass er schon wieder wütend auf mich würde, weil ich mich an die Polizei gewandt hatte, darum hab ich den Zettel einfach in die Schublade gestopft und gehofft, dass sie ihn wieder vergessen würde. Natürlich habe ich vergeblich gehofft. Heute Abend hat sie ihn angerufen. Als er wieder auflegte, kochte er vor Wut.

»Was hat es mit dieser beschissenen Nachricht auf sich?«, fuhr er mich an.

Ich erzählte ihm, ich hätte sie weggeworfen. »Ich habe nicht gedacht, dass du sie würdest lesen wollen«, sagte ich. »Ich dachte eigentlich, du wolltest genauso sehr wie ich, dass sie aus unserem Leben verschwindet.«

Er verdrehte die Augen. »Darum geht es doch gar nicht, und das weißt du genau. Natürlich will ich, dass Rachel endlich verschwindet. Aber ich will ganz bestimmt nicht, dass du anfängst, meine Telefonate zu belauschen oder meine Post wegzuwerfen. Du bist …« Er seufzte.

»Was bin ich?«

»Nichts. Es ist bloß … Das sind lauter Dinge, die *sie* getan hat.«

Das war ein Schlag in die Magengrube, ein echter Tiefschlag. Lächerlicherweise brach ich in Tränen aus und lief nach oben ins Bad. Ich wartete darauf, dass er mir nachkommen, mich küssen und sich wieder mit mir aussöhnen würde wie sonst auch, aber nach etwa einer halben Stunde rief er nur hoch: »Ich verschwinde für ein paar Stunden ins Fitnessstudio«, und ehe ich darauf etwas erwidern konnte, hörte ich auch schon die Haustür ins Schloss fallen.

Und jetzt verhalte ich mich zu meinem Entsetzen schon wieder genau wie sie: Ich putze die halbe Flasche Rotwein weg, die vom Abendessen übrig geblieben ist, und schnüffle in seinem Computer herum. Wenn man sich so fühlt wie ich im Augenblick, kann man ihr Verhalten besser verstehen. Nichts ist so schmerzhaft, so zersetzend wie Misstrauen.

Am Ende konnte ich das Passwort für den Laptop knacken: Es lautet »Blenheim«. Absolut unverfänglich und langweilig – der Name der Straße, in der wir wohnen. Ich fand weder irgendwelche belastenden E-Mails noch schmutzige Bilder oder leidenschaftliche Liebesbriefe. Eine halbe Stunde verbrachte ich damit, seine Arbeitsmails zu durchforsten, die so betäubend langweilig waren, dass sie sogar den Schmerz der Eifersucht dämpften. Dann klappte ich den Computer wieder zu und stellte ihn weg. Inzwischen bin ich richtig aufgedreht, was teils dem Wein, teils dem betäubenden Inhalt von Toms Computer zu verdanken ist. Ich habe mir bewusst gemacht, wie albern ich mich aufgeführt habe.

Ich gehe nach oben, um mir die Zähne zu putzen – er soll nicht merken, dass ich schon wieder an der Weinflasche gewesen bin –, und beschließe dann, das Bett frisch zu beziehen, ein bisschen Acqua di Parma auf die Kissen zu sprühen und das schwarze Seidenkorselett anzuziehen, das er mir letztes Jahr zum Geburtstag geschenkt hat, und wenn er dann heimkommt, werde ich mich mit ihm versöhnen.

Als ich die Laken abziehe, stolpere ich beinahe über eine schwarze Tasche, die er unter das Bett geschoben hat: seine Sporttasche. Er hat seine Sporttasche vergessen. Er ist bereits seit einer Stunde weg und hat sie immer noch nicht geholt. Mein Magen zieht sich zusammen. Vielleicht dachte er, pfeif drauf, und ist stattdessen in den Pub gegangen. Vielleicht hat er Ersatzsachen in seinem Schließfach im Fitnessstudio. Vielleicht liegt er gerade mit ihr im Bett.

Mir ist übel. Ich gehe auf die Knie und durchwühle die Tasche. Sein ganzes Zeug liegt darin, gewaschen und einsatzbereit, dazu sein iPod Shuffle und die einzigen Joggingschuhe, in denen er laufen geht. Und noch etwas: ein Handy. Ein Handy, das ich noch nie gesehen habe.

Mein Herz pocht. Mit dem Handy in der Hand setze ich mich auf die Bettkante. Ich werde es einschalten, ich werde der Versuchung unmöglich widerstehen können, dabei bin ich mir sicher, dass ich es bereuen werde, weil dieses Handy einfach nichts Gutes zu bedeuten hat. Man hat kein Ersatzhandy in der Sporttasche, wenn man nichts zu verbergen hat. Eine Stimme in meinem Kopf sagt: *Leg es einfach zurück, vergiss es wieder.* Aber das kann ich nicht. Ich drücke auf den Einschaltknopf und warte darauf, dass das Display aufleuchtet. Ich warte. Und warte. Es ist tot. Erleichterung schießt wie Morphium durch meine Adern.

Ich bin erleichtert, weil mir die Gewissheit versagt bleibt, und ich bin auch erleichtert, weil ein entladenes Handy auf ein nicht benutztes Handy schließen lässt, zumindest auf ein nicht gern benutztes Handy, nicht das Handy eines Mannes, der eine leidenschaftliche Liebesaffäre hat. So ein Mann hätte sein Handy immer bei sich. Vielleicht ist es irgendein altes Handy, vielleicht liegt es seit Monaten in seiner Sporttasche, und er ist nur noch nicht dazu gekommen, es wegzuwerfen. Vielleicht ist es nicht einmal sein Handy: Vielleicht hat er es im Fitnessstudio gefunden und dann vergessen, es am Empfang abzugeben.

Ich höre mittendrin auf, das Bett abzuziehen, und gehe nach unten ins Wohnzimmer. Unter dem Couchtisch sind ein paar Schubladen mit all dem Haushaltsschrott, der sich mit den Jahren ansammelt: Tesarollen, Adapter für Reisen ins Ausland, Nähetuis, alte Handyladekabel. Ich ziehe drei Ladekabel heraus, und schon das zweite passt. Ich stecke es auf meiner Bettseite ein, wo ich Handy und Kabel hinter dem Nachttisch verschwinden lassen kann. Dann warte ich ab.

Zeiten und Datumsangaben hauptsächlich. Nein, keine Datumsangaben. Sondern Tagesangaben. *Montag um 3? Freitag 16:30 Uhr.* Hin und wieder eine Absage. *Kann morgen nicht. Nicht am MI.* Mehr finde ich nicht. Keine Liebeserklärungen, keine Anzüglichkeiten. Nur Nachrichten – etwa ein Dutzend, allesamt von einer unterdrückten Nummer verschickt. Im Adressbuch sind keine Kontakte verzeichnet, die Verbindungsübersicht wurde gelöscht.

Die Datumsangaben brauche ich nicht, die zeichnet das Handy von selbst auf. Die Verabredungen reichen Monate zurück, fast ein ganzes Jahr. Als ich das begriff, als ich sah, dass die erste vom September letzten Jahres stammte, schnürte es mir die Kehle zu. September. Damals war Evie gerade erst sechs Monate alt. Ich war immer noch fett, abgespannt, wund, absolut nicht in Stimmung. Aber dann musste ich lachen, denn die Vorstellung war einfach lächerlich – das konnte unmöglich wahr sein. Im September waren wir überglücklich, wir waren bis über beide Ohren in unser Baby und ineinander verliebt. Unmöglich konnte er sich damals schon zu ihr geschlichen haben, unmöglich kann er sie seit Monaten immer wieder getroffen haben. Das hätte ich mitbekommen. Das kann nicht sein. Es kann unmöglich sein Handy sein.

Trotzdem. Ich hole mein Belästigungsprotokoll hervor, schlage die Anrufe nach und gleiche sie mit den Verabredungen im Handy ab. Zum Teil stimmen sie überein. Manchmal kamen die Anrufe ein, zwei Tage davor, manchmal ein, zwei Tage danach. Bei anderen gibt es keine Übereinstimmung.

Ist es wirklich möglich, dass er sich die ganze Zeit über mit ihr getroffen hat, dass er mir erzählt hat, sie würde ihn schikanieren und belästigen, während die beiden in Wahrheit heimlich Verabredungen geplant und sich hinter meinem Rücken getroffen haben? Aber warum sollte sie ihn dann überhaupt noch auf dem Festnetz anrufen, wenn sie ihn auf diesem Handy erreichen konnte? Das ergibt einfach keinen Sinn. Es sei denn, sie *wollte*, dass ich es mitbekäme. Es sei denn, sie *wollte* Zwietracht zwischen uns säen.

Inzwischen ist Tom seit fast zwei Stunden weg, er wird bald zurückkommen, wo immer er gesteckt hat. Ich mache das Bett fertig, stopfe die Liste und das Handy in meine Nachttischschublade, gehe nach unten, schenke mir ein letztes Glas Wein ein und leere es in einem Zug. Ich könnte sie anrufen. Ich könnte sie zur Rede stellen. Aber was soll ich zu ihr sagen? Ich wäre dann nicht im Geringsten besser als sie selbst. Und ich bin mir nicht sicher, ob ich es ertragen würde, wenn sie mir voller Genugtuung erklärte, dass die ganze Zeit über *ich* die Betrogene gewesen sei. Hast du mich einst mit ihm betrogen, wirst irgendwann auch du belogen.

Ich höre Schritte auf dem Gehweg vor dem Haus und weiß, dass er es ist. Ich kenne seinen Gang. Ich stelle schnell das Weinglas in die Spüle und bleibe mit dem Rücken an die Küchentheke gelehnt stehen, während mir das Blut in den Ohren rauscht.

»Hallo«, sagt er, als er mich entdeckt. Er sieht mich betreten an und schwankt leicht.

»Schenken sie jetzt auch schon Bier im Fitnessstudio aus?«

Er grinst. »Hatte mein Sportzeug vergessen. Also war ich stattdessen im Pub.«

Genau wie ich gedacht habe. Oder wie ich denken sollte?

Er kommt langsam auf mich zu. »Was hast du denn in der Zwischenzeit getrieben?«, fragt er mit einem Lächeln auf den Lippen. »Du siehst aus, als hättest du ein schlechtes Gewissen.« Er schiebt den Arm um meine Taille und drückt mich an sich. Ich rieche das Bier in seinem Atem. »Hast du etwa was angestellt?«

»Tom ...«

»Psst«, sagt er, küsst mich auf den Mund und fängt an, meine Hose aufzuknöpfen. Dann dreht er mich herum, sodass ich mit dem Rücken zu ihm dastehe. Ich will das nicht, aber ich weiß nicht, wie ich ihn jetzt abweisen soll, darum schließe ich die Augen und versuche, sie aus meinen Gedanken zu verdrängen und stattdessen die glücklichen Zeiten heraufzubeschwören, als wir atemlos, gierig, hungrig in dem leeren Haus in der Cranham Street übereinander herfielen.

Sonntag, 18. August 2013

Frühmorgens

Ich schrecke aus dem Schlaf hoch; es ist noch dunkel. Ich meine, Evie weinen zu hören, doch als ich rübergehe, um nach ihr zu sehen, schläft sie tief und fest, die Decke fest zwischen den kleinen Fäustchen. Ich gehe zurück ins Bett, kann aber nicht mehr einschlafen. Immerzu muss ich an das Handy in meiner Nachttischschublade denken. Ich werfe einen Blick auf Tom, der neben mir liegt, den linken Arm ausgestreckt, den Kopf zurückgeworfen. An seinem regelmäßigen Atem höre ich, dass er im Tiefschlaf ist. Ich stehe leise wieder auf, ziehe die Schublade auf und hole das Handy heraus.

Unten in der Küche drehe ich das Telefon in der Hand hin und her und mache mich bereit. Ich will es wissen und doch wieder nicht. Ich will sichergehen und mich gleichzeitig um jeden Preis irren. Ich schalte es ein. Ich drücke auf die Eins und halte sie gedrückt, bis sich die Mailbox meldet. Ich höre, dass ich keine neuen Nachrichten und keine gespeicherten Nachrichten habe. Ob ich meine Begrüßung ändern möchte? Ich beende den Anruf, werde aber im nächsten Moment von der völlig irrationalen Angst befallen, das Telefon könnte läuten, Tom könnte es oben hören, und so schiebe ich die Terrassentür auf und husche nach draußen.

Das Gras unter meinen Füßen ist feucht, die kühle Luft riecht schwer nach Regen und Rosen. In der Ferne höre ich einen Zug, ein gemächliches Grollen, er ist noch ein ganzes Stück weg. Ich gehe bis fast zum Zaun, bevor ich die Mailbox ein zweites Mal aufrufe. Ob ich meine Begrüßung ändern möchte? Ja, möchte ich. Es piept und bleibt kurz still, und dann höre ich ihre Stimme. Ihre Stimme, nicht seine. *Hi, ich bin's, Nachrichten nach dem Pieps.*

Mein Herz hört auf zu schlagen.

Es ist ihr Handy, nicht seins.

Ich spiele die Begrüßung noch mal ab.

Hi, ich bin's, Nachrichten nach dem Pieps.

Es ist ihre Stimme.

Ich kann mich nicht rühren, ich bekomme keine Luft

mehr. Wieder und wieder spiele ich die Aufnahme ab. Meine Kehle ist wie zugeschnürt, ich habe das Gefühl, gleich in Ohnmacht zu fallen, und dann geht im Obergeschoss das Licht an.

RACHEL

Sonntag, 18. August 2013

Frühmorgens

Ein Erinnerungsfetzen führte zum nächsten. So als wäre ich tagelang, wochenlang, monatelang im Dunkeln getappt und hätte nun endlich etwas ertastet. So als würde ich mit der Hand an der Wand entlangstreichen, um von einem Zimmer ins nächste zu gelangen. Irgendwann verfestigten sich die taumelnden Schatten, nach einer Weile gewöhnten sich meine Augen an das Dunkel, und ich begann zu sehen.

Anfangs natürlich nicht. Anfangs dachte ich, dass es sich um einen Traum handeln müsste, auch wenn es sich anfühlte wie eine Erinnerung. Ich saß da, auf dem Sofa, wie gelähmt vor Schock, und hielt mir vor, dass ich schon öfter Dinge falsch abgespeichert hatte, dass ich schließlich schon öfter davon überzeugt gewesen war, dass irgendetwas sich ganz anders abgespielt hatte, als es in Wahrheit passiert war.

Wie damals, als wir zu dieser Party bei Toms Kollegen gingen und uns königlich amüsierten, obwohl ich irrsinnig betrunken war. In meiner Erinnerung gab ich Clara sogar einen Abschiedskuss. Clara war die Gattin des Kollegen, eine wirklich nette Frau, warmherzig und freundlich. In meiner Erinnerung sagte sie zu mir, wir sollten uns unbedingt wieder treffen; in meiner Erinnerung hielt ich ihre Hand in meiner.

All das war mir ganz deutlich in Erinnerung, nur war es wohl nicht so passiert. Und dass es nicht so passiert war, begriff ich am folgenden Morgen, als Tom mir den Rücken zudrehte, sobald ich ihn ansprach. Ich weiß genau, dass es nicht so passiert ist, weil er mir erklärt hat, wie enttäuscht er von mir sei und wie sehr ich ihn in Verlegenheit gebracht habe, indem ich Clara beschuldigte, mit ihm zu flirten; indem ich hysterisch und ausfallend wurde.

Wenn ich die Augen zumachte, meinte ich immer noch, die Wärme ihrer Hand auf meiner Haut spüren, aber dazu war es nie wirklich gekommen. In Wahrheit hatte Tom mich halb aus dem Haus schleifen müssen, ich tränenüberströmt und laut krakeelend, während die arme Clara in der Küche saß und heulte.

Als ich also meine Augen zumachte und in den Halbtraum abglitt, in dem ich mich in der Unterführung wiederfand, konnte ich vielleicht tatsächlich die Kälte spüren und die abgestandene, schale Luft riechen, vielleicht konnte ich tatsächlich eine Gestalt in rasendem Zorn und mit erhobener Faust auf mich zukommen sehen, aber das alles war so nicht passiert. Die eisige Angst, die ich angesichts dieses Bildes empfand, war nicht real. Und auch, dass der Schatten mich niederschlug und mich weinend und blutend liegen ließ, war nicht real.

Nur dass es sehr wohl so war und ich es wirklich gesehen haben muss. Die Erkenntnis schockiert mich derart, dass ich erst gar nicht daran glauben will, aber als ich die Sonne aufgehen sehe, ist es so, als würde sich damit auch der Nebel in meinen Gedanken verziehen. Er hat mich angelogen. Dass er mich geschlagen hat, habe ich mir keineswegs nur eingebildet. Ich erinnere mich wieder daran. Genau wie ich mich daran erinnere, mich nach der Party von Clara verabschiedet und ihre Hand gehalten zu haben. Genau wie ich mich wieder an die Angst erinnere, als ich mich neben diesem Golfschläger am Boden wiederfand – und jetzt weiß ich, ich weiß mit Sicherheit, dass ich nicht damit ausgeholt habe.

Ich habe keine Ahnung, was ich tun soll. Ich laufe nach oben, ziehe mir Jeans und Turnschuhe an und laufe wieder nach unten. Ich wähle die Nummer der beiden, ihre Festnetznummer, lasse es ein paarmal klingeln und lege wieder auf. Ich weiß einfach nicht, was ich machen soll. Ich gieße Kaffee auf, lasse ihn kalt werden, wähle die Nummer von Detective Sergeant Riley und lege sofort wieder auf. Sie wird mir nicht glauben. Ich bin mir absolut sicher, dass sie mir nicht glauben wird.

Dann laufe ich zum Bahnhof. Weil Sonntag ist, kommt der nächste Zug erst eine halbe Stunde später, und ich kann nichts weiter tun, als mich auf eine Bank zu setzen, wo ich zwischen Fassungslosigkeit und Verzweiflung hin und her schwanke.

Es ist eine einzige große Lüge. Dass er mich geschlagen hat, war keine Einbildung. Dass er mit geballten Fäusten von mir wegmarschiert ist, war keine Einbildung. Ich habe gesehen, wie er sich umdrehte und mir noch irgendetwas zubrüllte. Ich habe gesehen, wie er zusammen mit einer Frau die Straße entlangging, ich habe gesehen, wie er mit ihr in sein Auto stieg. Nichts davon habe ich mir eingebildet. Und in diesem Moment begreife ich, dass alles ganz einfach ist – unglaublich einfach. Ich erinnere mich *sehr wohl*, ich hatte nur zwei Erinnerungen miteinander vermischt – ich hatte das Bild von Anna, die in ihrem blauen

Kleid von mir weggeht, in eine andere Szene eingefügt: wie Tom und eine Frau in sein Auto steigen. Und natürlich trug diese Frau kein blaues Kleid, sondern Jeans und ein rotes T-Shirt. Weil es Megan war.

ANNA

Sonntag, 18. August 2013

Frühmorgens

Ich schleudere das Handy mit aller Kraft über den Zaun. Es landet irgendwo im Geröll oben am Bahndamm, und ich meine zu hören, wie es zu dem Trampelpfad hinunterkullert. Ich meine, immer noch ihre Stimme zu hören. *Hi, ich bin's, Nachrichten nach dem Pieps.* Ich kann mir vorstellen, dass ich ihre Stimme noch sehr, sehr lange hören werde.

Als ich zum Haus zurückgehe, steht er unten an der Treppe. Er blinzelt aus verquollenen Augen und versucht, den Schlaf abzuschütteln.

»Was ist denn los?«

»Nichts«, sage ich und höre, wie meine Stimme leicht bebt.

»Was machst du dann draußen?«

»Ich dachte, ich hätte jemanden gehört«, erkläre ich ihm. »Irgendetwas hat mich aufgeweckt. Und dann konnte ich nicht wieder einschlafen.«

»Das Telefon hat geklingelt«, sagt er und reibt sich die Augen.

Ich verschränke die Hände, damit er nicht sieht, dass sie zittern. »Was? Welches Telefon?«

»Das Telefon.« Er sieht mich an, als hätte ich den Verstand verloren. »Das Telefon hat geklingelt. Irgendjemand hat angerufen und wieder aufgelegt.«

»Ach so. Ich weiß nichts. Keine Ahnung, wer das war.«

Er lacht. »Natürlich nicht. Ist alles in Ordnung?« Er kommt auf mich zu und legt die Arme um meine Taille. »Du bist irgendwie komisch drauf.« Er hält mich fest, drückt meinen Kopf an seine Brust. »Du hättest mich wecken sollen, als du was gehört hast«, sagt er. »Du hättest nicht allein rausgehen dürfen. Das ist meine Aufgabe.«

»Es ist ja nichts passiert«, sage ich, aber ich muss die Zähne zusammenbeißen, weil sie sonst klappern. Er küsst mich auf die Lippen, schiebt seine Zunge in meinen Mund.

»Lass uns wieder ins Bett gehen«, sagt er.

»Ich glaube, ich brauche erst mal einen Kaffee«, sage ich und versuche, mich aus seiner Umarmung zu befreien, aber er lässt nicht los. Seine Arme liegen eisern um meinen Körper, und dann greift seine Hand in meinen Nacken.

»Komm schon«, sagt er. »Komm mit nach oben. Und ich will kein Nein hören.«

RACHEL

Sonntag, 18. August 2013

Morgens

Ich weiß nicht, was ich sonst tun soll, also klingle ich an der Tür. Ich frage mich, ob es womöglich besser gewesen wäre, vorher anzurufen. Es gehört sich nicht, am frühen Sonntagmorgen unangemeldet irgendwo aufzutauchen. Ich muss kichern. Ich bin ganz leicht hysterisch. Im Grunde weiß ich wirklich nicht, was ich hier tue.

Niemand macht mir die Tür auf. Das Gefühl von Hysterie verstärkt sich, als ich über den schmalen Pfad neben dem Haus nach hinten gehe. Und dann habe ich wieder ein Déjà-vu. Der Morgen, an dem ich herkam und mir das kleine Mädchen holte – ich wollte ihm nichts antun. Inzwischen bin ich mir dessen absolut sicher.

Ich höre es plappern, während ich im kühlen Schatten des Hauses den Pfad entlanggehe, und frage mich, ob mir meine Einbildung gerade einen Streich spielt. Aber nein, da sitzt es, zusammen mit Anna, auf der Terrasse hinter dem Haus. Ich rufe und hieve mich über den Zaun. Anna starrt mich an. Ich rechne damit, dass sie entsetzt oder zornig reagiert, aber sie sieht nicht einmal sonderlich überrascht aus.

»Hallo, Rachel«, sagt sie, steht auf, nimmt das Kind an der Hand und zieht es ein bisschen näher an sich heran.

Ganz ruhig und ohne zu lächeln sieht sie mich an. Ihre Augen sind gerötet, ihr Gesicht blass, sauber geschrubbt, ungeschminkt.

»Was willst du?«, fragt sie.

»Ich habe geklingelt«, erkläre ich ihr.

»Ich hab nichts gehört«, sagt sie und hebt das Kind auf ihre Hüfte. Sie dreht sich halb von mir weg, als wollte sie gleich ins Haus gehen, doch dann bleibt sie stehen. Ich habe fest damit gerechnet, dass sie mich anbrüllt.

»Wo ist Tom?«

»Ausgegangen. Mit irgendwelchen Kameraden von der Army.«

»Wir müssen hier weg, Anna«, sage ich, und da fängt sie an zu lachen.

ANNA

Sonntag, 18. August 2013

Morgens

Mir kommt das alles urkomisch vor. Dass die arme, fette Rachel mit hochrotem Kopf und völlig verschwitzt in meinem Garten steht und mir erklärt, wir müssten weg. *Wir* müssten hier weg.

»Wo soll es denn hingehen?«, frage ich sie, als ich aufgehört habe zu lachen, aber sie sieht mich bloß ausdruckslos an, als fehlten ihr plötzlich die Worte. »Mit dir gehe ich ganz bestimmt nirgendwohin.« Evie beginnt zu zappeln und sich zu beschweren, darum setze ich sie wieder ab. Meine Haut fühlt sich immer noch heiß und dünn an, nachdem ich mich heute Morgen unter der Dusche abgeschrubbt habe; die Innenseite meines Mundes, meine Wangen, meine Zunge – alles fühlt sich zerbissen an.

»Wann kommt er zurück?«, fragt sie mich.

»Nicht so schnell, würde ich meinen.«

Tatsächlich habe ich keine Ahnung, wann er wiederkommt. Manchmal kann er ganze Tage an der Kletterwand verbringen. Jedenfalls glaubte ich immer, dass er ganze Tage an der Kletterwand verbringen würde. Jetzt bin ich mir nicht mehr so sicher.

Ich weiß zumindest, dass er diesmal die Sporttasche

mitgenommen hat. Er wird bestimmt bald feststellen, dass das Handy nicht mehr da ist.

Ich habe mit dem Gedanken gespielt, vorübergehend mit Evie zu meiner Schwester zu ziehen, aber das Handy macht mir Sorgen. Was, wenn jemand es findet? Auf diesem Streckenabschnitt sind ständig Gleisarbeiter beschäftigt; einer davon könnte es finden und der Polizei übergeben. Meine Fingerabdrücke sind darauf.

Dann dachte ich, dass es vielleicht gar nicht so schwierig wäre, es zurückzuholen, dass ich nur bis Einbruch der Dunkelheit warten müsste, damit mich keiner sieht.

Erst da merke ich, dass Rachel immer noch redet; dass sie mir Fragen stellt. Ich habe ihr nicht zugehört. Ich bin so schrecklich müde.

»Anna«, sagt sie, tritt auf mich zu und sucht mit ihren tiefen, dunklen Augen in meinen nach einer Antwort. »Hast du je einen von ihnen getroffen?«

»Wen?«

»Seine Freunde von der Army? Hat er dir je einen von ihnen vorgestellt?«

Ich schüttle den Kopf.

»Findest du das nicht eigenartig?«

Mir schießt durch den Kopf, dass fast nichts so eigenartig ist, wie sie an einem Sonntagmorgen in aller Frühe in meinem Garten stehen zu sehen.

»Eigentlich nicht«, sage ich. »Sie gehören zu einem anderen Leben. Einem von vielen. Genau wie du. Genau wie du es tun solltest, aber dich werden wir irgendwie wohl nicht mehr los.« Sie verzieht verletzt das Gesicht. »Weshalb bist du hier, Rachel?«

»Du weißt genau, weshalb ich hier bin«, sagt sie. »Du weißt, dass … dass da irgendwas läuft.« Sie sieht mich ernst an, als wäre sie um mich besorgt. Unter anderen Umständen wäre das beinahe rührend.

»Möchtest du einen Kaffee?«, frage ich, und sie nickt.

Ich mache Kaffee, und wir sitzen nebeneinander auf der Terrasse, bis sich das Schweigen beinahe einvernehmlich anfühlt.

»Was wolltest du vorhin andeuten?«, frage ich sie schließlich. »Dass Toms Freunde von der Army gar nicht existieren? Dass er sie erfunden hat? Dass er in Wahrheit bei einer anderen Frau ist?«

»Das weiß ich nicht«, sagt sie.

»Rachel …«

Sie hebt den Blick, und ich sehe ihr an, dass sie Angst hat.

»Gibt es irgendetwas, was du mir erzählen möchtest?«

»Hast du je Toms Familie kennengelernt?«, fragt sie mich. »Seine Eltern?«

»Nein. Sie sprechen nicht mit ihm. Sie haben mit ihm gebrochen, als er sich für mich entschieden hat.«

Sie schüttelt den Kopf. »Das ist nicht wahr«, sagt sie. »Ich habe sie auch nie kennengelernt. Wieso sollte es sie stören, dass er mich verlässt, wenn sie mich gar nicht kennen?«

In meinem Kopf, ganz hinten in meinem Schädel, verdichtet sich die Dunkelheit. Seit ich die Ansage auf der Mailbox gehört habe, versuche ich mit aller Macht, sie zurückzudrängen, aber jetzt schwillt sie an und macht sich breit und immer breiter.

»Ich glaube dir kein Wort«, sage ich. »Warum sollte er diesbezüglich lügen?«

»Weil er grundsätzlich lügt.«

Ich stehe auf und gehe von ihr weg. Ich bin wütend

auf sie, weil sie mir so was ins Gesicht sagt. Und ich bin wütend auf mich selbst, weil ich beginne, ihr zu glauben. Ich glaube, ich habe von Anfang an gewusst, dass Tom lügt. Nur haben mir seine Lügen in der Vergangenheit meist in die Hände gespielt.

»Er ist ein guter Lügner«, gestehe ich ihr zu. »Du hast ewig nichts geahnt, stimmt's? Monatelang haben wir uns heimlich getroffen, uns in diesem Haus in der Cranham Street um den Verstand gevögelt, ohne dass du irgendwas bemerkt hättest.«

Sie schluckt und beißt sich fest auf die Lippe. »Megan«, sagt sie dann. »Was war mit Megan?«

»Ich weiß, dass sie eine Affäre hatten.« Die Worte klingen fremd – es ist das erste Mal, dass ich sie laut ausspreche. Er hat mich betrogen. Er hat *mich* betrogen. »Ich wette, das gefällt dir«, sage ich zu ihr, »aber jetzt ist sie ja nicht mehr da, also braucht es mich auch nicht weiter zu stören, oder?«

»Anna…«

Die Dunkelheit wächst weiter an; sie presst gegen meine Schädeldecke, verengt mein Blickfeld. Ich nehme Evie an der Hand und will sie ins Haus ziehen. Sie protestiert energisch.

»Anna…«

»Sie hatten eine Affäre. Basta. Mehr nicht. Das heißt noch lange nicht…«

»Dass er sie umgebracht hat?«

»Sag das nicht!« Ich merke, dass ich sie anschreie. »Sag das nicht vor meinem Kind!«

Ich gebe Evie einen kleinen Snack, und zum ersten Mal seit Wochen isst sie, ohne zu klagen. Es ist fast, als wüsste sie, dass ich gerade andere Sorgen habe, und dafür liebe ich sie umso mehr. Ich bin unvergleichlich ruhiger, als wir wieder nach draußen gehen, obwohl Rachel immer noch da ist, am Ende des Gartens am Zaun steht und einem vorbeifahrenden Zug nachsieht. Als sie nach einer Weile merkt, dass ich zurück bin, kommt sie auf mich zu.

»Du magst sie, stimmt's?«, sage ich. »Die Züge. Ich hasse sie. Ich kann diese Drecksdinger nicht ausstehen.«

Sie schenkt mir ein schiefes Lächeln. Mir fällt auf, dass sie auf der linken Wange ein tiefes Grübchen hat. Das ist mir noch nie aufgefallen. Wahrscheinlich habe ich sie nicht oft lächeln sehen. Wenn überhaupt jemals.

»Noch so eine Lüge«, sagt sie. »Mir hat er erzählt, du würdest dieses Haus lieben, du würdest alles daran lieben – sogar die Züge. Er hat mir erzählt, du würdest nicht im Traum daran denken, von hier wegzuziehen. Und dass du unbedingt bei ihm einziehen wolltest, obwohl ich vor dir hier gewohnt hatte.«

Ich schüttle den Kopf. »Blödsinn – warum sollte er dir so etwas erzählen?«, frage ich. »Das ist kompletter Quatsch. Seit zwei Jahren lieg ich ihm in den Ohren und beknie ihn, das Haus endlich zu verkaufen.«

Sie zuckt mit den Schultern. »Er lügt eben, Anna. Ständig.«

Die Dunkelheit breitet sich weiter aus. Ich ziehe Evie auf meinen Schoß, und sie bleibt ganz zufrieden sitzen. In der Sonne wird sie schläfrig. »Also waren diese ganzen Anrufe …«, setze ich an. Erst jetzt ergibt das alles langsam einen Sinn. »Das warst gar nicht du? Ich meine – manchmal warst es du, das weiß ich, aber manchmal …«

»War Megan dran? Ja, das kann ich mir gut vorstellen.«

Es ist merkwürdig, denn obwohl ich jetzt weiß, dass ich die ganze Zeit über die falsche Frau gehasst habe, bewirkt dieses Wissen nicht, dass Rachel mir sympathischer wird. Im Gegenteil, eigentlich kann ich sie jetzt noch viel weniger leiden, wenn ich sie so ruhig, betroffen, nüchtern sehe, weil ich dadurch eine Ahnung davon bekomme, was er damals in ihr gesehen hat. Was er an ihr geliebt haben muss.

Ich sehe auf die Uhr. Es ist nach elf. Er ist gegen acht losgefahren, schätze ich, vielleicht ein bisschen früher. Bestimmt hat er das mit dem Handy längst bemerkt. Höchstwahrscheinlich weiß er es schon eine ganze Weile. Vielleicht glaubt er, dass es ihm aus der Tasche gefallen ist. Vielleicht fragt er sich, ob es oben unter unserem Bett liegt.

»Wie lange weißt du es schon?«, frage ich sie. »Das mit der Affäre?«

»Ich wusste es nicht«, sagt sie. »Bis heute. Ich meine, ich weiß nicht, was zwischen den beiden lief, ich weiß nur ...«

Zum Glück verstummt sie, denn ich bin mir nicht sicher, ob ich es aushalten könnte, sie über die Untreue meines Mannes reden zu hören. Der Gedanke, dass sie und ich – die fette, traurige Rachel und ich – plötzlich im selben Boot sitzen, wäre unerträglich.

»Glaubst du, es war seins?«, fragt sie mich dann. »Glaubst du, es war sein Kind?«

Ich starre sie an, ohne sie wirklich anzusehen, ich sehe nur noch Dunkelheit und höre nichts als ein Rauschen in meinen Ohren, wie das Rauschen des Meeres oder eines tief fliegenden Flugzeugs.

»Was hast du gesagt?«

»Das ... entschuldige.« Sie wird rot, verlegen. »Das hätte ich nicht ... Sie war schwanger, als sie starb. Megan war schwanger. Es tut mir leid ...«

In Wahrheit tut es ihr ganz und gar nicht leid, da bin ich mir sicher, und ich will auf keinen Fall vor ihr die Fassung verlieren. Aber dann senke ich den Blick, ich sehe Evie, und eine Trauer, wie ich sie noch nie zuvor empfunden habe, bricht wie eine Welle über mir zusammen und presst den Atem aus meiner Brust. Evies Bruder. Evies Schwester. Tot. Rachel setzt sich neben mich und legt den Arm um meine Schulter.

»Es tut mir leid«, sagt sie erneut, und ich würde ihr am liebsten eine runterhauen. Mir haben sich die Härchen aufgestellt, sowie ich ihre Haut auf meiner spürte. Ich will sie wegstoßen, ich will sie anschreien, aber das kann ich nicht. Sie lässt mich eine Weile weinen und erklärt dann ganz klar und entschieden: »Anna, ich glaube, wir sollten von hier verschwinden. Ich glaube, du solltest ein paar Sachen für dich und Evie einpacken, und dann sollten wir von hier verschwinden. Du kannst vorerst mit zu mir kommen, bis ... bis sich alles geklärt hat.«

Ich tupfe mir die Augen trocken und schiebe mich von ihr weg. »Ich werde ihn nicht verlassen, Rachel. Er hatte eine Affäre, er ... Es ist schließlich nicht das erste Mal, oder?« Ich muss lachen, und Evie lacht ebenfalls.

Rachel steht auf und seufzt. »Du weißt, dass es nicht nur um eine Affäre geht, Anna. Und ich weiß, dass du das auch weißt.«

»Wir wissen überhaupt nichts«, erwidere ich, aber ich kann nur mehr flüstern.

»Sie ist zu ihm ins Auto gestiegen. An jenem Abend. Ich habe sie gesehen. Auch wenn ich mich erst nicht daran erinnern konnte – anfangs dachte ich, das wärst du gewesen«, sagt sie. »Aber jetzt erinnere ich mich wieder daran. Ich weiß es wieder.«

»Nein …«

Evie presst ihre kleine, klebrige Hand auf meinen Mund.

»Wir müssen mit der Polizei reden, Anna.« Sie macht einen Schritt auf mich zu. »Bitte, du darfst nicht hier bei ihm bleiben.«

Trotz der Sonne zittere ich. Ich versuche, mir Megans letzten Besuch in unserem Haus ins Gedächtnis zu rufen, was für ein Gesicht er machte, als sie uns erklärte, dass sie nicht länger für uns arbeiten würde. Ich versuche, mich daran zu erinnern, ob er erleichtert oder enttäuscht ausgesehen hat. Und unwillkürlich drängt sich mir ein anderes Bild auf: eines der ersten Male, als sie auf Evie aufpassen sollte. Eigentlich hatte ich mit meinen Mädels ausgehen wollen, aber ich war so müde, dass ich stattdessen nach oben ging, um ein Nickerchen zu halten. Tom war nach Hause gekommen, während ich im Bett lag, und als ich wieder nach unten kam, sah ich die beiden zusammen. Sie lehnte an der Küchentheke, und er stand ein bisschen zu dicht vor ihr. Evie saß im Hochstuhl und weinte, aber keiner von beiden kümmerte sich um sie.

Mir wird eiskalt. Ahnte ich damals schon, dass er es auf sie abgesehen hatte? Megan war blond und schön – sie war wie ich. Also ja, wahrscheinlich wusste ich, dass er es auf sie abgesehen hatte, so wie ich weiß, dass es verheiratete Männer gibt, die mir – obwohl sie neben ihren Frauen herlaufen und ein Kind im Arm halten – nachstarren und darüber nachdenken, wenn ich die Straße entlanggehe. Also, ja, vielleicht wusste ich es wirklich. Er hatte es auf sie abgesehen, und er hat sie gehabt. Aber nicht *das*. Dazu wäre er nicht fähig. Nicht Tom. Der Liebhaber, der Ehemann. Der Vater. Der gute Vater und klaglose Versorger.

»Du hast ihn geliebt«, rufe ich ihr in Erinnerung. »Du liebst ihn immer noch, nicht wahr?«

Sie schüttelt den Kopf, aber ohne Überzeugungskraft.

»Oh doch. Und du weißt ... Du weißt, dass das nicht sein kann.« Ich stehe auf, hebe Evie hoch und mache einen Schritt auf sie zu. »So etwas würde er niemals tun, Rachel. Du weißt, dass er so was nie tun würde. Du könntest doch keinen Mann lieben, der so was getan hätte, oder?«

»Ich habe ihn geliebt«, sagt sie leise. »Genau wie du.« Tränen laufen ihr übers Gesicht. Sie wischt sie weg, und im nächsten Augenblick verändert sich etwas in ihrem Ausdruck, und sie verliert jede Farbe. Sie sieht nicht mehr mich an, sondern über meine Schulter hinweg, und als ich mich umdrehe, um ihrem Blick zu folgen, sehe ich, dass er am Küchenfenster steht und uns beobachtet.

MEGAN

Freitag, 12. Juli 2013

Morgens

Sie zwingt mich zum Handeln. Oder er. Aber mein Bauch sagt: sie. Womöglich spricht da auch mein Herz zu mir, was weiß denn ich. Ich kann sie spüren, genau wie damals, zusammengerollt, ein Samenkorn in seiner Kapsel, nur dass das Samenkorn lächelt. Und seine Zeit abwartet. Ich kann sie nicht hassen. Und ich kann sie auch nicht einfach wegmachen lassen. Das kann ich nicht. Ich dachte, ich wäre dazu in der Lage – ich dachte, ich könnte es kaum erwarten, sie entfernen zu lassen –, aber wenn ich an sie denke, sehe ich immer nur Libbys Gesicht vor mir und ihre dunklen Augen, ich rieche ihre Haut, und ich spüre, wie kalt sie zuletzt war. Ich kann sie unmöglich wegmachen lassen. Und ich will es auch gar nicht. Ich will sie lieben.

Ich kann sie nicht hassen. Aber sie macht mir Angst. Ich fürchte mich davor, was sie mit mir tun wird oder ich mit ihr. Genau diese Angst hat mich heute Morgen um kurz nach fünf aus dem Schlaf gerissen – schweißgebadet, trotz der offenen Fenster und obwohl ich allein bin. Scott ist bei einer Tagung, irgendwo in Hertfordshire oder Essex oder sonst irgendwo. Heute Abend kommt er zurück.

Was stimmt nicht mit mir, wieso kann ich es kaum erwarten, allein zu sein, wenn er hier ist, und ertrage es nicht, wenn er weg ist? Die Stille ist kaum auszuhalten. Ich rede schon mit mir selbst, nur um sie zu übertönen. Heute Morgen im Bett ging mir ständig durch den Kopf: Und wenn es noch einmal passiert? Was, wenn ich mal mit ihr allein bin? Was, wenn er nicht mehr mit mir zusammen sein will – mit uns? Was, wenn er merkt, dass sie nicht von ihm ist?

Selbstverständlich könnte sie von ihm sein, ich weiß es natürlich nicht, aber ich spüre, dass es nicht so ist. So wie ich spüre, dass sie eine Sie ist. Aber selbst wenn sie nicht von ihm ist – wie sollte er das merken? Das wird er nicht. Das kann er nicht. Ich mache mich nur verrückt. Er wird überglücklich sein. Er wird ausflippen vor Freude, wenn ich es ihm erzähle. Er wird gar nicht auf den Gedanken kommen, dass sie nicht von ihm sein könnte. Es wäre grausam, es ihm zu verraten, es würde ihm das Herz brechen, und ich will ihm nicht wehtun. Ich wollte ihm nie wehtun.

Ich kann nur eben nichts daran ändern, wie ich nun mal bin.

»Aber du kannst etwas daran ändern, wie du dich verhältst.« Das sagt jedenfalls Kamal.

Kamal hab ich um kurz nach sechs angerufen. Da drohte mich die Stille fast zu erdrücken, und ich geriet allmählich in Panik. Ich hatte sogar darüber nachgedacht, Tara anzurufen – ich wusste, sie würde für mich sofort alles stehen und liegen lassen –, aber ich glaube, das hätte ich nicht ausgehalten, sie wäre zu anhänglich und überfürsorglich gewesen. Kamal war der Einzige, der mir ansonsten einfiel. Ich rief ihn zu Hause an. Ich sagte ihm, dass ich in Schwierigkeiten stecke, dass ich nicht wisse, was ich tun soll, dass ich noch verrückt werde. Er kam sofort vorbei. Nicht ganz, ohne erst ein paar Rückfragen zu stellen, aber fast. Vielleicht habe ich ein bisschen zu dick aufgetragen. Vielleicht hatte er Angst, dass ich *etwas Dummes* anstellen könnte.

Wir sitzen in der Küche. Es ist noch früh, kurz nach halb acht. Er muss bald aufbrechen, damit er rechtzeitig zu seinem ersten Termin kommt. Ich sehe ihn mir gegenüber am Küchentisch sitzen, die Hände korrekt über der Tischplatte gefaltet, die tiefbraunen Augen auf mich gerichtet, und ich empfinde Liebe. Ehrlich. Er war so gut zu mir, obwohl ich mich derart beschissen aufgeführt habe. Er hat mir alles vergeben, genau wie ich gehofft hatte. Er hat alles ausgewischt, all meine Sünden. Er hat mir erklärt, dass ich mir selbst verzeihen müsse, denn sonst gehe das ewig so weiter und ich werde auf ewig fortlaufen. Aber jetzt kann ich nicht mehr fortlaufen, oder? Nicht mit ihr.

»Ich habe Angst«, sage ich zu ihm. »Und wenn ich wieder alles falsch mache? Wenn mit mir irgendwas nicht stimmt? Wenn das mit Scott nicht hält? Wenn ich irgendwann wieder allein dastehe? Ich weiß nicht, ob ich das schaffe, ich habe solche Angst, wieder allein dazustehen – ich meine, allein mit einem Kind ...«

Er beugt sich vor und legt seine Hand auf meine. »Du wirst nichts falsch machen. Ganz sicher nicht. Du bist kein trauerndes, verlorenes Kind mehr. Du bist inzwischen ein anderer Mensch. Du bist stärker, du bist erwachsen geworden. Du brauchst dich nicht vor dem Alleinsein zu fürchten. Es gibt Schlimmeres, nicht wahr?«

Ich sage nichts, aber insgeheim frage ich mich, ob er damit recht hat, denn ich brauche nur die Augen zu schließen, und schon kann ich das Gefühl heraufbeschwören, das mich jedes Mal kurz vor dem Einschlafen überkommt und mich wieder hochfahren lässt. Es ist das Gefühl, allein in einem dunklen Haus zu sitzen, auf ihr Weinen zu lauschen, auf Macs Schritte über dem Holzboden zu warten und zu wissen, dass ich beides nie wieder hören werde.

»Was Scott angeht, kann ich dir keinen Rat geben. Deine Beziehung zu ihm … Also, du kennst meine Bedenken, aber das musst du selbst entscheiden. Du musst entscheiden, ob du ihm vertraust und ob du *willst*, dass er sich um dich und dein Kind kümmert. Diese Entscheidung liegt ganz allein bei dir. Aber ich denke, du kannst dir selbst vertrauen, Megan. Du kannst darauf vertrauen, dass du das Richtige tun wirst.«

Draußen auf dem Rasen bringt er mir einen Kaffee. Ich stelle den Becher ab und schließe ihn in die Arme, ziehe ihn an mich. Hinter uns rumpelt ein Zug bis ans Signal. Der Lärm umschließt uns wie eine Barrikade, wie eine Mauer, und gibt mir das Gefühl, mit ihm allein zu sein. Er umarmt mich und gibt mir einen Kuss.

»Danke«, sage ich. »Danke, dass du gekommen bist, danke, dass du da bist.«

Lächelnd löst er sich aus meiner Umarmung und streicht sanft mit dem Daumen über meine Wange. »Du schaffst das, Megan.«

»Könnten wir nicht einfach zusammen durchbrennen? Du und ich … Könnten wir nicht einfach abhauen?«

Er lacht. »Du brauchst mich nicht. Und du brauchst auch nicht mehr abzuhauen. Du schaffst das. Du und dein Baby, ihr schafft das schon.«

Samstag, 13. Juli 2013

Morgens

Ich weiß jetzt, was ich tun werde. Ich habe gestern den ganzen Tag und die ganze Nacht darüber nachgedacht. Ich habe kaum geschlafen. Scott kam total fertig und mit einer Scheißlaune nach Hause; er wollte bloß noch essen, eine schnelle Nummer schieben und einschlafen, für etwas anderes hatte er keine Zeit. Es war eindeutig nicht der Zeitpunkt für eine Aussprache.

Ich war fast die ganze Nacht wach, während er heiß und rastlos neben mir lag, und fällte meine Entscheidung. Ich tue das Richtige. Ab sofort werde ich alles richtig machen. Wenn ich alles richtig mache, kann auch nichts Schlimmes passieren. Und falls doch, ist es wenigstens nicht meine Schuld. Ich werde dieses Kind lieben, und ich werde es in dem Wissen großziehen, dass ich von Anfang an alles richtig gemacht habe. Na schön, vielleicht nicht ganz von Anfang an, aber sowie ich erfahren habe, dass ich schwanger bin. Das bin ich dem Baby schuldig, und das bin ich auch Libby schuldig. Ich bin es ihr schuldig, dass ich diesmal alles anders mache. Lange lag ich da und dachte darüber nach, was mein Lehrer damals gesagt hatte und was ich schon alles gewesen war: Kind, rebellischer Teenager, Straßenkind, Hure, Geliebte, schlechte Mutter, schlechte Ehefrau. Ich bin mir nicht sicher, ob ich mich je in eine gute Ehefrau verwandeln kann, aber eine gute Mutter – das muss ich auf jeden Fall versuchen.

Es wird schwer werden. Vielleicht wird es das Schwerste, was ich je im Leben tun muss, aber ich werde ihm die Wahrheit sagen. Schluss mit den Lügen und dem Versteckspiel,

Schluss mit dem Davonlaufen und dem ganzen Mist. Ich werde alles offen ansprechen, und dann werden wir schon sehen. Wenn er mich danach nicht mehr lieben kann, dann soll es wohl so sein.

Abends

Meine Hand drückt gegen seine Brust, sie stemmt sich mit aller Kraft dagegen, aber ich bekomme keine Luft, er ist so viel stärker als ich. Sein Unterarm liegt über meiner Luftröhre, ich spüre das Blut in meinen Schläfen pulsieren, und mir ist schummrig vor Augen. Den Rücken an die Wand gepresst, versuche ich zu schreien. Ich bekomme sein T-Shirt zu fassen, und er lässt los. Er dreht sich von mir weg, und ich rutsche an der Wand hinab auf den Küchenboden.

Ich huste, spucke, Tränen laufen mir übers Gesicht. Er bleibt nach zwei Schritten stehen, und als er sich wieder zu mir umdreht, fasse ich mir instinktiv an die Kehle. Ich sehe die Scham in seinem Gesicht und will ihm sagen, dass nichts passiert ist. Mir ist nichts passiert. Doch als ich den Mund aufmache, kommen keine Worte heraus, nur Husten. Es tut unglaublich weh. Er sagt etwas, aber ich höre ihn nicht, es ist, als wären wir unter Wasser, alle Geräusche klingen gedämpft, erreichen mich nur noch verschwommen, in Wellen. Ich verstehe kein Wort.

Ich glaube, er sagt, dass es ihm leidtue.

Ich komme mühsam wieder auf die Füße, stoße ihn zur Seite und renne die Treppe hoch; oben knalle ich die Schlafzimmertür hinter mir zu und schließe ab. Ich setze mich aufs Bett und warte, horche auf seine Schritte, aber er kommt mir nicht nach. Ich stehe wieder auf, ziehe meine Reisetasche unter dem Bett hervor, gehe zur Kommode, um ein paar Sachen einzupacken, und sehe mich dabei im Spiegel. Ich lege die Hand an mein Gesicht; sie hebt sich leuchtend weiß von meiner geröteten Haut, den blau angelaufenen Lippen, den rot geäderten Augen ab. Halb stehe ich unter Schock, weil er mir gegenüber noch nie so handgreiflich geworden ist. Aber halb hatte ich damit gerechnet. Insgeheim wusste ich schon immer, dass diese Möglichkeit bestand; dass wir uns darauf zubewegten. Dass ich ihn dorthin lenkte. Langsam ziehe ich meine Sachen aus der Schublade – Unterwäsche, ein paar T-Shirts. Ich stopfe sie in die Tasche.

Dabei habe ich ihm gar nichts erzählt. Ich hatte gerade erst angefangen. Ich hatte ihm erst die schlimmen Sachen erzählen und danach zu den schönen Sachen kommen wollen. Ich konnte ihm doch nicht erst von dem Baby erzählen und dann sagen, dass es möglicherweise nicht von ihm ist. Das wäre zu grausam gewesen.

Wir waren draußen auf der Terrasse. Er erzählte von der Arbeit und ertappte mich dabei, dass ich nur mit halbem Ohr zuhörte.

»Langweile ich dich?«, fragte er.

»Nein. Na gut, vielleicht ein bisschen.« Er fand das nicht besonders komisch. »Ach was, ich bin nur ein bisschen zerstreut ... weil ich etwas mit dir besprechen muss. Genauer gesagt gibt es da ein paar Dinge, die ich dir sagen muss, und manches wird dir sicher nicht gefallen, aber manches ...«

»Was wird mir nicht gefallen?« Schon da hätte mir klar sein müssen, dass jetzt nicht der richtige Zeitpunkt dafür war; dass er nicht in der richtigen Stimmung war. Er wurde schlagartig misstrauisch und suchte in meiner

Miene nach Hinweisen. Spätestens da hätte ich wissen müssen, dass es eine bescheuerte Idee gewesen war. Wahrscheinlich wusste ich es sogar, aber da war es bereits zu spät, um noch einen Rückzieher zu machen. Außerdem hatte ich meine Entscheidung bereits gefällt. Alles richtig zu machen.

Ich setzte mich neben ihn an den Rand des Terrassenpflasters und schob meine Hand in seine.

»Was wird mir nicht gefallen?«, fragte er noch mal, ließ meine Hand aber nicht los.

Ich erklärte ihm, dass ich ihn liebe, und spürte, wie sich sofort sämtliche Muskeln in seinem Körper anspannten, als wüsste er genau, was gleich kommen würde, als machte er sich auf den Schlag gefasst. Man verkrampft sich, wenn einem jemand in so einer Situation erklärt, dass er einen liebe. Ich liebe dich, ehrlich, aber ... *Aber.*

Ich sagte ihm, dass ich einige Fehler gemacht habe, und er ließ meine Hand los. Er stand auf und ging ein paar Schritte in Richtung Bahnstrecke, bevor er sich wieder zu mir umdrehte. »Was für Fehler?«, fragte er. Seine Stimme war ganz ruhig, aber ich konnte hören, wie sehr er sich anstrengen musste.

»Komm her und setz dich zu mir«, sagte ich. »Bitte.«

Er schüttelte den Kopf. »Was für Fehler, Megan?« Diesmal lauter.

»Es gab da ... Es ist aus, aber es gab ... Es gab da jemanden.« Ich hatte den Kopf gesenkt, ich konnte ihn einfach nicht ansehen.

Er knurrte etwas in sich hinein, das ich nicht verstand. Also sah ich wieder auf, aber da hatte er sich schon wieder umgedreht und starrte, die Hände an den Schläfen, auf die Gleise hinaus. Ich stand auf, ging zu ihm, stellte mich hinter ihn und legte die Hände um seine Taille, aber er sprang regelrecht von mir weg, marschierte zum Haus zurück und fauchte, ohne mich dabei anzusehen: »Rühr mich nicht an, du Hure.«

Ich hätte ihn gehen lassen sollen. Ich hätte ihm Zeit geben sollen, das alles zu verarbeiten, aber das konnte ich nicht. Ich folgte ihm ins Haus, weil ich die schlechten Neuigkeiten loswerden und zu den guten kommen wollte.

»Scott, bitte hör mir zu, es ist nicht so schlimm, wie du denkst. Es ist vorbei. Absolut vorbei, bitte hör mir zu, bitte…«

Er nahm das Foto von uns beiden, das er so liebt – das ich als Geschenk zu unserem zweiten Hochzeitstag hatte rahmen lassen –, und schleuderte es mit aller Kraft in meine Richtung. Noch während es neben meinem Kopf an der Wand zerschellte, stürzte er auf mich zu, packte mich an den Schultern, schubste mich durch den Raum und schleuderte mich gegen die Wand. Mein Kopf flog nach hinten, und mein Schädel donnerte gegen den Putz. Er drückte mir den Unterarm auf die Kehle und beugte sich vor, beugte sich immer weiter vor, ohne einen Ton zu sagen. Die Augen hatte er geschlossen, damit er nicht sehen musste, wie ich um Luft rang.

Sobald ich meine Tasche gepackt habe, packe ich sie wieder aus und stopfe alles zurück in die Schubladen. Er wird mich bestimmt nicht gehen lassen, wenn ich versuche, mit einer Tasche in der Hand das Haus zu verlassen. Ich muss mit leeren Händen gehen, mit nichts als meiner Handtasche und meinem Handy. Dann überlege ich es mir anders und beginne wieder, alles in die Tasche zu stopfen. Ich weiß nicht, wo ich hinwill, aber ich weiß, dass ich nicht hierbleiben kann. Immer wenn ich die Augen schließe, spüre ich seine Hände an meiner Kehle.

Ich weiß, was ich beschlossen habe – nicht mehr wegzurennen, mich nicht mehr zu verstecken –, aber heute Nacht kann ich unmöglich hierbleiben. Ich höre Schritte auf der Treppe, langsam und bleiern schwer. Er braucht eine Ewigkeit für die Stufen – normalerweise ist er in ein paar Sätzen oben, aber heute hört er sich an wie ein Mann auf dem Weg zum Schafott. Nur dass ich nicht weiß, ob er der Verurteilte ist oder der Henker.

»Megan?« Er versucht nicht, die Tür zu öffnen. »Megan, es tut mir leid, dass ich dir wehgetan habe. Es tut mir ehrlich leid, dass ich dir wehgetan habe.« Ich kann die Tränen in seiner Stimme hören. Das Zittern macht mich wütend, am liebsten würde ich durch die Tür stürmen und ihm das Gesicht zerkratzen. *Wage es nicht zu heulen, nicht nach dem, was du gerade getan hast.* Ich bin rasend vor Wut auf ihn, ich will ihn anschreien, ihm entgegenschleudern, dass er sich verflucht noch mal von der Tür und von mir verpissen soll, aber ich beiße mir auf die Zunge. So dumm bin ich nicht. Er hat allen Grund, wütend zu sein. Und ich muss rational, ich muss klar denken. Ich denke jetzt für zwei. Diese Auseinandersetzung hat mir Kraft gegeben, sie hat mich noch entschlossener gemacht. Ich höre, wie er vor der Tür um Verzeihung bettelt, aber daran kann ich jetzt keinen Gedanken verschwenden. Im Augenblick gibt es für mich Wichtigeres.

Ganz hinten in meinem Schrank, in der untersten von drei Reihen mit spießig beschrifteten Schuhkartons, liegt ein dunkelgrauer Karton mit der Aufschrift »rote Keilabsatz-Stiefel«, und in diesem Karton liegt ein altes Handy, ein Prepaid-Relikt, das ich vor Jahren mal gekauft und nur für den Fall der Fälle behalten habe. Ich habe es schon länger nicht mehr in der Hand gehabt, aber heute ist es so weit. Ich werde ehrlich sein. Ich werde alle Karten auf den Tisch legen. Keine Lügen mehr, kein Versteckspiel mehr. Es wird Zeit, dass Daddy sich der Verantwortung stellt.

Ich setze mich aufs Bett, schalte das Handy ein und bete, dass der Akku hält. Es leuchtet auf, und sofort spüre ich das Adrenalin in meinen Adern, eine Mischung aus Schwindel und leichter Übelkeit und dazu ein Kribbeln, als wäre ich high. Ich beginne, mich zu freuen, ich freue mich tatsächlich darauf, endlich auszupacken und ihm vor Augen zu führen – uns allen vor Augen zu führen –, was wir sind und was bald auf uns zukommt. Heute Abend wird jeder von uns wissen, wo er oder sie steht.

Ich wähle seine Nummer. Wie erwartet springt sofort die Mailbox an. Ich lege auf und schicke ihm eine SMS. *Ich muss mit dir reden. DRINGEND. Ruf mich zurück.* Dann sitze ich da und warte.

Ich rufe die Anrufliste auf. Das letzte Mal habe ich das Handy im April benutzt. Davor gab es haufenweise Versuche, alle unbeantwortet, Anfang April, Ende März. Wieder und wieder habe ich bei ihm angerufen, aber er hat sich taub gestellt, er reagierte nicht einmal, als ich ihm drohte, dass ich ihn zu Hause aufsuchen und dass ich mit seiner Frau sprechen würde. Ich glaube, diesmal wird er mir trotz allem zuhören. Diesmal werde ich ihn dazu bringen, mir zuzuhören.

Anfangs war es nur ein Spiel. Ein Zeitvertreib. Wir trafen uns hin und wieder. Mal tauchte er in der Galerie auf und lächelte und flirtete mit mir, ohne dass es was zu bedeuten gehabt hätte – eine ganze Reihe Männer schauten hin und wieder in der Galerie vorbei und lächelten und flirteten. Aber dann machte die Galerie zu, und ich hockte nur noch zu Hause herum, war rastlos und gelangweilt. Ich war auf der Suche nach ein bisschen Abwechslung, nach etwas Neuem. Dann begegneten wir uns eines Tages – Scott war wieder einmal beruflich unterwegs – draußen auf der Straße. Wir unterhielten uns, und ich lud ihn auf einen Kaffee zu mir ein. Ich konnte an seinem Blick genau erkennen, was in seinem Kopf vorging, und so passierte es dann auch. Und dann passierte es noch mal, ohne dass ich irgendwelche diesbezüglichen Absichten gehabt hätte; ich wollte nicht, dass es irgendwohin führte. Ich genoss es einfach, begehrt zu werden, ich genoss das Gefühl, Macht über ihn zu haben. So einfach, so dämlich war das. Ich wollte nicht, dass er seine Frau verließ; ich wollte nur, dass er sie verlassen *wollte*. Dass er mich mehr begehrte als sie.

Ich weiß nicht mehr genau, wann ich begann zu glauben, dass mehr aus uns werden könnte, dass mehr aus uns werden sollte, dass wir füreinander bestimmt wären. Aber ich spürte, wie er sich zusehends zurückzog, sobald ich es zu glauben begann. Er schickte keine Nachrichten mehr, rief nicht mehr zurück. Noch nie hatte ich mich derart zurückgewiesen gefühlt, wirklich noch nie. Es war ein widerliches Gefühl. Und so wurde etwas anderes daraus: eine Obsession. Inzwischen kann ich das erkennen. Zum Schluss dachte ich, ich könnte mich endlich von all dem lösen, angeschlagen zwar, aber ohne wirklich Schaden genommen zu haben. Doch so einfach ist es jetzt nicht mehr.

Scott belagert immer noch die Tür. Ich kann ihn nicht hören, aber ich kann ihn spüren. Ich gehe ins Bad und wähle erneut seine Nummer. Wieder lande ich auf der Mailbox, also lege ich auf und wähle noch mal und noch mal. Schließlich flüstere ich eine Nachricht. »Geh an dein Telefon, oder ich komme vorbei. Diesmal meine ich es ernst. Ich muss mit dir reden. Du kannst mich nicht einfach so hängen lassen.«

Eine Weile stehe ich im Bad, während das Handy auf dem Waschbecken liegt. Ich versuche, es mit der Kraft meiner Gedanken zum Klingeln zu bringen. Das Display bleibt eigensinnig grau und leer. Ich bürste mir die Haare und putze mir die Zähne, lege Make-up auf. Allmählich kehrt die Farbe in mein Gesicht zurück. Meine Augen sind immer noch gerötet, meine Kehle tut immer noch weh, aber ich sehe wieder halbwegs normal aus. Ich beginne zu zählen. Wenn das Handy bis fünfzig nicht geklingelt hat, werde ich einfach rübergehen und an seine Tür klopfen.

Das Handy klingelt nicht.

Ich stopfe es in meine Hosentasche, marschiere mit langen Schritten durchs Schlafzimmer und ziehe die Tür auf. Scott sitzt mit gesenktem Kopf auf dem Treppenabsatz und hat die Arme um die Knie geschlungen. Ohne dass er aufgesehen hätte, gehe ich an ihm vorbei und eile dann mit angehaltenem Atem nach unten. Ich habe Angst, dass er mich festhalten und dann die Treppe runterstoßen könnte. Ich höre, wie er aufsteht, und dann ruft er: »Megan! Wo gehst du hin? Gehst du zu ihm?«

Unten an der Treppe drehe ich mich um. »Es gibt niemanden mehr, okay? Es ist vorbei.«

»Bitte warte, Megan. Bitte bleib bei mir.«

Ich will ihn nicht betteln hören, will nicht das Winseln in seiner Stimme, das Selbstmitleid hören. Nicht solange sich meine Kehle so anfühlt, als hätte jemand Säure hineingekippt.

»Komm mir bloß nicht nach«, krächze ich ihn an.

»Wenn du mir folgst, komme ich überhaupt nicht mehr zurück. Hast du verstanden? Wenn ich mich umdrehe und dich sehe, wirst du mich niemals wiedersehen.«

Noch während ich die Tür hinter mir zuknalle, höre ich, wie er meinen Namen ruft.

Auf dem Gehweg bleibe ich kurz stehen, um mich davon zu überzeugen, dass er mir nicht folgt, dann gehe ich, anfangs schnell, dann immer langsamer, die Blenheim Road entlang. Als ich bei Nummer dreiundzwanzig ankomme, verlässt mich der Mut. Ich bin noch nicht bereit für eine Szene. Ich brauche noch einen Augenblick, um mich zu sammeln. Ein paar Minuten. Ich gehe weiter, an seinem Haus vorbei, an der Unterführung vorbei, am Bahnhof vorbei. Ich gehe immer weiter, bis ich zum Park komme, und dann wähle ich ein weiteres Mal seine Nummer.

Ich sage ihm, dass ich im Park bin, dass ich dort auf ihn warte, aber wenn er jetzt nicht auftaucht, dann war's das, dann komme ich zu ihm nach Hause. Das ist seine letzte Chance.

Es ist ein wunderschöner Abend, kurz nach sieben, aber immer noch warm und hell. Ein paar Kinder spielen auf den Schaukeln und der Rutsche, während ihre Eltern in einem Pulk ein wenig abseits stehen und sich angeregt unterhalten. Es ist ein nettes, ein alltägliches Bild, und noch während ich ihnen zusehe, beschleicht mich das erstickende Gefühl, dass Scott und ich unsere gemeinsame Tochter zum Spielen nicht hierherbringen werden. Ich sehe uns einfach nicht so glücklich und entspannt – nicht mehr. Nicht nach allem, was ich getan habe.

Heute Morgen war ich noch davon überzeugt, dass es die beste Lösung wäre, die Karten auf den Tisch zu legen – nicht nur die beste Lösung, sondern die einzige Lösung.

Keine Lügen mehr, kein Versteckspiel mehr. Und als er mich dann angriff, verstärkte das meine Gewissheit nur. Aber jetzt, da ich allein hier sitze und Scott nicht nur wütend gemacht, sondern ihm auch das Herz gebrochen habe, glaube ich nicht mehr, dass es richtig gewesen ist. Das war nicht Stärke, das war Rücksichtslosigkeit, und wer weiß, was ich damit angerichtet habe.

Vielleicht werde ich meinen Mut nicht brauchen, um die Wahrheit zu sagen, sondern vielmehr, um alles hinter mir zu lassen. Das ist nicht nur Unruhe – es ist mehr. Um ihret- und um meinetwillen muss ich weg von hier, ich muss sie beide, ich muss das alles hinter mir lassen. Vielleicht sollte ich eben doch abhauen und irgendwo untertauchen.

Ich stehe auf und drehe eine einsame Runde durch den Park. Halb wünsche ich mir, dass das Telefon klingelt, halb fürchte ich mich davor, aber letztendlich bin ich erleichtert, als es stumm bleibt. Ich nehme es als Zeichen. Ich gehe den Weg, den ich gekommen bin, zurück nach Hause.

Gerade als ich am Bahnhof vorbei bin, sehe ich ihn. Er kommt aus der Unterführung, hat die Schultern hochgezogen und die Fäuste geballt, und ehe ich michs versehe, rufe ich ihn.

Er dreht sich zu mir um. »Megan! Was zum Teufel …« Sein Gesicht glüht vor Zorn, aber er winkt mich zu sich.

»Komm mit«, sagt er, als ich bei ihm ankomme. »Hier können wir nicht bleiben. Mein Wagen steht gleich da drüben.«

»Ich muss dir …«

»Hier können wir nicht reden!«, fährt er mich an. »Komm jetzt.« Er zieht mich am Arm. Dann, sanfter: »Wir fahren irgendwohin, wo wir ungestört sind, okay? Wo wir uns unterhalten können.«

Beim Einsteigen sehe ich kurz in die Richtung, aus der er gekommen ist. Die Unterführung ist dunkel, aber ich glaube, jemanden im Schatten zu sehen – jemanden, der uns wegfahren sieht.

RACHEL

Sonntag, 18. August 2013

Nachmittags

Sobald Anna ihn sieht, dreht sie sich um und rennt ins Haus. Ich folge ihr langsam und mit wild klopfendem Herzen, bleibe aber kurz vor der Schiebetür stehen. Drinnen liegen sie sich in den Armen, er hält sie fest umschlungen, das Kind klemmt zwischen ihnen. Anna lässt den Kopf hängen, und ihre Schultern beben. Er presst die Lippen auf ihren Scheitel, doch sein Blick ist auf mich gerichtet.

»Was läuft hier ab?«, fragt er, und die Spur eines Lächelns umspielt seine Lippen. »Ich muss sagen, ich hätte wirklich nicht erwartet, euch zwei bei einem kleinen Plausch im Garten vorzufinden.«

Er sagt das ganz ungezwungen, aber mir kann er nichts vormachen. Mir kann er nichts mehr vormachen. Ich mache den Mund auf, um etwas zu sagen, und merke im selben Moment, dass mir die Worte fehlen. Ich weiß nicht, wo ich anfangen soll.

»Rachel? Erzählst du mir jetzt, was hier abläuft?« Er entlässt Anna aus seiner Umarmung und kommt einen Schritt auf mich zu. Ich mache einen Schritt zurück, und er fängt an zu lachen. »Was ist denn los mit dir? Bist du betrunken?«, fragt er, dabei weiß er genau, dass ich stocknüchtern bin, das sehe ich an seinem Blick, und ich wette, ausnahmsweise wünscht er sich, ich wäre tatsächlich betrunken. Ich schiebe die Hand in die Gesäßtasche – dort steckt mein Handy, hart, kompakt und tröstend – und wünschte mir nur, ich wäre so schlau gewesen, es schon früher zu benutzen. Wenn ich der Polizei erzählt hätte, dass ich bei Anna und ihrem Kind bin, hätten sie jemanden vorbeigeschickt, ganz gleich, ob sie mir geglaubt hätten oder nicht.

Jetzt ist Tom nur noch ein, zwei Meter von mir entfernt – er steht direkt hinter der Tür und ich knapp davor.

»Ich habe dich gesehen«, sage ich schließlich und empfinde flüchtig, aber unverkennbar Euphorie, als ich die Worte endlich ausspreche. »Du glaubst, ich würde mich an nichts mehr erinnern, aber das tue ich sehr wohl. Ich habe dich gesehen. Nachdem du mich niedergeschlagen hast, hast du mich einfach in der Unterführung liegen lassen …«

Er lacht auf, doch inzwischen kann ich es erkennen, und ich frage mich, wieso es mir nicht schon früher aufgefallen ist. In seinen Augen flackert Panik. Er wirft Anna einen kurzen Blick zu, aber sie sieht es nicht.

»Was redest du da?«

»In der Unterführung. An dem Tag, als Megan Hipwell verschwand …«

»Was für eine Scheiße«, sagt er und winkt ab. »Ich hab dich nicht geschlagen. Du bist hingefallen.« Er packt Anna am Arm und zieht sie näher an sich heran. »Schatz, bist du deswegen so aufgeregt? Hör ihr gar nicht zu, das ist doch alles Blödsinn, ich hab sie nicht geschlagen. Ich habe sie in meinem ganzen Leben nicht geschlagen.« Er legt den Arm um Annas Schultern und drückt sie fest an sich. »Komm schon, ich hab dir doch erzählt, wie sie ist. Wenn sie trinkt, weiß sie nicht mehr, was sie tut, und dann erfindet sie die größten ...«

»Du bist mit ihr ins Auto gestiegen. Ich habe gesehen, wie ihr weggefahren seid.«

Er lächelt immer noch, aber inzwischen fast ein bisschen unsicher, und auch wenn ich es mir vielleicht nur einbilde, kommt er mir ein klein wenig bleicher vor. Er lässt Anna los, gibt sie wieder frei. Sie setzt sich an den Tisch, mit dem Rücken zu ihrem Mann, die zappelnde Tochter auf ihrem Schoß.

Tom fährt sich über den Mund, lehnt sich an die Küchentheke und verschränkt die Arme. »Du hast mich mit wem ins Auto steigen sehen?«

»Mit Megan.«

»Na klar!« Er lacht wieder auf. Ein lautes, gezwungenes Lachen. »Als wir das letzte Mal über diesen Abend gesprochen haben, hast du mir noch gesagt, du hättest mich mit Anna ins Auto steigen sehen. Jetzt ist es also Megan? Und wer ist es nächste Woche? Prinzessin Diana?«

Anna sieht zu mir auf. Ich sehe Zweifel, Hoffnung in ihrem Gesicht aufblitzen. »Du bist dir gar nicht sicher?«, fragt sie.

Tom geht neben ihr in die Hocke. »Natürlich ist sie sich nicht sicher. Sie denkt sich das alles aus – wie immer. Schätzchen, bitte, warum gehst du nicht nach oben? Ich spreche das mit Rachel durch. Und diesmal« – er sieht zu mir herüber – »werde ich dafür sorgen, dass sie uns nicht noch einmal belästigt, das verspreche ich dir.«

Anna ist unschlüssig, das ist klar zu erkennen – so wie sie ihn ansieht, wie sie in seinem Gesicht nach der Wahrheit sucht, während er sie mit dem Blick fixiert.

»Anna!«, rufe ich, damit sie mir nicht entgleitet. »Du

weißt es. Du *weißt*, dass er lügt. Du weißt, dass er mit ihr geschlafen hat.«

Eine Sekunde lang sagt keiner etwas. Anna sieht erst Tom, dann mich, dann wieder Tom an. Sie macht den Mund auf, aber es kommt kein Ton heraus.

»Anna! Was redet sie denn da? Da ... Da war nichts zwischen mir und Megan Hipwell.«

»Ich hab das Handy gefunden, Tom«, sagt sie so leise, dass ich sie kaum verstehe. »Also tu das bitte nicht. Lüg mich nicht an. Lüg mich bitte nicht an.«

Das Kind beginnt, müde zu greinen und sich zu beschweren. Ganz behutsam nimmt Tom die Kleine aus Annas Armen. Er geht ans Fenster, wiegt seine Tochter dabei hin und her und murmelt leise auf sie ein. Was er sagt, verstehe ich nicht. Anna hat den Kopf gesenkt, und von ihrem Kinn tropfen Tränen auf die Tischplatte.

»Wo ist es?« Tom hat sich wieder zu uns umgedreht. Sein Lachen ist verflogen. »Das Handy. Hast du es ihr gegeben?« Er nickt in meine Richtung. »Hast du es?«

»Ich weiß nichts von einem Handy«, sage ich und wünschte mir, Anna hätte es schon früher erwähnt.

Tom ignoriert mich. »Anna? Hast du es ihr gegeben?«

Anna schüttelt den Kopf.

»Wo ist es?«

»Ich hab es weggeworfen«, sagt sie. »Über den Zaun. Auf die Gleise.«

»Braves Mädchen. Braves Mädchen«, sagt er zerstreut. Er versucht, sich irgendwas zurechtzulegen, überlegt, wie er weiter vorgehen soll. Er wirft mir einen Blick zu und sieht dann sofort wieder weg. Einen winzigen Moment lang sieht er aus, als würde er sich geschlagen geben.

Dann dreht er sich zu Anna um. »Du warst immer so

müde«, sagt er. »Du hattest nie Lust. Alles drehte sich nur noch um das Baby. Hab ich nicht recht? Alles dreht sich nur um dich, stimmt's? Immer nur um dich.« Und sofort ist er wieder obenauf, überdreht, schneidet Grimassen für seine Tochter, kitzelt sie am Bauch und bringt sie zum Lachen. »Und Megan war so ... Sie war eben verfügbar. Am Anfang waren wir immer bei ihr«, sagt er. »Aber sie hatte Angst, dass Scott etwas bemerken könnte. Also haben wir uns von da an immer im Swan getroffen. Es war ... Na ja, du weißt ja selbst, wie so was ist, nicht wahr, Anna? Ganz am Anfang, als wir immer in dieses Haus drüben in der Cranham Street gingen ... Du verstehst das.« Über die Schulter hinweg zwinkert er mir zu. »Da haben Anna und ich uns immer getroffen, in der guten alten Zeit ...« Er nimmt seine Tochter auf den anderen Arm, damit sie sich an seine Schulter lehnen und einschlafen kann. »Du hältst mich jetzt vielleicht für grausam, aber das bin ich nicht. Ich sage nur die Wahrheit. Das wolltest du doch, oder, Anna? Du hast gesagt, ich soll dich nicht anlügen.«

Anna starrt immer noch nach unten. Sie klammert sich mit beiden Händen an der Tischkante fest, ihr ganzer Körper ist erstarrt.

Tom seufzt laut. »Ganz ehrlich, für mich ist das eine Erleichterung.« Jetzt redet er wieder mit mir, er sieht mich offen an. »Du hast ja keine Ahnung, wie anstrengend es ist, sich mit Leuten wie dir herumzuschlagen. Und Scheiße auch – ich hab mich wirklich bemüht. Ich habe alles versucht, um dir zu helfen. Euch beiden zu helfen. Ihr seid beide ... Ich meine, ich habe euch beide geliebt, ganz ehrlich, aber ihr könnt beide so unglaublich unselbstständig sein ...«

»Fick dich, Tom«, sagt Anna unvermittelt und steht auf. »Wirf mich nicht mit *der da* in einen Topf.«

Ich sehe sie an und erkenne, wie gut die beiden zueinander passen, Anna und Tom. Sie passt viel besser zu ihm als ich, denn ihr setzt vor allem eins zu: nicht dass ihr Mann ein Lügner und ein Mörder ist, sondern dass er sie gerade mit mir verglichen hat.

Tom geht auf sie zu und versucht, sie zu beschwichtigen. »Verzeih mir, Schatz, das war unfair.« Sie schiebt ihn von sich weg, und er sieht mich über die Schulter hinweg an. »Ich habe wirklich mein Bestes gegeben, und das weißt du auch. Ich war dir ein guter Ehemann, Rach. Ich habe vieles hingenommen – die Sauferei, die Depressionen. Ich hab es wirklich lange hingenommen – aber irgendwann hab ich das Handtuch geworfen.«

»Du hast mich angelogen«, sage ich, und er dreht sich überrascht zu mir um. »Du hast mir weisgemacht, es wäre meine Schuld gewesen. Du hast mich glauben lassen, ich wäre nichts wert. Du hast zugesehen, wie ich gelitten habe, du ...«

Er zuckt mit den Schultern. »Hast du überhaupt eine Ahnung, wie unattraktiv du irgendwann wurdest, Rachel? Wie hässlich? Zu traurig, um morgens aus dem Bett zu kommen, zu müde, um zu duschen oder deine Scheißhaare zu waschen? Jesus! Kein Wunder, dass ich irgendwann die Geduld verlor, oder? Kein Wunder, dass ich mich anderweitig umgesehen habe. Das alles hast du nur dir allein zuzuschreiben.«

Als er sich zu seiner Frau umdreht, wird aus der Verachtung in seinem Gesichtsausdruck Betroffenheit. »Bei dir war es anders, Anna, Ehrenwort! Die Geschichte mit Megan war bloß ... Das war völlig bedeutungslos. Ich wollte nur ein bisschen Spaß haben. Zugegeben, das war keine Sternstunde meinerseits – aber ich brauchte einfach ein Ventil. Mehr nicht. Es war von Anfang an klar, dass es nicht von Dauer sein würde. Es hatte absolut nichts mit uns, mit unserer Familie zu tun. Das musst du verstehen.«

»Du …« Anna versucht, etwas zu sagen, bringt aber nur dieses eine Wort heraus.

Tom legt die Hand auf ihre Schulter und drückt sie. »Was, Liebes?«

»Du hast zugelassen, dass sie sich um Evie kümmert«, faucht sie ihn an. »Hast du sie gevögelt, während sie hier war? Während sie sich um unser Kind hätte kümmern sollen?«

Er zieht seine Hand wieder weg, und sein Gesicht gleicht einer Maske der Zerknirschtheit, tiefster Scham. »Das war schrecklich. Ich dachte … Ich dachte, es wäre … Ganz ehrlich, ich weiß nicht, was ich mir dabei gedacht habe. Ich bin mir nicht sicher, ob ich mir überhaupt etwas dabei gedacht habe. Es war ein Fehler. Es war ein Riesenfehler.« Und wieder wechselt die Maske – jetzt ist er wieder ganz die großäugige Unschuld, und er fleht sie an: »Ich hatte damals keine Ahnung, Anna. Ich wusste nichts von dieser Geschichte, das musst du mir glauben! Ich wusste nichts von dem Baby, das sie umgebracht hatte. Hätte ich das gewusst, hätte ich niemals zugelassen, dass sie sich um Evie kümmert, das musst du mir glauben.«

Ohne Vorwarnung springt Anna auf und stößt dabei den Stuhl um – er schlägt auf den Küchenboden auf und erschrickt ihre Tochter. »Gib sie mir«, sagt Anna und streckt die Arme aus. Tom weicht einen Schritt zurück. »Sofort, Tom. Gib sie mir. *Gib sie mir.*« Aber das tut er nicht, er weicht ein Stück zurück, er wiegt seine Tochter in den

Armen und flüstert auf sie ein, um sie zu beruhigen, bis Anna irgendwann zu schreien beginnt. Erst wiederholt sie immerzu: »*Gib sie mir, gib sie mir!*«, dann steigert sie sich in ein unverständliches Angst- und Wutgeheul. Das Kind schreit ebenfalls. Tom versucht, es wieder zu besänftigen, er ignoriert Anna, und damit fällt es mir zu, sie wieder einzufangen. Ich schleife sie nach draußen und rede leise und eindringlich auf sie ein.

»Du musst dich beruhigen, Anna. Verstehst du? Du musst dich abregen. Du musst mit ihm reden, ihn kurz ablenken, damit ich die Polizei rufen kann. In Ordnung?«

Sie schüttelt den Kopf – sie schlottert am ganzen Leib. Sie packt mich, und ihre Fingernägel bohren sich in meine Arme. »Wie konnte er das tun?«

»Anna, hör mir zu! Du musst ihn ablenken ...«

Endlich sieht sie mich an, sie erkennt mich wieder – und nickt. »Gut.«

»Versuch einfach ... Was weiß ich. Lock ihn von der Tür weg, versuch, ihn eine Weile zu beschäftigen.«

Sie geht wieder ins Haus. Ich hole tief Luft, drehe mich um und gehe ein paar Schritte von der Schiebetür weg. Nicht allzu weit, nur bis auf den Rasen. Dann drehe ich mich wieder um. Sie sind jetzt in der Küche. Ich gehe noch ein paar Schritte. Der Wind frischt auf: Das Wetter wird bald umschlagen. Mauerschwalben kreuzen tief über den Häusern, und ich kann den nahenden Regen riechen. Ich liebe diesen Geruch.

Ich schiebe die Hand in die Gesäßtasche und ziehe mein Handy heraus. Meine Hände zittern so sehr, dass ich ein-, zweimal die falsche PIN eingebe – beim dritten Mal klappt es endlich. Kurz überlege ich, ob ich Detective Sergeant Riley anrufen soll, die mich zumindest kennt. Doch als ich durch die Anrufliste scrolle, kann ich ihre Nummer nicht sofort finden, darum gebe ich schließlich auf und wähle einfach den Notruf. Ich bin erst bei der zweiten Ziffer, als sein Tritt mich derart fest aufs Rückgrat trifft, dass es mir schier den Atem verschlägt und ich vornüber ins Gras stürze. Das Handy fliegt mir aus der Hand – er hebt es auf, bevor ich auch nur auf die Knie komme, bevor ich wieder Luft kriege.

»Na, na, Rach.« Er packt mich am Arm und zieht mich mühelos auf die Füße. »Du wirst doch keine Dummheiten machen.«

Er führt mich zurück ins Haus, und ich lasse es geschehen, weil ich genau weiß, dass es keinen Sinn hat, sich jetzt zu wehren. Hier kann ich ihm ohnehin nicht mehr entkommen. Er schubst mich über die Schwelle, schiebt die Glastür hinter uns zu und schließt ab. Dann wirft er den Schlüssel auf den Küchentisch. Anna steht immer noch da. Sie lächelt mich schief an, und sofort frage ich mich, ob sie ihm erzählt hat, dass ich die Polizei anrufen wollte.

Dann wendet Anna sich dem Mittagessen für ihre Tochter zu, setzt Wasser auf, um Tee zu machen. Dieses absolut bizarre Faksimile von Normalität gibt mir beinahe das Gefühl, ich könnte mich ganz einfach höflich von den beiden verabschieden, das Erdgeschoss durchqueren und auf die sichere Straße hinaustreten. Die Verlockung ist so groß, dass ich tatsächlich ein paar Schritte in Richtung Haustür wage, doch Tom verstellt mir sofort den Weg. Er legt die Hand auf meine Schulter, streicht mit den Fingern über meine Kehle und drückt ganz leicht zu.

»Was mache ich nur mit dir, Rach?«

MEGAN

Samstag, 13. Juli 2013

Abends

Erst als wir im Wagen sitzen, fällt mir auf, dass er Blut an der Hand hat. »Du hast dich geschnitten«, sage ich.

Er antwortet nicht; seine Knöchel leuchten weiß auf dem Lenkrad.

»Wir müssen uns unterhalten, Tom«, sage ich. Ich versuche, versöhnlich zu klingen, mich erwachsen zu verhalten, obwohl es wahrscheinlich ein bisschen spät dafür ist. »Es tut mir wirklich leid, dass ich dich so drangsaliere, aber mal ehrlich – du hast mich von einem Tag auf den anderen abserviert. Du …«

»Schon okay«, sagt er leise. »Ich bin nicht … Ich bin wegen was anderem sauer. Nicht deinetwegen.« Er sieht mich an und versucht zu lächeln, schafft es aber nicht. »Probleme mit der Ex«, sagt er. »Du kennst das ja.«

»Was ist mit deiner Hand?«, frage ich ihn.

»Probleme mit der Ex«, sagt er erneut, und diesmal hat die Antwort einen hässlichen Beigeschmack. Den Rest der Fahrt zum Corly Wood legen wir schweigend zurück.

Wir fahren auf den Parkplatz und dort bis ganz ans Ende. Hier waren wir schon öfter. Abends sieht man hier praktisch nie jemanden – manchmal ein paar Teenager mit

Bierdosen, aber sonst so gut wie niemanden. Auch heute Abend sind wir hier allein.

Tom stellt den Motor ab und dreht sich mir zu. »Na schön. Worüber wolltest du mit mir reden?« Der Zorn ist immer noch da, aber inzwischen brodelt er nicht mehr, er köchelt nur noch. Trotzdem bin ich nach allem, was heute passiert ist, nur ungern mit einem wütenden Mann auf so engem Raum zusammen, darum schlage ich ihm vor, ein bisschen spazieren zu gehen. Er verdreht die Augen und seufzt, ist aber einverstanden.

Es ist immer noch warm; unter den Bäumen schweben Mückenwolken, die Sonne strömt durch die Blätter und badet den Weg in ein merkwürdig unterirdisches Licht. Über unseren Köpfen keckern verärgert die Elstern.

Schweigend gehen wir eine Weile, ich voran, Tom ein paar Schritte hinter mir. Ich versuche, mir zurechtzulegen, was ich ihm sagen, wie ich es formulieren soll; schließlich will ich die Sache nicht noch verschlimmern. Immer wieder muss ich mir ins Gedächtnis rufen, dass ich versuche, alles richtig zu machen.

Irgendwann bleibe ich stehen und drehe mich um – und er steht direkt vor mir.

Er legt die Hände auf meine Hüften. »Hier?«, fragt er. »Das wolltest du also?« Er sieht gelangweilt aus.

»Nein«, sage ich und trete einen Schritt zurück. »Nicht das.«

Hier führt der Weg ein Stück abwärts. Ich werde langsamer, aber er passt sich meinem Tempo an.

»Was dann?«

Ich hole tief Luft. Mein Kehlkopf schmerzt immer noch. »Ich bin schwanger.«

Er zeigt überhaupt keine Reaktion – seine Miene bleibt

völlig leer. Ich hätte ihm genauso gut erzählen können, dass ich auf dem Heimweg noch in den Supermarkt muss oder dass ich einen Zahnarzttermin habe.

»Glückwunsch«, sagt er schließlich.

Wieder ein tiefer Atemzug. »Tom, ich erzähle dir das, weil ... na schön, weil die Möglichkeit besteht, dass das Kind von dir sein könnte.«

Er starrt mich lange an und lacht dann. »Ach so? Wie schön für mich. Und jetzt – sollen wir etwa zu dritt durchbrennen? Du, ich und das Baby? Wohin wollten wir noch mal? Nach Spanien?«

»Ich dachte, du solltest es wissen, weil ...«

»Lass es abtreiben«, sagt er. »Ich meine, wenn es von deinem Mann ist, kannst du natürlich tun und lassen, was du willst, aber wenn es meins ist, dann lass es wegmachen. Ganz ehrlich, alles andere wäre dämlich. Ich will kein Kind mehr.« Er streicht mit den Fingern an meiner Wange abwärts. »Und verzeih mir die offenen Worte, aber ich glaube auch nicht, dass eine Mutterschaft zu dir passen würde, oder, Megs?«

»Du musst nichts damit zu tun haben, wenn du nicht willst ...«

»Hast du nicht gehört, was ich gesagt habe?«, schnauzt er mich an, dann dreht er mir den Rücken zu und marschiert den Weg zurück zu seinem Auto. »Du wärst eine schreckliche Mutter, Megan. Lass es bloß wegmachen.«

Ich laufe ihm nach, erst mit langen Schritten, dann renne ich und boxe ihn mit aller Kraft in den Rücken, als ich ihn eingeholt habe. Ich schreie ihn an, ich schimpfe, ich versuche, ihm die eingebildete Fresse zu zerkratzen, aber er lacht nur und wehrt mich mit Leichtigkeit ab. Ich beginne, ihn so übel zu beleidigen, wie ich nur kann. Ich lasse mich über seine Potenz, seine langweilige Frau, sein hässliches Kind aus.

Ich weiß gar nicht, warum ich so wütend bin. Was habe ich eigentlich erwartet? Zorn vielleicht, Sorge, Bestürzung. Aber nicht das. Das hier ist nicht einmal mehr Ablehnung, das ist *Desinteresse.* Er will nur noch, dass ich verschwinde – zusammen mit meinem Kind –, und so erkläre ich ihm, so schreie ich ihn an: *Ich werde bestimmt nicht verschwinden. Dafür werde ich dich bezahlen lassen. Dafür wirst du den Rest deines verfluchten Lebens bezahlen.*

Jetzt lacht er nicht mehr.

Er kommt auf mich zu. Er hat etwas in der Hand.

Ich bin hingefallen. Ich muss ausgerutscht sein. Mir den Kopf angeschlagen haben. Ich glaube, ich muss mich übergeben. Alles ist rot. Ich komme nicht mehr hoch.

Eine bringt Kummer, zwei bringen Jubel, bei dreien kommt ein Mädel. Bei dreien kommt ein Mädel. Bei drei bleibe ich regelmäßig hängen, weiter komme ich einfach nicht. Mein Kopf ist voll von Geräuschen, mein Mund blutverkleistert. Bei dreien kommt ein Mädchen. Ich kann die Elstern regelrecht lachen hören – sie lachen mich aus mit ihrem gehässigen Keckern. Götterboten. Todesboten. Jetzt kann ich sie sehen. Sie zeichnen sich schwarz vor der Sonne ab. Nein, nicht die Vögel, sondern etwas anderes. Da kommt jemand. Jemand spricht mit mir. *Sieh nur. Sieh nur, wozu du mich gezwungen hast.*

RACHEL

Sonntag, 18. August 2013

Nachmittags

Wir sitzen wie zu einem kleinen Dreieck arrangiert im Wohnzimmer: Tom auf dem Sofa, ganz der liebevolle Vater und pflichtbewusste Ehemann, mit seiner Tochter auf dem Schoß und seiner Frau an seiner Seite. Ich, die Exfrau, sitze ihnen gegenüber bei einer Tasse Tee. Sehr zivilisiert. Ich sitze in dem Ledersessel, den wir kurz nach unserer Hochzeit bei Heal's gekauft haben – es war das erste Möbelstück, das wir uns als verheiratetes Paar zulegten: weiches, braunes, buttriges Leder, teuer, luxuriös. Ich weiß noch, wie aufgeregt ich war, als der Sessel geliefert wurde. Ich weiß noch, wie ich mich darauf zusammenkauerte, wie geborgen und glücklich ich mich darauf fühlte, wie ich dachte: *Genau wie die Ehe – sicher, warm, behaglich.*

Stirnrunzelnd starrt Tom mich an. Er überlegt, was er jetzt tun soll, wie er das alles wieder geradebiegen kann. Anna bereitet ihm keine Sorgen, das sehe ich ihm an. Ich bin das Problem.

»Sie war ein bisschen wie du«, sagt er aus heiterem Himmel. Er lehnt sich zurück und setzt seine Tochter auf seinem Schoß zurecht. »Also, irgendwie schon und irgendwie auch wieder nicht. Sie war einfach … durch den

Wind, du weißt schon. Dem kann ich einfach nicht widerstehen.« Er grinst mich an. »Ich, der Ritter in der glänzenden Rüstung ...«

»Du bist ganz bestimmt kein Ritter«, sage ich leise.

»Ach, Rach, sei doch nicht so. Weißt du nicht mehr? Wie dein Daddy gestorben war und du in deiner tiefen Trauer nach jemandem gesucht hast, der dir ein Heim bietet, der dich liebt? All das habe ich dir gegeben. Bei mir konntest du dich sicher fühlen. Du kannst mir nicht die Schuld daran geben, dass du später beschlossen hast, das alles kaputt zu saufen.«

»Ich kann dir an vielem die Schuld geben, Tom.«

»Nein, nein.« Er hebt den Zeigefinger. »Wollen wir die Geschichte mal nicht umschreiben. Ich war gut zu dir. Manchmal ... Na schön, manchmal hast du mich zu weit getrieben. Aber ich war gut zu dir. Ich habe für dich gesorgt«, sagt er, und erst da wird es mir bewusst: Er belügt sich selbst genauso, wie er mich belügt. Er *glaubt* das alles. Er glaubt tatsächlich, dass er gut zu mir gewesen wäre.

Plötzlich beginnt das Kind zu weinen, und Anna springt auf. »Ich muss sie wickeln.«

»Nicht jetzt.«

»Sie ist nass, Tom. Sie braucht eine frische Windel. Sei nicht grausam.«

Er sieht Anna scharf an, aber dann reicht er ihr das weinende Kind. Ich versuche, Annas Blick aufzufangen, aber sie sieht nicht zu mir her. Das Herz schlägt mir bis zum Hals, als sie zur Treppe geht, rutscht aber ebenso schnell wieder nach unten, weil Tom mit aufgestanden ist und ihr jetzt die Hand auf den Arm gelegt hat. »Wickel sie hier«, sagt er. »Du kannst sie hier wickeln.«

Anna geht in die Küche hinüber und wickelt die Kleine auf dem Küchentisch. Fäkalgestank erfüllt den Raum, und mir wird schlecht.

»Kannst du uns sagen, warum?«, frage ich ihn. Anna hält im Windelwechseln inne und sieht zu uns herüber. Bis auf das brabbelnde Baby ist der Raum in Stille erstarrt.

Tom schüttelt den Kopf, fast als könnte er es selbst kaum glauben. »Sie konnte dir so wahnsinnig ähnlich sein, Rach. Sie konnte nicht loslassen. Sie wollte nicht begreifen, dass es vorbei war. Sie wollte … Sie wollte einfach nicht *hören*. Weißt du noch, wie du dich immer mit mir gestritten hast, wie du immer das letzte Wort behalten wolltest? Megan war genauso. Sie wollte einfach nicht hören.« Er setzt sich zurecht, beugt sich vor und stützt die Ellbogen auf die Knie, als wollte er mir eine Geschichte erzählen. »Am Anfang waren wir beide nur auf Spaß aus, wir wollten nichts als ficken. Zumindest hat sie mir damals weisgemacht – dass sie auch nicht mehr wollte. Aber auf einmal passte ihr das nicht mehr. Keine Ahnung, warum. Plötzlich saß sie mir ständig auf der Pelle. Mal hatte sie einen schlechten Tag mit Scott, oder sie langweilte sich einfach, und dann fing sie jedes Mal davon an, dass wir doch durchbrennen und irgendwo anders ganz neu anfangen könnten, und dafür sollte ich Anna und Evie verlassen. Als ob! Und wenn sie mich sehen wollte und ich nicht sofort parat stand, wurde sie stinksauer, rief hier an und drohte mir, dass sie vorbeikommen und Anna von uns erzählen würde.« Er sieht auf. »Aber irgendwann hörte es auf. Ich war wirklich erleichtert. Ich dachte, sie hätte es endlich in den Schädel bekommen, dass ich nicht länger interessiert an ihr war. Doch dann rief sie an diesem Samstag wieder an und meinte, sie müsste mit mir reden, sie hätte mir etwas Wichtiges mitzuteilen. Als ich sie auflaufen ließ, begann sie wieder, mir zu drohen – sie würde zu uns nach Hause kommen und so weiter. Anfangs machte ich mir keine großen Gedanken, weil Anna abends ausgehen wollte. Du erinnerst dich, Schatz? Du warst eigentlich mit deinen Mädels zum Essen verabredet, und ich sollte auf Evie aufpassen. Ich dachte, vielleicht wäre das gar nicht so schlecht – sie würde vorbeikommen, und ich würde alles mit ihr klären. Es ihr endgültig begreiflich machen. Aber dann bist du hier aufgetaucht, Rachel, und hast alles vermasselt.« Er lehnt sich breitbeinig auf dem Sofa zurück, ganz der große, Raum einnehmende Mann. »Eigentlich ist es deine Schuld. Die ganze Geschichte ist im Grunde *deine* Schuld, Rachel. Anna ist nicht mit ihren Freundinnen essen gegangen – nach fünf Minuten war sie wieder da, aufgebracht und wütend, weil *du*, wie üblich stockbesoffen, draußen am Bahnhof mit irgendeinem Typen rumgetorkelt bist. Sie hatte Angst, dass du auf dem Weg zu uns sein könntest. Sie machte sich Sorgen um Evie. Also konnte ich die Sache mit Megan nicht klären, weil ich losziehen und nach dir suchen musste.« Seine Lippen verziehen sich zu einem abfälligen Schmunzeln. »Mann, du warst vielleicht fertig. Hast ausgesehen wie ein Haufen Scheiße und nach Wein gestunken ... Du hast versucht, mich zu küssen, weißt du noch?«

Er tut so, als müsste er würgen, und fängt dann an zu lachen. Anna stimmt in sein Lachen mit ein, und ich kann nicht sagen, ob sie damit versucht, ihn zu besänftigen, oder ob sie es wirklich komisch findet.

»Ich musste dir begreiflich machen, dass ich dich nicht mehr in der Nähe haben wollte – in unserer Nähe. Also habe ich dich in den Eingang zur Unterführung gezogen, damit du mir keine Szene auf offener Straße machst. Und dir dann erklärt, dass du dich zum Teufel scheren sollst. Aber du hast so lange weitergeheult und gewinselt, bis ich dir eine mitgeben musste, damit du endlich die Klappe hältst. Nur dass du danach noch lauter geheult und gewinselt hast.« Er stößt das zwischen zusammengebissenen Zähnen hervor; ich sehe seine Kiefermuskeln zucken. »Ich war stinksauer, ich wollte, dass ihr endlich verschwindet, dass ihr uns in Frieden lasst – du *und* Megan. Ich habe eine Familie. Ich habe ein schönes Leben.« Er sieht zu Anna hinüber, die versucht, das Kind in den Hochstuhl zu zwängen. Ihr Gesicht ist völlig ausdruckslos. »Ich habe mir ein gutes Leben aufgebaut, trotz dir, trotz Megan, trotz allem.« Jetzt sieht er wieder mich an. »Aber nachdem ich dich getroffen hatte, tauchte auf einmal auch noch Megan auf. Sie war auf dem Weg in Richtung Blenheim Road. Ich konnte doch nicht zulassen, dass sie zu unserem Haus geht. Ich konnte doch nicht zulassen, dass sie mit Anna spricht, oder? Also erzählte ich ihr, dass wir irgendwohin fahren und uns unterhalten würden, und so habe ich es auch wirklich gemeint – mehr wollte ich ehrlich nicht. Wir stiegen also ins Auto und fuhren nach Corly, in den Wald. Wir waren dort auch früher schon mal ab und zu, wenn wir kein Zimmer hatten. Und haben es im Auto getrieben.«

Von meinem Ledersessel aus sehe ich, wie Anna zusammenzuckt.

»Du musst mir glauben, Anna, ich wollte nicht, dass es so kommt.« Tom sieht sie an, senkt dann wieder den Kopf und starrt auf seine Handflächen. »Sie fing mit ihrem Baby an – dass sie nicht wüsste, ob es meins wäre oder seins. Sie wollte keine Heimlichkeiten mehr, und wenn es meins wäre, dann wäre es für sie okay, wenn ich es hin und wieder sehen wollte … Ich sagte ihr: Dein Baby interessiert mich nicht, damit habe ich nichts zu schaffen.« Er schüttelt den Kopf. »Daraufhin flippte sie aus, und wenn Megan ausflippt … Sie ist nicht wie Rachel. Jammern und Heulen ist nicht ihr Ding. Sie brüllte mich an, sie schimpfte, sie warf mir alle möglichen Scheißsachen an den Kopf. Sie erklärte mir, sie würde direkt zu Anna gehen, sie würde sich nicht einfach so abservieren lassen, niemand würde ihr Kind vernachlässigen … Scheiße, sie wollte keine Ruhe geben. Und … Keine Ahnung, ich wollte sie nur noch zum Schweigen bringen. Also nahm ich einen Stein« – er starrt auf seine rechte Hand, als sähe er ihn darin liegen – »und hab ganz einfach …« Er schließt die Augen und seufzt tief auf. »Ich habe nur ein einziges Mal zugeschlagen, aber sie …« Er bläst die Wangen auf und atmet langsam wieder aus. »Ich wollte das nicht. Ich wollte bloß, dass sie die Klappe hält. Sie blutete wie verrückt. Sie heulte, sie machte einen Wahnsinnslärm. Sie versuchte sogar, von mir wegzukriechen. Was hätte ich denn tun sollen? Ich musste es zu Ende bringen.«

Die Sonne ist weg, im Zimmer ist es dunkel. Es ist still bis auf Toms abgehackte, flache Atemzüge. Auch von der Straße dringt kein Laut herein. Ich weiß nicht, wann ich das letzte Mal einen Zug gehört habe.

»Ich legte sie in den Kofferraum«, sagt er. »Dann fuhr ich ein bisschen tiefer in den Wald hinein, von der Straße weg. Außer mir war keine Menschenseele unterwegs. Ich musste …« Sein Atem geht jetzt noch flacher und schneller. »Ich musste sie mit bloßen Händen verscharren. Ich hatte eine Heidenangst.« Er sieht mich mit riesigen Pupillen an. »Angst, dass jemand kommen würde. Außerdem tat es weh, und meine Fingernägel sind beim Graben abgebrochen. Ich hab ewig dafür gebraucht. Zwischendurch musste ich eine Pause machen, Anna anrufen und ihr erklären, dass ich immer noch nach dir suchen würde.« Er räuspert sich. »Eigentlich war der Boden ziemlich weich, trotzdem kam ich nicht annähernd so tief, wie ich wollte. Ich hatte solche Angst, dass jemand kommen würde. Ich dachte, vielleicht würde sich später, nachdem sich alles wieder beruhigt hat, eine Gelegenheit bieten, noch mal dort hinzugehen. Ich dachte, ich würde sie vielleicht woandershin bringen können, sie irgendwo anders begraben können, wo es ... besser wäre. Aber dann fing es an zu regnen, und da kam ich nicht mehr dazu.« Er sieht mich stirnrunzelnd an. »Ich war mir fast sicher, dass sich die Polizei an Scott festbeißen würde. Er war immer schon total paranoid, dass sie rumvögeln könnte, das hat sie mir mehrmals erzählt. Er las ihre E-Mails, spionierte ihr nach. Ich dachte ... Also, ich hatte vor, irgendwann ihr Handy bei ihm zu Hause zu deponieren. Keine Ahnung. Ich dachte, vielleicht könnte ich auf ein Bier bei ihm vorbeischauen oder so, auf einen ganz normalen Nachbarschaftsbesuch. Was weiß ich. Ich hatte keinen Plan. Ich hatte mir das alles ja nicht vorher überlegt. Schließlich war es keine Absicht. Sondern bloß ein schrecklicher Unfall.«

Dann verändert sich sein Auftreten auf einmal wieder. So als würden Wolken über den Himmel ziehen, ihn mal verdunkeln, dann wieder erhellen. Er steht auf und geht langsam hinüber in die Küche, wo Anna jetzt am Tisch sitzt und Evie füttert. Er küsst sie auf den Scheitel und hebt seine Tochter aus dem Hochstuhl.

»Tom ...«, will Anna protestieren.

»Schon okay.« Er lächelt seine Frau an. »Ich will sie

nur mal kurz drücken. Nicht wahr, Schätzchen?« Mit der Tochter auf dem Arm geht er zum Kühlschrank und holt eine Flasche Bier heraus. Er sieht zu mir herüber. »Du auch eins?«

Ich schüttle den Kopf.

»Nein, wohl besser nicht.«

Ich höre ihn kaum. Ich überlege fieberhaft, ob ich es von hier aus zur Haustür schaffen kann, bevor er mich einholt. Wenn sie nur zugezogen wäre, könnte es mir unter Umständen gelingen. Falls er sie abgeschlossen hat, sitze ich in der Falle. Ich schieße aus dem Sessel hoch und renne los. Ich komme bis in den Flur – ich habe die Hand schon fast am Türgriff, als mich die Flasche am Hinterkopf trifft. Schmerz explodiert in meinem Kopf, mir wird weiß vor Augen, und ich sacke auf die Knie. Finger wühlen sich in mein Haar, er packt mich, reißt mich hoch und lässt mich erst wieder los, als er mich ins Wohnzimmer zurückgeschleift hat. Er baut sich breitbeinig über mir auf, die Füße links und rechts neben meiner Hüfte. Seine Tochter hat er immer noch auf dem Arm, aber jetzt ist Anna bei ihm und versucht, sie ihm abzunehmen.

»Gib sie mir, Tom. Bitte. Du tust ihr noch weh. Bitte gib sie mir.«

Er reicht die kreischende Evie an Anna weiter.

Ich kann Tom reden hören, aber es klingt wie aus weiter Ferne oder wie unter Wasser. Ich verstehe zwar, was er sagt, aber irgendwie scheint es nichts mit mir und nichts mit dem zu tun zu haben, was mir in diesem Moment widerfährt. Ich erlebe das alles wie hinter Glas.

»Geh nach oben«, sagt er. »Geh ins Schlafzimmer und mach die Tür zu. Und ruf bloß niemanden an, okay? Es ist mir ernst, Anna. Du wirst niemanden anrufen. Immerhin ist Evie auch hier. Wir wollen doch nicht, dass es hässlich wird.«

Anna sieht mich nicht an. Sie presst das Kind an ihre Brust, steigt über mich hinweg und läuft los.

Tom bückt sich, schiebt beide Hände in den Bund meiner Jeans, packt zu und schleift mich weiter in die Küche. Ich versuche wild strampelnd, mich irgendwo festzukrallen, aber ich finde nirgends Halt. Ich kann kaum noch was erkennen – Tränen brennen mir in den Augen, alles ist verschwommen. Mörderische Schmerzen schießen mir durch den Kopf, als mein Schädel über den Boden holpert, und ich merke, wie mir übel wird. Noch ein heißer, weißer Schmerz, als etwas auf meine Schläfe trifft. Dann nichts mehr.

ANNA

Sonntag, 18. August 2013

Abends

Sie liegt auf dem Küchenboden. Sie blutet, aber ich glaube nicht, dass es was Ernstes ist. Er hat es immer noch nicht zu Ende gebracht. Ich weiß nicht, worauf er eigentlich noch wartet. Wahrscheinlich fällt es ihm schwer. Schließlich hat er sie mal geliebt.

Ich war oben, brachte Evie ins Bett und dachte: Das ist doch genau das, was ich immer wollte, oder? Rachel wird endlich verschwinden, ein für alle Mal, sie wird uns nie wieder behelligen. Davon hatte ich immer geträumt. Na schön, nicht genau hiervon natürlich. Aber ich hatte gewollt, dass sie aus unserem Leben verschwindet. Ich hatte von einem Leben ohne Rachel geträumt, und jetzt sollte ich es endlich haben. Es würde nur noch uns drei geben – mich und Tom und Evie –, so wie es immer schon hatte sein sollen.

Ein paar Sekunden lang verlor ich mich in diesem Traum, aber dann sah ich auf meine schlafende Tochter hinab und begriff, dass es genau das war. Ein Traum. Noch während ich einen Kuss auf meine Fingerspitzen setzte und dann ganz sachte ihre perfekten Lippen berührte, begriff ich, dass wir uns nie würden sicher fühlen können. *Ich* würde mich nie sicher fühlen können, weil ich Bescheid wusste und er mir nicht mehr trauen konnte. Und wer weiß, ob nicht schon bald eine neue Megan seinen Weg kreuzen würde? Oder – schlimmer – eine neue Anna, ein anderes Ich?

Ich ging wieder nach unten, wo er am Küchentisch saß und Bier trank. Zunächst sah ich sie gar nicht, bis mir ihre Füße auffielen; im ersten Moment dachte ich, es wäre schon vorbei, aber dann erklärte er mir, ihr wäre nichts weiter passiert.

»Nur eine kleine Beule«, sagte er. Doch das hier würde er nicht als Unfall abtun können.

Also warteten wir. Ich nahm mir ebenfalls ein Bier aus dem Kühlschrank, und wir tranken gemeinsam. Er sagte mir, dass ihm das mit Megan und der Affäre aufrichtig leidtue. Er gab mir einen Kuss und versprach, dass er das alles wiedergutmachen, dass uns nichts passieren, dass alles gut ausgehen werde.

»Wir ziehen weg von hier, so wie du es immer gewollt hast. Wir gehen, wohin du willst. Ganz gleich, wohin.« Er fragte mich, ob ich ihm verzeihen könne, und ich sagte, das könne ich, auch wenn es sicher Zeit brauche, und er glaubte mir. Ich denke, er glaubte mir.

Dann fängt es an zu gewittern, genau wie vorhergesagt. Das Donnergrollen weckt sie auf, bringt sie wieder zu sich. Sie gibt ein paar unverständliche Laute von sich und beginnt, über den Boden zu kriechen.

»Du solltest jetzt gehen«, sagt er zu mir. »Geh wieder nach oben.«

Ich küsse ihn auf den Mund und verlasse die Küche, gehe aber nicht zurück nach oben. Stattdessen nehme ich im Flur das schnurlose Telefon aus der Halterung, setze mich auf die unterste Treppenstufe. Dort bleibe ich sitzen und warte mit dem Telefon in der Hand auf den richtigen Moment.

Ich höre ihn sanft und leise auf sie einreden, und dann höre ich sie. Ich glaube, sie weint.

RACHEL

Sonntag, 18. August 2013

Abends

Ich höre etwas – ein zischendes Geräusch. Dann blitzt etwas auf, und erst da begreife ich, dass ich den Regen rauschen höre. Draußen ist es dunkel, und es gewittert. Es blitzt. Ich habe keine Ahnung, wann es dunkel wurde. Die Kopfschmerzen bringen mich wieder zur Besinnung, und sofort kriecht mir das Herz wieder bis in den Hals. Ich liege auf dem Boden. In der Küche. Unter größter Anstrengung hebe ich den Kopf und stütze mich auf den Ellbogen. Er sitzt am Küchentisch, eine Bierflasche in beiden Händen, und sieht hinaus in das Gewitter.

»Was soll ich nur mit dir machen, Rach?«, fragt er, als er bemerkt, dass ich den Kopf angehoben habe. »Jetzt sitze ich schon … fast eine halbe Stunde hier und stelle mir immer dieselbe Frage. Was soll ich nur mit dir machen? Welche Wahl lässt du mir noch?« Er nimmt einen großen Schluck Bier und sieht mich nachdenklich an. Ich ziehe mich hoch, bis ich mich mit dem Rücken an den Küchenschrank lehnen kann. In meinem Kopf dreht sich alles, Speichel überschwemmt meinen Mund. Ich glaube, ich muss mich gleich übergeben. Ich beiße mir auf die Lippe und bohre die Fingernägel in die Handflächen. Ich muss diese Lähmung loswerden – ich kann es mir nicht leisten,

Schwäche zu zeigen. Auf Hilfe kann ich nicht bauen, das ist mir inzwischen klar. Anna wird die Polizei nicht rufen. Sie wird ihre Tochter nicht meinetwegen in Gefahr bringen.

»Du musst zugeben«, sagt Tom, »dass du dir das alles selbst zuzuschreiben hast. Überleg mal: Wenn du uns einfach in Ruhe gelassen hättest, wärst du niemals in diese Lage geraten. *Ich* wäre nicht in diese Lage geraten. Keiner von uns. Wenn du an diesem Abend nicht in Witney gewesen wärst, wäre Anna nicht wieder zurückgekommen, nachdem sie dich am Bahnhof gesehen hatte, und ich hätte mit Megan alles klären können. Ich hätte mich nicht so ... über alles ärgern müssen. Ich hätte nicht die Beherrschung verloren. Ich hätte sie nicht verletzt. Nichts von alledem wäre passiert.«

Ich merke, wie sich ein Kloß in meiner Kehle bildet, aber ich schlucke ihn hinunter. Das ist typisch für ihn – so macht er es immer. Er versteht es meisterhaft, mir das Gefühl zu vermitteln, alles wäre meine Schuld und ich selbst vollkommen wertlos.

Er trinkt sein Bier aus und rollt die leere Bierflasche über den Tisch. Mit einem traurigen Kopfschütteln steht er auf, kommt zu mir und reicht mir beide Hände. »Na los«, sagt er. »Halt dich fest. Los, Rach, hoch mit dir.«

Ich lasse mich von ihm auf die Füße ziehen. Ich lehne mit dem Hintern an der Küchentheke, er steht vor mir, berührt mich, seine Hüfte liegt auf meiner. Er wischt mir mit dem Daumen die Tränen von den Wangen. »Was soll ich nur mit dir machen, Rach? Was würdest du an meiner Stelle tun?«

»Du brauchst gar nichts zu tun«, sage ich zu ihm und versuche zu lächeln. »Du weißt, dass ich dich liebe.

Immer noch. Du weißt, dass ich niemandem etwas erzählen würde ... Das könnte ich dir nicht antun.«

Er lächelt – dieses breite, schöne Lächeln, bei dem ich immer dahingeschmolzen bin –, und ich beginne zu schluchzen. Ich kann es nicht glauben, ich kann nicht glauben, dass es so weit mit uns gekommen ist, dass das größte Glück, das ich jemals erleben durfte – mein Leben mit ihm – nur eine Illusion war.

Er lässt mich eine Weile weinen, aber offensichtlich langweile ich ihn, denn das strahlende Lächeln verschwindet, und auf einmal sind seine Lippen zu einem Feixen verzogen.

»Komm, Rach, das reicht«, sagt er. »Hör auf zu flennen.« Er tritt einen Schritt zurück und rupft eine Handvoll Papiertücher aus einer Schachtel auf dem Küchentisch. »Putz dir die Nase«, sagt er, und ich schnäuze mich wie befohlen. In seinem Blick liegt unverhohlene Verachtung. »Der Tag, an dem wir zum See gefahren sind«, sagt er, »da dachtest du, du hättest wieder Chancen bei mir, nicht wahr?« Er lacht auf. »Das stimmt doch, oder? Als du mich so flehend und mit Rehaugen angesehen hast ... Da hätte ich dich haben können, oder? Du bist so durchschaubar.« Ich beiße mir fest auf die Lippe. Er kommt wieder auf mich zu. »Du bist wie einer dieser Hunde, die niemand haben will und die ihr ganzes Leben lang misshandelt werden. Die sich immer und immer wieder treten lassen und trotzdem jedes Mal winselnd und schwanzwedelnd wieder angelaufen kommen. Bettelnd. Weil sie hoffen, dass es diesmal anders läuft – dass sie diesmal alles richtig machen und dafür geliebt werden. So bist du, oder, Rach? Du bist ein Hund.« Er schiebt die Hand um meine Taille und presst seinen Mund auf meinen. Ich lasse seine

Zunge zwischen meine Lippen gleiten und schmiege meinen Unterleib gegen seinen. Ich spüre, wie er hart wird.

Ich weiß nicht, ob noch alles am selben Platz liegt wie früher, als ich hier lebte. Ich weiß nicht, ob Anna die Schränke umgeräumt, ob sie die Spaghetti in einem neuen Behälter, die Waage unten links statt unten rechts verstaut hat. Ich weiß es nicht. Ich hoffe einfach, während ich die Hand in die Schublade hinter mir schiebe, dass sie es nicht getan hat.

»Du könntest recht haben, weißt du«, sage ich, als er kurz von mir ablässt. Ich sehe zu ihm auf. »Vielleicht wäre Megan wirklich noch am Leben, wenn ich an jenem Abend nicht in die Blenheim Road gekommen wäre.«

Er nickt, und meine Rechte schließt sich um ein vertrautes Objekt. Ich lächle und beuge mich langsam vor, ihm entgegen, bis ich meine Linke unauffällig um seine Taille schieben kann. Ich flüstere ihm ins Ohr: »Aber du glaubst doch nicht im Ernst, dass alles meine Schuld ist – nachdem du, nur du allein ihr den Schädel eingeschlagen hast?«

Sein Kopf ruckt zurück, und im selben Moment werfe ich mich nach vorn, ramme ihn mit meinem ganzen Gewicht und bringe ihn derart aus dem Gleichgewicht, dass er rückwärts gegen den Küchentisch prallt. Ich ziehe den Fuß hoch und stampfe mit aller Kraft auf seinen, und als er sich vor Schmerz zusammenkrümmt, packe ich ihn am Hinterkopf und reiße ihn an den Haaren zu mir her, während ich ihm gleichzeitig das Knie ins Gesicht drille. Ich spüre Knorpel knirschen und höre ihn aufschreien. Ich schleudere ihn zu Boden, schnappe mir die Schlüssel vom Küchentisch und bin zur Terrassentür hinaus, noch ehe er sich wieder aufrappeln kann.

Ich will zum Zaun hinüberrennen, aber dann rutsche ich im Schlamm aus und komme aus dem Tritt, und ehe ich michs versehe, hat er mich gepackt und schleift mich zurück, an meinem Haar, die Finger in meinem Gesicht, und speit Blut und Flüche. *Du saublöde Schlampe, warum kannst du uns nicht endlich in Frieden lassen? Warum kannst du mich nicht endlich in Frieden lassen?* Ich befreie mich noch einmal aus seinem Griff, aber ich kann nirgends mehr hin. Ich werde es nicht durch das Haus schaffen, und ich werde es nicht über den Zaun schaffen. Ich schreie, aber niemand hört mich, nicht bei diesem Regen und dem Donner und dem Kreischen des nahenden Zuges. Wieder laufe ich zum Ende des Gartens, auf die Gleise zu. In die Sackgasse. Ich stehe an genau demselben Fleck, an dem ich vor gut einem Jahr mit seinem Kind auf meinen Armen stand. Ich drehe mich mit dem Rücken zum Zaun und sehe ihn entschlossen auf mich zumarschieren. Er wischt sich mit dem Unterarm über den Mund und spuckt Blut. Durch die Zaunplanken in meinem Rücken spüre ich die Vibrationen des Zuges – er ist jetzt fast auf unserer Höhe, und er klingt, als würde er kreischen. Toms Lippen bewegen sich, er sagt etwas zu mir, aber ich kann ihn nicht hören. Ich sehe, wie er näher kommt, ich lasse ihn nicht aus den Augen und rühre mich nicht vom Fleck, bis er mich fast erreicht hat, und dann hole ich aus. Und ramme ihm den Korkenzieher in den Hals.

Er reißt die Augen auf und sackt lautlos zu Boden. Den Blick immer noch starr auf mich gerichtet, fasst er sich mit beiden Händen an den Hals. Er sieht aus, als würde er gleich losheulen. Ich starre ihn an, bis ich es nicht mehr aushalte, dann drehe ich ihm den Rücken zu. Hinter den hell erleuchteten Fenstern des vorüberrollenden

Zuges sehe ich Gesichter, über Bücher und Smartphones gebeugte Köpfe, Reisende auf dem Heimweg, warm und geborgen.

Dienstag, 10. September 2013

Morgens

Man kann es spüren: fast wie das Surren von elektrischem Licht, die atmosphärische Veränderung, als der Zug vor dem roten Signal zum Stehen kommt. Diesmal bin ich nicht die Einzige, die schaut. Wahrscheinlich war ich es nie. Wahrscheinlich schaut jeder – jeder schaut auf diese Häuser, an denen der Zug vorüberfährt –, nur sieht jeder sie anders. Jeder *sah* sie anders. Jetzt sehen alle das Gleiche. Manchmal kann man die Leute darüber reden hören.

»Das da drüben ist es. Nein, nein, das linke – genau. Mit den Rosen am Zaun. Da ist es passiert.«

Die Häuser selbst stehen inzwischen leer, Nummer fünfzehn ebenso wie Nummer dreiundzwanzig. Man sieht es ihnen nicht an – die Jalousien sind hochgezogen und die Türen stehen auf, aber nur weil sie zur Besichtigung stehen, das weiß ich sicher. Beide Häuser stehen inzwischen zum Verkauf, allerdings könnte es durchaus eine Weile dauern, bis sich auch nur für eins davon ein ernsthaft interessierter Käufer findet. Ich könnte mir vorstellen, dass die Makler eher Ghule durch die Räume führen, makabre Gaffer, die unbedingt aus nächster Nähe sehen wollen, wo er zusammenbrach und sein Blut den Rasen tränkte.

Mich schmerzt die Vorstellung, wie sie durch das Haus spazieren – mein Haus, das einst von meinen Hoffnungen erfüllt war. Ich versuche, nicht daran zu denken, was danach kam. Ich versuche, nicht an jene Nacht zu denken. Ich versuche es vergeblich.

Seite an Seite und mit seinem Blut besudelt saßen wir auf dem Sofa, Anna und ich. Die Ehefrauen, die auf den Notarzt warteten. Anna hatte ihn gerufen – sie hatte auch die Polizei informiert, sie hatte alles Wichtige erledigt. Die Sache in die Hand genommen. Kurz darauf – aber zu spät für Tom – trafen die Sanitäter ein, gefolgt von uniformierten Polizeibeamten und später den Detectives Gaskill und Riley. Als sie uns dort sitzen sahen, blieb ihnen im wahrsten Sinne des Wortes der Mund offen stehen. Sie stellten uns Fragen, doch ich bekam nicht ein Wort mit. Ich konnte mich kaum bewegen, kaum atmen. Anna übernahm das Reden, ruhig und unerschütterlich.

»Es war Notwehr«, erklärte sie den beiden. »Ich habe alles mit angesehen. Vom Fenster aus. Er ging mit dem Korkenzieher auf sie los. Er hätte sie umgebracht. Sie hatte keine Wahl. Ich habe noch versucht…« An dieser Stelle stockte sie, an dieser Stelle fing sie an zu weinen. »Ich habe noch versucht, die Blutung zu stoppen, aber ich hab es einfach nicht geschafft. Ich hab es nicht geschafft…«

Einer der uniformierten Polizisten ging Evie holen, die wie durch ein Wunder die ganze Sache friedlich verschlafen hatte, und dann wurden wir alle aufs Polizeirevier gebracht. Dort setzte man Anna und mich in getrennte Räume und stellte uns noch mehr Fragen, an die ich mich nicht erinnere. Ich musste mir alle Mühe geben, sie zu beantworten, mich zu konzentrieren. Ich musste mir alle Mühe geben, auch nur ein paar Worte herauszubringen. Ich erzählte ihnen, wie er mich angegriffen hatte, dass er mich mit einer Flasche niedergeschlagen hatte. Dann sagte ich, er wäre mit dem Korkenzieher auf mich losgegangen.

Ich sagte, ich hätte ihm die Waffe abnehmen können und mich damit verteidigt. Dann wurde ich untersucht: Meine Kopfwunde, meine Hände, meine Fingernägel wurden in Augenschein genommen. »Praktisch keine Verletzungen, die auf Selbstverteidigung schließen lassen«, stellte Riley skeptisch fest. Sie gingen weg und ließen mich mit einem uniformierten Polizisten zurück – mit Aknehals, der vor ewigen Zeiten mal zu mir in Cathys Wohnung gekommen war. Er stand an der Tür und wich verlegen meinem Blick aus. Irgendwann tauchte Riley wieder auf. »Mrs. Watson hat Ihre Aussage bestätigt«, sagte sie. »Sie können jetzt gehen.« Auch sie konnte mir nicht in die Augen sehen.

Ein Streifenwagen brachte mich ins Krankenhaus, wo meine Kopfwunde genäht wurde.

Die Zeitungen haben ausführlich über Tom berichtet. Inzwischen weiß ich, dass er niemals bei der Army war. Er hatte sich verpflichten wollen, war aber zweimal abgelehnt worden. Auch die Geschichte von seinem Vater war gelogen – er hatte einfach alles verdreht. Tatsächlich hatte er seine Eltern um ihre Ersparnisse geprellt und alles durchgebracht. Sie hatten ihm verziehen, trotzdem kappte er alle Verbindungen, als sein Vater sich weigerte, ihr Haus mit einer weiteren Hypothek zu belasten, um ihm noch mehr Geld leihen zu können. Er hat immer und bei allem gelogen. Selbst wenn es gar nicht nötig war; selbst wenn es völlig sinnlos war.

Ich kann mich noch genau daran erinnern, wie Scott einmal über Megan sagte: *Ich weiß überhaupt nicht mehr, was für ein Mensch sie war.* Ich empfinde genau das Gleiche. Toms gesamtes Leben war ein einziges Lügengebäude – errichtet aus Unwahrheiten und Halbwahrheiten, die er erzählte, um besser, stärker, interessanter zu erscheinen. Und ich fiel auf alle diese Lügen rein – auf jede einzelne. Genau wie Anna. Wir haben ihn geliebt. Ich frage mich, ob wir auch die schwächere, unvollkommene, ungeschönte Version geliebt hätten. Ich wahrscheinlich schon. Ich hätte ihm seine Misserfolge und seine Fehler verziehen. Schließlich habe ich selbst genug davon begangen.

Abends

Ich übernachte in einem Hotel in einem kleinen Ort an der Küste von Norfolk. Morgen reise ich weiter gen Norden. Vielleicht nach Edinburgh, vielleicht noch ein Stück weiter. Ich habe mich noch nicht entschieden. Solange ich nur sicher sein kann, dass ich genug Abstand gewinne. Ich habe ein wenig Geld. Mum war erstaunlich großzügig, als sie erfuhr, was ich durchgemacht hatte, und so brauche ich mir darüber nicht den Kopf zu zerbrechen. Vorerst zumindest nicht.

Ich habe mir einen Wagen gemietet und bin am Nachmittag damit nach Holkham gefahren. Am Ortsrand gibt es eine Kirche, auf deren Friedhof Megans Asche beigesetzt wurde, gleich neben den Gebeinen ihrer Tochter Libby. Das habe ich in der Zeitung gelesen. Aufgrund von Megans mutmaßlicher Rolle beim Tod ihrer Tochter löste die Wahl der Grabstätte zwar ein paar Kontroversen aus, aber letztendlich wurde der Beisetzung zugestimmt, und mir erscheint das nur richtig. Sie hatte weiß Gott genug gebüßt.

Obwohl es bei meiner Ankunft prompt zu regnen anfing und keine Menschenseele zu sehen war, stellte ich den Wagen in einiger Entfernung ab und wanderte dann über den Friedhof. Ich entdeckte ihr Grab in der hintersten Ecke, fast versteckt unter einer Reihe Fichten. Wer nicht eigens danach sucht, stößt nicht darauf. Auf dem Grabstein stehen lediglich ihr Name und ihr Geburts- und Sterbedatum – nichts von liebendem Gedenken, geliebter Frau, Tochter oder Mutter. Auf dem Grabstein ihrer Tochter steht schlicht: *Libby.* Wenigstens liegt sie jetzt in einem richtigen Grab und nicht mehr mutterseelenallein bei den Gleisen.

Der Regen wurde stärker, und als ich auf dem Rückweg über den Friedhof einen Mann in der Kirchentür stehen sah, glaubte ich im ersten Moment, es wäre Scott. Sofort begann mein Herz wie wild zu schlagen, doch als ich mir den Regen aus den Augen wischte und wieder hinsah, wurde mir klar, dass es ein Priester war. Er hob die Hand zum Gruß.

Von völlig grundloser Angst gepackt, flüchtete ich fast im Laufschritt zu meinem Wagen zurück. Ich musste wieder daran denken, wie gewalttätig mein letztes Treffen mit Scott geendet hatte, wie er zuletzt gewesen war – wild und paranoid, am Rand des Wahnsinns. Auch jetzt wird er keinen Frieden finden. Wie sollte er auch? Wenn ich daran denke oder daran, wie er früher war – wie *sie* früher waren, wie sie in meiner Fantasie gewesen sind –, fühle ich mich wie um irgendwas gebracht. Auch ich spüre ihren Verlust.

Ich habe Scott eine E-Mail geschickt und mich für all die Lügen entschuldigt, die ich ihm aufgetischt habe. Ich wollte mich eigentlich auch für Tom entschuldigen, weil ich etwas hätte merken müssen. Hätte ich etwas gemerkt, wenn ich all die Jahre nüchtern gewesen wäre? Vielleicht wird es auch für mich keinen Frieden geben.

Er hat auf meine E-Mail nicht geantwortet. Es hätte mich auch gewundert.

Ich gebe den Wagen wieder ab, gehe zu Fuß zu meinem Hotel zurück, checke ein und mache dann einen Spaziergang zum Hafen, weil ich mir nicht länger vorstellen will, wie schön es wäre, mit einem Glas Wein in der Hand in der gemütlichen, halbdunklen Hotelbar zu sitzen.

Ich kann mir genau vorstellen, wie gut ich mich beim ersten Glas fühlen würde. Um das Gefühl zu verdrängen, zähle ich die Tage seit meinem letzten Drink: zwanzig. Einundzwanzig, wenn ich heute mitzähle. Exakt drei Wochen: meine längste enthaltsame Phase seit Jahren.

Verrückterweise war es ausgerechnet Cathy, die mir den letzten Drink in die Hand drückte. Als mich die Polizei nach Hause brachte, kalkweiß und blutverschmiert, und Cathy erfuhr, was passiert war, holte sie eine Flasche Jack Daniel's aus ihrem Zimmer und schenkte uns beiden einen großzügigen Schluck ein. Sie konnte gar nicht mehr aufhören zu weinen, immer wieder sagte sie, wie leid ihr alles tue, als wäre alles irgendwie ihre Schuld. Ich trank den Whisky und erbrach ihn gleich wieder; seither habe ich keinen Tropfen mehr angerührt. Was nicht heißt, dass ich mich nicht danach verzehre.

Am Hafen biege ich links ab und gehe am Kai entlang zu dem Strandabschnitt, über den ich, wenn ich wollte, bis zurück nach Holkham wandern könnte. Es ist fast dunkel und kalt unten am Wasser, aber ich gehe immer weiter. Ich will so lange gehen, bis ich völlig erschöpft bin, bis ich so müde bin, dass ich nicht mehr nachzudenken vermag und dann eventuell einschlafen kann.

Der Strand ist menschenleer, und es ist so kalt, dass ich die Zähne zusammenbeißen muss, damit sie nicht klappern. Ich gehe mit langen Schritten über den groben Kies, an den Strandhütten vorbei, die tagsüber so malerisch und jetzt so düster aussehen, als böte jede einzelne von ihnen ein finsteres Versteck. Sobald der Wind aufkommt, erwachen sie zum Leben, ihre Holzbretter reiben knarrend aneinander, und unter dem Rauschen des Meeres hört man das Murmeln einer Bewegung: als würde jemand oder irgendetwas näher kommen.

Ich mache kehrt und beginne zu rennen.

Ich weiß, da draußen ist nichts – es gibt nichts, wovor ich mich fürchten müsste –, aber das verhindert nicht, dass die Angst aus der Magengrube in meine Brust und in die Kehle klettert. Ich renne, so schnell ich kann. Erst als ich wieder am Hafen bin und die Straßenbeleuchtung über mir hell leuchtet, werde ich langsamer.

In meinem Zimmer lasse ich mich aufs Bett fallen und setze mich auf beide Hände, bis sie aufhören zu zittern. Ich öffne die Minibar und hole eine Flasche Wasser und ein Päckchen Macadamianüsse heraus. Den Wein und die kleinen Fläschchen mit Gin lasse ich stehen, obwohl sie mir beim Einschlafen garantiert helfen würden, obwohl sie mich warm und gelöst in die Bewusstlosigkeit gleiten lassen würden. Obwohl sie mir, wenigstens vorübergehend, helfen würden, sein Gesicht zu vergessen – wie es aussah, als ich mich zu ihm umdrehte und ihm beim Sterben zusah.

Der Zug war wieder angefahren. Ich hörte etwas hinter mir und sah, wie Anna aus dem Haus kam. Sie rannte auf uns zu, fiel neben Tom auf die Knie und schloss die Hände um seinen Hals. Er hatte diesen entsetzten, verletzten Gesichtsausdruck. Ich wollte ihr noch sagen: *Das bringt nichts, du wirst ihm nicht mehr helfen können.* Aber dann begriff ich, dass sie gar nicht versuchte, die Blutung zu stillen. Sie wollte sichergehen. Indem sie den Schraubenzieher tiefer und tiefer drehte und dabei seine Kehle zerfetzte, während sie gleichzeitig ohne Unterlass ganz leise auf ihn einredete. Was sie sagte, konnte ich nicht verstehen.

Das letzte Mal sah ich sie auf dem Polizeirevier, als wir beide unsere Aussagen machen mussten. Sie wurde in einen Raum geführt und ich in einen anderen, aber ehe sich unsere Wege trennten, legte sie mir noch kurz die Hand auf den Arm. »Pass auf dich auf, Rachel«, sagte sie, und so wie sie es sagte, klang es beinahe wie eine Warnung. Uns verbinden, und zwar für alle Zeit, die Geschichten, die wir getrennt voneinander erzählt haben: dass ich keine andere Wahl hatte, als ihm den Korkenzieher in den Hals zu rammen; dass Anna alles versuchte, um ihn zu retten.

Ich gehe ins Bett und mache das Licht aus. Ich werde nicht schlafen können, aber ich muss es trotzdem versuchen. Irgendwann werden die Albträume hoffentlich aufhören, und ich werde aufhören, die Szene immer und immer wieder vor mir zu sehen. Aber heute liegt eine lange Nacht vor mir, das ist mir klar. Und ich muss morgen früh aufstehen, wenn ich den Zug erwischen will.

DANKSAGUNG

Viele Menschen haben mir geholfen, dieses Buch zu schreiben, aber niemand war mir eine größere Hilfe als Lizzy Kremer, meine wunderbare und weise Agentin. Mein tiefer Dank gilt außerdem Harriet Moore, Alice Howe, Emma Jamison, Chiara Natalucci und dem ganzen David-Higham-Team, Tine Nielsen sowie Stella Giatrakou.

Dankbar bin ich außerdem meinen brillanten Lektorinnen auf beiden Seiten des Atlantiks: Sarah Adams, Sarah McGrath und Nita Pronovost. Mein Dank gilt auch Alison Barrow, Katy Loftus, Bill Scott-Kerr, Helen Edwards, Kate Samano und dem fantastischen Team bei Transworld – ihr seid zu viele, als dass ich euch alle namentlich aufzählen könnte.

Danke, Kate Neil, Jamie Wilding, Mum, Dad und Rich, für eure Unterstützung und euren Zuspruch.

Und schließlich danke ich auch den Londoner Pendlern für diesen kleinen Funken Inspiration.